DOSTOEVSKY AND THE TWENTIETH CENTURY

THE LJUBLJANA PAPERS

edited by
Malcolm V. Jones

AP ASTRA PRESS AP

ASTRA PRESS

20 CANDLEBY LANE, COTGRAVE

NOTTINGHAM NG12 3JG, ENGLAND

(tel. /0602/ 892364)

ISBN 0-946134-38-3

CONTENTS

IV. Dostoevsky's Novels (Structure / Composition / Genre)

V. Dostoevsky and Modern Literature (Comparative Studies)

PREFACE

The history of the publication of these papers may be of some interest in itself.

The VII International Dostoevsky Symposium took place in Ljubljana from 22 to 29 July 1989. A report by Nadine Natov on the Symposium is provided in volume I of the new series of *Dostoevsky Studies*. Readers will not need to be reminded of the historical events which followed that Autumn in Eastern Europe or of Slovenia's move to independence from the former Yugoslavia.

Following the development of *glasnost'* in the Soviet Union the Russian representation in Ljubljana in 1989 greatly exceeded that at any previous Dostoevsky Symposium and the re-evaluation of the Dostoevsky tradition which was emerging in Russia may be seen in more than one of the papers published in this volume.

The original intention of the Executive Committee was that, as at previous Symposia, papers should, where appropriate, be published in forthcoming numbers of the journal of the International Dostoevsky Society, *Dostoevsky Studies*, at that time published in Klagenfurt and Ljubljana under the editorship of Professor Rudolf Neuhäuser, who was also President of the Society.

However, the events in Slovenia had one unfortunate consequence: a vital source of financial support for the journal disappeared. Over the next three years strenuous efforts were made to re-establish it on a new basis, and these eventually succeeded. It was agreed at the next Symposium in Oslo in 1992 that it would in future be published in the U.S.A. by Charles Schlacks, under the editorship of Professor Gene Fitzgerald.

But the new journal wanted to make a fresh start and the Ljubljana papers, many already edited by Professor Neuhäuser, were left stranded and still unpublished.

It was at this point that the Society turned to Garth Terry's *Astra Press* (already well-known worldwide for its bibliographies, *Festschriften* and conference proceedings in the Slavonic field) with a proposal that he publish the Ljubljana papers as they stood. Any contributors who preferred to re-write them for publication elsewhere might do so. Otherwise they would appear together in a single volume of conference proceedings.

Happily, none were withdrawn and several were added when the plan became known.

Garth Terry then turned to me as a friend and colleague of long-standing and past Vice-President of the IDS, also living and working in Nottingham, for specialist advice and assistance with editing. Although I had unfortunately missed the Ljubljana Conference itself, I was glad to offer this assistance with the approval of the Society, and this volume of 24 papers is the result.

The history of the emergence of the volume is therefore a curious one and, apart from the exceptional delay in publication, it explains certain features of the contributions which already give some of them an historical interest.

In editing this volume we have adhered to the Society's wish that the contributions should be published as nearly as possible in the form submitted. We have therefore reduced editorial work on the individual texts to a minimum, limiting it to harmonisation of editorial style and evident errors in transcription. Had they been submitted individually for publication in a scholarly journal, we should, of course, have proceeded differently.

Throughout this volume references to Dostoevsky's *Polnoe sobranie sochinenii v tridtsati tomakh* (Leningrad, Izd. Nauka, 1972–85) have been incorporated into the text in the following format, e.g. *PSS*, V: 123.

We have followed the Society's practice of allowing contributions in Russian, German, French or English.

Some of the papers were evidently provided for publication in expanded form while others seem to follow fairly closely the form in which they were originally delivered and reflect debates not represented here in their entirety. One or two of the papers on Dostoevsky's impact on later writers assume a common body of knowledge about Dostoevsky rather than rehearse it afresh and therefore focus on the later writers.

We have organised the contributions thematically in a fashion which reflects the outline programme for the Symposium but not necessarily the panels to which they were actually submitted. The title of the volume, *Dostoevsky and the Twentieth Century*, was however the overall theme of the Symposium as originally advertised. Inevitably the occasional paper falls outside the original scope of the conference, except on the most generous interpretation. Where this has occurred, we have fitted it in where it seems to fall most naturally.

In sum, this volume fulfils a longstanding commitment by the Society to its members and in doing so brings at last into the public domain a collection of important articles, many of which retain their original freshness, and all of which are as relevant to Dostoevsky studies today as they were when first delivered. We are confident that members of the Society and other readers will share our pleasure in seeing them published and available to other specialists.

September 1993

Malcolm V. Jones
University of Nottingham

SECTION I

Dostoevsky and the Present Day

1.

SAMOE GLAVNOE

VICTOR TERRAS

Some years ago I gave a paper, "Dostoevsky's Detractors", in which I tried to summarise some opinions about Dostoevsky's *œuvre* that were concerned with its flaws, failings, and vices.[1] In this paper I shall gather some critical opinions that seek to capture the essence of Dostoevsky's genius in positive terms.

Dostoevsky the conservative publicist was influential in his day. His *Diary of a Writer* is a credit to the journalism of his age, but all in all it lacks the spark of genius.

Dostoevsky the psychologist has been credited with having anticipated some insights of 20th-century psychoanalysis. He had a profound understanding of human beings under conditions of great stress caused by want, suffering, frustration, rejection, and despair. He understood the psychology of poverty, humiliation, resentment, jealousy, cynicism, and cruelty better than most. However, Dostoevsky's excellence as a psychologist is hardly the measure of his greatness, if for no other reason than because Dostoevsky himself often spoke disparagingly of "scientific" psychology.[2]

The last word may not as yet have been said about Dostoevsky the prophet and religious thinker. His analysis of the mentality that caused the Russian revolution was profoundly correct, yet he was wrong in his assumption that Russian spirituality would prevail over the demons of Nihilism.

Dostoevsky's religious thought is concerned with the ways in which men live and die *with* or *without* God. The solipsist antihero of *Notes from Underground*; Raskolnikov, the would-be Nietzschean *Übermensch*; *l'homme révolté* in Ippolit of *The Idiot* or Kirillov of *The Possessed*; Stavrogin, the "burnt-out" Byronic hero; hedonists like Fyodor Pavlovich Karamazov; crude cynics like Smerdyakov; god-builders like Versilov or Ivan Karmazov – they are all

---

1. See *Dostoevsky Studies*, VI (1985), pp. 165–72.
2. Porfiry Petrovich in *Crime and Punishment*, the narrator in the chapter "Analysis" in *The Eternal Husband*, and the narrator in the chapter "Psychology under Full Steam" of *The Brothers Karamazov* are exponents of this notion.

"humanists" who believe that man can stand alone, without God, or against Him. Dostoevsky's peculiar approach to existence without God made him a forerunner of Existentialism. He asked not whether there is or is no God, but what living with or without God means to the existence of modern man.[3] Despite his efforts to discredit atheist "humanism", he became a prophet of the "death of God", sharing this role with Stirner, Schopenhauer, and Nietzsche. Dostoevsky certainly defined the condition of man *without* God with great power, but this achievement has lost some of its provocative edge in our godless age.

Those of Dostoevsky's characters who are *with* God, holy men, simple souls, or humble sinners, are less compelling. Their state of grace is determined not by virtuous deeds or even by the fruits of their deeds, but by their humble acceptance of God's fatherhood. This position is complemented by Dostoevsky's doctrine, stated most clearly by Father Zosima, of human solidarity in sonhood, which lets every human bear guilt for every sin of all humanity. While this doctrine emanates from the teachings of the Orthodox Church, it coincides more explicitly with Schopenhauer's Hinduist philosophy:

> Tormentor and tormented are one. The former is in error believing that he does not partake of the torments, the latter that he does not partake of the guilt. If the eyes of both were opened, he who inflicts suffering would recognise that he lives in everything that suffers torments in the whole world ... and the tormented would realise that all the evil that is or was ever done in the world emanates from the will that constitutes *his* being, too.[4]

Dostoevsky believed that a Christian's progress is a struggle *against* human nature.[5] Man is sustained in this struggle by epiphanies of divine grace – Father Zosima's "contact with other worlds" – that intrude upon peoples' mundane existence. This position, as well as Dostoevsky's rejection of ethic rationalism, are in accord with Orthodox doctrine, but also with some strains of romantic Idealism, particularly as developed in Russia by Vladimir Solovyov. Dostoevsky's religious philosophy is also in tune with Russian Slavophile thought. Khomyakov and Ivan Kireevsky presented similar ideas more systematically. Important as Dostoevsky's religious ideas and *Kulturkritik* are, to see his greatness mainly in these terms may divert from an appreciation of his genius, for the simple reason that today, as in the writer's lifetime, many readers will reject these ideas out of hand.

Claims of Dostoevsky's greatness must be staked on his greatness as a novelist, precisely in the Bakhtinian sense of the novel as an all-inclusive, wide open expression of the fullness of life in a world in flux. Isaiah Berlin was, I

---

3. For an analysis of this conception, see Ina Fuchs, *'Homo Apostata', die Entfremdung des Menschen: Philosophische Analysen zur Geistmetaphysik F.M. Dostojewskijs* (Munich, Otto Sagner, 1987).
4. *Die Welt als Wille und Vorstellung*, §63; my translation.
5. Stated most clearly in the famous notebook passage '*Маша лежит на столе*'.

believe, deeply wrong when he called Dostoevsky a monist hedgehog whose art is all about a single idea, rather than a pluralist fox with a bagful of tricks.[6] A great novelist in the Bakhtinian sense can only be a pluralist. Dostoevsky is a pluralist in a dazzling variety of ways. He has been aptly called a "romantic realist". He has been thought, certainly in the West, to be the most Russian of novelists; yet his greatest impact has been on Western readers and Nabokov had a point calling him the most Western of Russian writers. Dostoevsky's art is decidely demotic, yet it came to be appreciated by the intellectual élite of the 20th century, the Prousts, Gides, and Hermann Hesses. Dobrolyubov considered Dostoevsky a champion of the "insulted and injured", while Mikhailovsky called him a "cruel talent".

Then there is what Bakhtin called the "polyphonic" quality of Dostoevsky's art, the presence in his texts of a persistent "other voice", generated by devices such as an ironic narrator, often himself the unwary butt of the implied author's irony; frequent "inner dialogue"; multiple ambiguities; and an incessant stream of literary quotations, echoes, and allusions.

Furthermore, Dostoevsky's texts are semantically multi-levelled. Their narrative level, itself many-faceted, is synchronised with a moral and political argument, such as the antinomy of human and divine justice in *The Brothers Karamazov*, an allegoric message (for instance, the prophetic anticipation of the Russian revolution in *The Possessed*), and metaphysical symbolism, such as the theme of resurrection in *Crime and Punishment.*

Dostoevsky's novels encompass antagonistic philosophies and value systems. He is an excellent "devil's advocate". Sophisticated readers have mistaken ideas which Dostoevsky was in fact refuting for his own.[7] Dostoevsky's negative characters, his losers, scoundrels, and villains are presented with as much empathy as his tragic heroes. Bakhtin drew attention to what he called the "carnivalistic" strain in Dostoevsky's novels. A tragic plot develops from what was initially a scandalous incident or a bad joke. Burlesque comedy is interspersed with tragic action. Serious ideas are advanced by disreputable types, buffoons, or characters who are clearly wrong about things that are dear to the writer's heart. Often Dostoevsky's most cherished thoughts appear in travesty: Lebedev praying for the soul of the Countess Du Barry is in fact living up to Father Zosima's principle of universal solidarity.

Dostoevsky's novels have been called "ideological" (Boris Engelhardt), because his heroes may be perceived as ideas incarnate and his plots as conflicts of ideas. But then, too, Dostoevsky "aimed at concreteness all his life", as Viktor Shklovsky once put it. There is a wealth of concrete detail, both incidental and

---

6. Isaiah Berlin, *The Hedgehog and the Fox* (London, Weidenfeld & Nicolson, 1953).
7. V.V. Rozanov and D.H. Lawrence, for example.

significant, in his novels. Mundane concerns (family, food and clothing, and of course money) appear throughout in the most concrete terms. Dostoevsky is a master of *detail évocateur*: Sonya's plaid shawl, Arkady Dolgoruky's white-and-blue checkered handkerchief, Stavrogin's little red spider, Alyosha's sausage sandwich, Ilyusha's toy cannon, and hundreds of other such details. It is quite false to say, as some critics have, that Dostoevsky's heroes do not eat or drink. One must only read *The Brothers Karamazov* carefully to refute this opinion.

Dostoevsky's heroes are exceptional human beings in extreme situations: capital crime, high passion, despair. Yet they live in a world populated by crowds of ordinary people living ordinary lives. The saints, fanatics, murderers, and tragic sufferers of Dostoevsky's novels live among men and women who pursue their mundane concerns in familiar ways.

Even structurally, Dostoevsky's novels are ambiguous. On the one hand, they leave openings to "real life" in a variety of ways (allusions to contemporary social and political concerns); on the other, they are structured artefacts by virtue of the presence in them of mirroring, doubles, repetitions, leitmotifs, foreshadowing, situation rhyme, symbolism, and a dramatic plot. Organised as a sequence of scenes, Dostoevsky's novels have been justly called "novel-tragedies". However, the tragic plot is invariably embedded in a quite conventional novelistic narrative with many feuilletonistic digressions. For example, the tragic plot of *The Idiot* is embedded in what is recognisably an old-fashioned family novel.

One cannot seriously doubt the breadth, variety, versatility, and wealth of Dostoevsky's novelistic craftsmanship. But it may still not be *the* key to his greatness. I believe that a story told by Yury Olesha gives us a clue. Olesha was sitting on a toilet once and reached for some loose printed pages at hand. He could not extract any meaning from what he was reading, but was immediately and utterly fascinated by it. Then he realised that he was reading pages torn from *The Idiot*. The point: there is an inherent energy in Dostoevsky's texts, quite independent of plot, ideology, philosophy, psychology, or prophecy. What generates this energy?

Dostoevsky's texts are "alive", rather than lucid, well written or elegant. They present the narrator's and the characters' speech in living flux, rather than as a finished product. The text is energised by an ever present "inner form", reflecting emotion or thought in process. By "inner form" I mean any kind of content beyond routine communication, or in other words, any active ingredient added to the message by its medium. Metaphoric expression, as in *подполье* ("underground"), *надрыв* ("rupture"), or *бесы* ("demons"), is the most obvious example. "Inner form" may be generated also by rhythm, dialogic expression (as in irony, ambiguity, allusion, innuendo, etc.), over– and understatement, poignancy, solemnity, strangeness (through quirkiness, buffoonery, slang, idiolect, etc.), challenging the reader (by open partisanship, provocation, suspense, or novelty), and the narrator's unflagging personal interest in the action. "Inner form" makes the reader "see" things by making them concrete. For instance, the first chapter subtitle in *The Brothers Karamazov* might have read "The Story of a Family", which would have been routine communication without an "inner form". But it reads: "История одной семейки", "The Story of One Nice Little Family", quickly revealed to be ironic.

Dostoevsky's narrators and many of his characters are given the gift of imaginative expression – at the expense of realism, objectivity, and balance.[8] Homer, Dante, and Shakespeare are among those taking the same risk. The gain is in expressiveness. Dostoevsky's are among the most expressive, energised texts in all literature. A high energy level is sustained for hundreds of pages. Among the Russians, only Gogol rivals Dostoevsky in this respect, though his range is more narrow. Kindred writers in other languages are Faulkner, Céline, and Grass.

---

8. I owe this observation to the late Yury Ivask.

2.

РОЛЬ СОЗНАНИЯ И ТВОРЧЕСКОГО ДИАЛОГА ДЛЯ ДОСТОЕВСКОГО И ДЛЯ НАС

ГЕОРГИЙ М. ФРИДЛЕНДЕР

Любимые герои Достоевского – люди острого, испытующего сознания. Даже Макар Алексеевич Девушкин, которого история литературы традиционно относит к типу "маленького человека", полон напряженных раздумий: каждая встреча с другим человеком, каждое столкновение с жизнью высекает у него искру мысли: мысли о себе и о своем положении в сложившейся чиновной иерархии, о богатых и бедных, о чиновниках и генералах, о нищем мальчике и семействе соседа его Горшкова. И мысли эти, как к своему фокусу, стягиваются к центральным для Достоевского антитезам Красоты и Безобразия, Добра и Зла, совести и аморализма, покорности и бунта, нравственной ответственности и безразличия к окружающим людям – "ближним" и "дальним", к проблеме человеческой личности, его прав и обязанностей.

В Девушкине впервые Достоевский затронул столь важную для него в будущем проблему личности. В Макаре Алексеевиче рождается личность. Но она именно только еще рождается. Ощущая себя в наиболее острые моменты жизни личностью, заявив о своих человеческих правах, Девушкин в роковую для него решающую минуту оказывается сломленным своей нищетой, унизительным благодеянием "его превосходительства", вошедшими глубоко в его натуру моралью покорности, примирения с силою обстоятельств. Почувствовав в себе человека, Девушкин все же не стал еще личностью, не ощутил себя человеком в полном смысле слова, – человеком, имеющим не только равное с другими право на счастье, но и реально достигшего возможности почувствовать себя равным другим в умственном и нравственном отношениях. В этой неспособности Девушкина почувствовать себя личностью в полном смысле слова – его трагический рок. Ибо гибнет он – по Достоевскому – не только из-за стирающей его в порошок силы внешних обстоятелств, но и из-за своей безличности, из-за неспособности преодолеть свойственное ему чувство человеческой неполноценности. Мысль, сознание, ощущение своего "я" и его прав – это, для Достоевского, величайшая нравственная ценность, одна из неотъемлемых от жизни и человека творческих сил, способствующих богатству, гармонии и полноте нашего существования.

Сказанное о Девушкине относится не только к нему, но и ко многим другим персонажам раннего Достоевского. Так же, как и Девушкин, Голядкин, Ползунков, господин Прохарчин, Ордынов, Вася Шумков, Мечтатель из "Белых ночей" – люди, в которых присутствуют яркие проблески чувства личности, сознания своих человеческих прав. Но у всех у них чувства эти находятся на начальной (или переходной) ступени развития. И это обуславливает трагический финал повествования о каждом из них. За взлетом сознания героя в каждой из посвященных им рассказов и повестей молодого Достоевского следует крах этого сознания. И крах этот обусловлен не только необоримой силой внешних обстоятельств, но и внутренней слабостью "маленького человека" или "мечтателя" – двух типов героев повестей этого ряда. Утверждая чувство личности, высокий уровень человеческого сознания и самосознания как величайшие положительные, творческие ценности, молодой Достоевский отнюдь не склонен считать, что человек, который и в силу внешних, и в силу внутренних, субъективных причин не может вырастить в себе заметную и яркую личность, не имеет право на нашу симпатию и уважение. Нет! Достоевский уже в ранних своих вещах – "великий Христианин" (как позднее он же сам охарактеризовал Диккенса с его романами, переполненными бесчисленным количеством "чудаков" вроде мистера Пиквика, мистера Микобера или бессмертной бабушки Давида Копперфильда, любовно окруженной такими фигурами, как Баркис и Пеготти). Всякий человек – независимо от того, более и менее он умственно развит и большим или меньшим сознанием своих человеческих прав обладает, является для Достоевского в принципе уникальной, великой и неповторимой ценностью. Писатель требует к нему от каждого другого "я" уважения и внимания, признания его равноправности. Никто не волен посягать на человеческое достоинство, свободу и независимость каждого другого – пусть самого слабого и ничтожного существа. Но все это не значит, что человек не должен стремиться развить и облагородить свое "я" сознанием высшей христианской истины. Жизнь и сознание – не враги, но союзники. Ибо сознание также рождено самой жизнью, является ее творческой потенцией.

Во второй период творчества Достоевского, начиная с *Села Степанчикова*, *Записок из Мертвого дома*, *Униженных и оскорбленных*,

Зимних заметок о летних впечатлениях и – особенно – *Записок из подполья*, его размышления вступают в новую фазу. Продолжая признавать, как и ранее, уникальность и неповторимость каждой человеческой личности, Достоевский ставит теперь в центре своего внимания не столько "мечтателей", героев "слабого сердца" (или персонажей, у которых вспышки сознания, ощущение социальной и нравственной незащищенности своей личности и ее прав приводят к чувству озлобления, к страху и демонстративному, провоцирующему шутовству), сколько героев, наделенных высоким уровнем мысли. Этот уровень мысли в романах его непрерывно повышается: она захватывает у мыслящих героев писателя все более широкий круг вопросов человеческого бытия.

Но при этом обнаруживается и новый, более сложный пласт при художественно-философском анализе вопроса об отношении жизни и сознания. Да! Сознание, мысль рождены жизнью, представляют одну из высших ее ценностей, от этого постулата Достоевский никогда не откажется. Но и менее важно и другое – то, что в ранних произведениях Достоевского содержалось лишь в зародыше. Человек – величайшее благо – и величайшей ценностью и для него, и для общества являются его самосознание, его мысль. Сам Христос велик и "лучезарен" именно своей личностью, то есть тем, что он является идеальным прообразом человеческой личности в высшем духовном и нравственном развитии ее ума и сердца. И вместе с тем так же, как жизнь может служить и добру и злу, добру и злу может служить и натура человека, его сознание, его мысль, его личность.

Итак, мысль может равно стать и высочайшим благом и величайшей силой зла и разложения. А следовательно, хотя жизнь и сознание – союзники, на практике между ними не всегда существуют добрые, гармонические отношения. Уже Макар Девушкин знаком с уродующим ощущение им своих человеческих прав чувством "амбиции". А у Голядкина, Прохарчина, Ползункова "амбиция" неотделима от их личности и самосознания. Таких жертв омского острога как убийцы Газин, Петров или Орлов ощущение сдавленных жизнью, не находящих себе иного применения огромных внутренних сил толкает на путь зла, жестокости и преступления. Фома Фомич Опискин или князь Валковский отнюдь не лишены ни личного своеобразия, ни весьма хитроумного, изобретательного коварстсва. А Подпольный герой – человек высокого уровня сознания, мыслитель, философ – и тем не менее основные вопросы человеческого бытия остаются для него вечной загадкой, перед которой вся его изощренная логика бессильно рассыпается в пух и прах.

Итак, сознание, подъем личности – великая ценность. И все же эта ценность, как и все остальное, имеет свои границы. Чтобы рост личности привел ее к добру, а не ко злу, нужна и другая, не менее важная сила – творческое сомнение, – сомнение, ведущее не к разрушению, а к созиданию.

Ибо любая ценность может легко стать для человека самоценной, оторванной от других жизненных ценностей. И то же самое относится к сознанию, к чувству личности, к "идее", владеющей человеческим умом и сердцем.

Все главные герои романов зрелого Достоевского от Раскольникова до Ивана Карамазова – мыслители. Именно высокое развитие напряженной пытливой мысли, доходящей до глубинных основ человеческого бытия, до роковых причин страданий человека в мире делает их интересными для автора и читателя, придает им немалую долю их очарования, того чувства восхищения, которое мы нередко испытываем перед ними. Духовная жизнь человека, его умственные и нравственные искания, сомнения и заблуждения составляют внутренний нерв искусства Достоевского-романиста. Идеалом его всегда остается человек широкой, пытливой мысли, высокого нравственного сознания. И вместе с тем Достоевский – одним из первых в мировой литературе – понял, что мысль может стать не только созидательным, но и разрушительным началом, стать опорой не только демократии, но и тирании. Отвлеченные и утопические идеи, оторванные от жизни живого человека, могут стать для носителя таких мыслей тяжелым грузом, служающим и подавляющим полноту его внутренней жизни, таящей в себе угрозу тоталитаризма, угрозу другим людям, обществу, нации, всему человечеству. Эта глубокая, провидческая мысль проходит красной нитью через все романы Достоевского.

Ибо, во-первых, любая, самая высокая и благородная мысль может легко вульгаризироваться, опошлиться, превратиться в "уличную философию". И тогда на смену Раскольникову приходят Лужин и Лебезятников, а на место Сен-Симону и Фурье – Петр Верховенский и Шигалев, Гитлер и Сталин, "великие инквизиторы" или – "мошенники, а не социалисты". Более того Ставрогины и Верховенские зачастую сами же вкладывают нож в руку Федьки Каторжного, а Иваны Карамазовы подают пример Смердяковым.

Но беда может стать и еще более губительной: отождествляя законы жизни со своей моральной "арифметикой" (подобно Раскольникову), с законами "эвклидовского" рассудка (подобно Ивану Карамазову), герои Достоевского обедняют этим и жизнь, и самих себя. Они хотят уложить живую реальность в прокрустово ложе искусственных, априорных, отвлеченных схем. А это неизбежно ведет к разрыву с миром, с полнотой вселенной в ее Красоте и Правде, открытым нередко "простым", менее сложным, но и менее опутанным предвзятыми схемами и догмами людям, к разрыву с народом и его бессознательно усвоенным нравственным мировоззрением, основанном на нерушимости вечных норм добра и справедливости. Отсюда – неизбежный внутренний разлад героев с самими собой, с лучшей частью своего собственного человеческого существа, которое открыто красоте мира с его "клейкими листочками", символизирующими вечную жизнь и вечное обновление живого.

Вот почему Достоевский приходит к выводу, что сознание должно быть дополнено другим, не менее важным началом – совестью. Совесть – вечный беспокойный фермент, живущий в человеческой душе, фермент, не дающий ей эгоистически замкнуться в себе, застыть и окаменеть. Через пробуждение совести и потрясение сердца человек приходит к сомнению в своей узкой, эгоистической единичной правде, к обретению утраченного им единства с собою, с миром и другими людьми. На этом крестном пути сами ошибки, грехи и испытания могут стать для человека с душой и сердцем этапами роста и подъема личности, этапами движения к нравственному воскресению, к обретению утраченного им равновесия и единства с миром.

Как Христос на своем пути без насилия над своей личностью преодолел три дьяволовы искушения, так должен сознательно и свободно преодолеть их каждый человек. И лишь тогда он сможет обрести ту внутреннюю свободу, над которой никогда не сможет восторжествовать власть "Великого инквизитора", сулящего человеку безответственную легкую и сытую жизнь за счет его отказа от своей нравственной ответственности и свободы, подчинению власти насилия и тирании – в любом исторически возможном – уже знакомом или еще незнакомом нам сегодня варианте.

Но как обрести тот нравственный стимул, который способен дать человеку силу для того, чтобы не остановиться на своем пути, не быть раздавленным грузом своих собственных, уводящих в сторону от "живой жизни" отвлеченных идей и построений? Подобный стимул для Достоевского-художника: постоянный внутренний самоанализ, а также постоянное общение, постоянный диалог людей между собой.

Едва ли не каждый, кто писал в XX веке о романе Достоевского, не отмечал того особого исключительного значения, который имеет в романах Достоевского диалог. Об особой силе и значении диалогической стихии в романах Достоевского говорили и литературоведы – Л.П. Гроссман, А.З. Штейнберг, М.М. Бахтин, Т. Киносита, – и писатели – С. Цвейг, А. Жид – и философы – в первую очередь, Х. Ортега-и-Гассет в своих знаменитых *Размышлениях о романах* (1925).

Хочется процитировать только что найденное И.А. Битюговой, публикуемое в последнем томе *Полного Собрания сочинений Достоевского* письмо Достоевского к Любимову из Старой Руссы от 25 мая 1879. Оно связано с печатанием в *Русском вестнике* знаменитой книги *Pro и contra из Братьев Карамазовых*. Защищая здесь "густые краски", которые раздражали его оппонента в гневных монологах Ивана, автор *Карамазовых* пишет:

> Это ведь не я говорю густыми красками, преувеличениями и гиперболами (хотя против действительности нет преувеличений), а лицо моего романа Иван Карамазов. Это его язык, его слог, его пафос, а не мой. Это мрачнораздраженный и много молчавший человек. Ни за что бы он никогда не заговорил, если бы не случайная, вдруг разгоревшаяся его симпатия к брату Алексею. Кроме того, он еще очень молодой человек. Как бы он мог заговорить и на чем надсадить сердце, не прервавшись, без особ[енного] увлечения, без пены у рта. Но я именно и хотел, чтобы выдалось лицо и чтобы читатель заметил именно эту страстность, этот наскок, этот литературный, обрывистый подход.

Достоевский превосходно характеризует в этих словах слово своего героя, которое всегда – "слово—страсть", "слово—человек", ибо представляет собой как бы сгусток, концентрацию внутренней жизни личности, ее выношенного годами и глубокого укоренившегося личного убеждения. И в то же время, как подчеркивает автор, слова Ивана не выплеснулись бы из его души в столь страстной форме без общения – без "случайной" встречи с Алешей.

Я не намерен сегодня вдаваться в те различные интерпретации, которые каждый из ученых и деятелей культуры разных стран и эпох давал диалогической стихии в романах Достоевского. Это – тема особого доклада. Но для меня важно подчеркнуть другое. Диалог – для Достоевского – не "техническое" композиционное средство, а форма общения между людьми. Он служит открытому свободному выражению каждым своей личности, своего мнения, своих взглядов и идеалов. И вместе с тем – диалог – всегда острая вспышка мысли, и спор, и орудие его разрешения. В споре, в столкновении идей рождается и проверяется истина. В то же время в общении, в споре, в диалоге мы не только выражаем, но и уточняем свои взгляды, устанавливаем пункты нашего схождения и расхождения с собеседниками, учимся находить в их мнениях и взглядах часть правды, рациональное зерно, способное к жизни и развитию, ко включению в нашу правду, в наш нравственный мир, становимся полноправными участниками жизни в ее бесконечном движении и развитии.

К этому я бы хотел прибавить еще три замечания. Первое из них основано на верном и глубоком наблюдении Бахтина. Диалог у Достоевского – это не только беседа или спор между двумя разными собеседниками, но и призыв к человеческому равноправию. И при этом диалогична по своему внутреннему характеру уже сама нравственная жизнь героев-протагонистов Достоевского. В их уме и сердце спорят идеал Мадонны с идеалом Содомским, Бог с Дьяволом и с Великим инквизитором. Но и этим не исчерпывается сущность диалога, о котором я говорю. Ибо герой Достоевского в своей внутренней речи все время спорит с другими людьми, с их мнением о себе. Он не терпит данного раз и навсегда, "готового" приговора, вынесенного ему другими людьми. Ибо он чувствует, что любой "приговор", любая характеристика его – это всего лишь часть (и порою не самая важная часть) внутренней его сути, которая всегда находится в глубине, пребывая в становлении, в движении, в динамике, а не в статике. Вот почему, как верно отметил в свое время Х. Ортега-и-Гассет,[1] реальный рассказ о герое у Достоевского нередко взрывает изнутри, опровергает и разрушает тот "предисловный рассказ" (пользуясь выражением Д.С. Лихачева), ту характеристику автора или рассказчика, которая предшествует появлению героя на сцене.

Но еще важнее, может быть, другое: персонаж Достоевского, как верно заметил молодой советский ученый В.В. Федоров, спорит с другим персонажем не только тогда, когда он обменивается с ним словами. Диалог для Достоевского начинается до открытого столкновения персонажей и заканчивается после него.[2] Сама личность героя, его особая позиция по отношению к миру – это уже приглашение к диалогу. Ибо все люди живут в одном общем мире, где каждый уникален и неповторим. А следовательно – само существование множества человеческих индивидуальностей – уже часть бессловесного диалога между ними. Все люди – в силу того, что каждый из них уникальная и неповторимая личность, – втянуты в вечный и бесконечный диалог о мире и человеке, об их взаимоотношениях, о том, что в жизни высоко и низко, достойно и недостойно. Позиция Раскольникова и позиции Сони, Свидригайлова, Порфирия, страстные монологи Дмитрия и Ивана Карамазовых, поэма "Великий инквизитор" и "Житие старца Зосимы", написанное Алексеем Карамазовым,

---

1. J. Ortega y Gasset, *The Dehumanization of Art and Other Writings on Art and Culture*, перевела Helene Weyl (Нью Йорк, P.Smith, 1951), с. 71–72.
2. В.В. Федоров, 'Диалог в романе. Структура и функции' (Автореферат на ученую степень кандидата филол. наук; 1975; Донецкий гос. университет).

речь Алеши у камня, обращения к "мальчикам" в эпилоге романа – таковы части этого всеохватывающего диалога.

И, наконец, последнее: Достоевский смотрит на жизнь как на бесконечный, имеющий глубокий этический смысл диалог, начавшийся до нашего рождения на свет и заканчивающийся в бесконечности будущего. И в ходе этого диалога, как уже было отмечено выше, он отвергает любые "готовые", затвердевшие определения и отвлеченные идеологемы. Любая попытка подвести "живую жизнь" под раз навсегда данные, общие схемы вызывает у него сомнения и отпор. Но это не означает, что в хоре "расходящихся" голосов своих героев он не находит связующих их позиции "общих точек". Так, Достоевский спорит с Белинским. Но это не означает, что он полностью отвергает идеи Белинского. Он спорит с Герценом – но во многом между ними существует и духовная общность. Он печатает свои романы в *Русском вестнике*. И он же горячо спорит с Катковым и Любимовым. Дружит со Страховым и Майковым – но нередко и полемизирует с ними в письмах к жене и записях, сделанных для себя. Наконец, при всем своем сочувствии многим идеям старших славянофилов, он резко критикует Ивана и Константина Аксаковых, отзывается в *Ряде статей о русской литературе* об идеализации славянофилами допетровской Руси как об "узком московском идеальчике".

С другой же стороны, отвергая атеизм, Достоевский в *Братьях Карамазовых* заявляет, что атеизм может быть ближе к истинному христианству, чем наивная вера, не прошедшая через "горнило сомнений". Он говорит об Алеше Карамазове и его поколении, что представители этого поколения, да и сам Алеша, равно могли бы стать и ревнителями подлинной веры и революционерами-народовольцами. И самого Алешу, как мы знаем, романист хотел провести через оба эти полюса.

Итак, люди разделены своими убеждениями. И однако в убеждении каждой частной и благородной натуры (если перед нами не Петр Верховенский, не Тоцкий, не Лужин, не Смердяков!) есть часть правды. Ипполит Терентьев – антипод Мышкина. Но на своем жизненном пути Мышкин пережил (хотя и оставил в прошлом) сомнения и отрицание Ипполита. Мысли Человека из подполья Достоевский охарактеризовал в разговоре с В.В. Тимофеевой-Починковской как "einen schon überwundenen Standpunkt".[3] Но это ведь значит, что в прошлом сам Достоевский – в чем он открыто признался Починковской – прошел через отрицание и "бунт" своего подпольного героя. Наконец в

3. *Достоевский в воспоминаниях современников* (Москва, 1964), т. II, с. 176.

главе *Дневника писателя* за 1873 г. "Нечто личное" Достоевский – автор *Бесов* – признает себя бывшим "нечаевцем", – и это свидетельство для нас гораздо весомее, чем любые мемуарные свидетельства авторов воспоминаний о молодом Достоевском и о его настроениях в период увлечения идеями петрашевцев.

Вот почему Достоевский, как верно отметил П.В. Палиевский,[4] не отвергает слепо любое истинное убеждение, как бы мало оно ему не импонировало, но стремится понять его, выявить его "pro" и "contra", развить его до последних выводов и следствий. Он стремится встать на точку зрения своего противника, видя в нем не столько противника, сколько партнера, соучастника общего движения человечества. Пусть человек мыслит односторонне, пусть он заблуждается, но это не значит, по Достоевскому, что всегда и во всех случаях его оппонент руководствуется ложными и злыми намерениями. Прежде, чем судить о человеке или о любом другом явлении, надо как бы нравственно переселиться в них умом и сердцем пройти с ними рука об руку весь их путь "изнутри". И тогда может оказаться, что и в самой ложной идее, неприемлемой и гибельной как целое есть своя – пусть малая – часть правды. А самая святая и высокая истина может оказаться на деле "в параличе" и, следовательно, требует лечения, поправок, реформ. Так, и народная правда выражена в народе лишь "бессознательно", и нужен был гений Пушкина, чтобы заставить ее засиять в полном блеске. А в бунтующих и страстных героинях Жорж Санд при более пристальном взгляде на них открывается целомудрие и чистота, близкие незамутненному и высокому христианскому идеалу.

Мы видим, что диалог в романах Достоевского – не просто "техническое средство", как полагали пятьдесять лет назад Гроссман или Ортега-и-Гассет. Это – проявление гуманистической открытости его романов жизни в ее постоянном движении, борьбе и динамизме. Диалог для Достоевского – призыв к людям жить общей жизнью, необходимый элемент бытия людей в их нормальном, нестесненном развитии. Диалогизм романов Достоевского вытекает из убеждения романиста в том, что любая "идея" каждой – пусть самой малой личности имеет право на свободное обсуждение. Лишь благодаря ему, благодаря "додумыванию" до конца идеи героя, из нее могут быть извлечены ее внутренний потенциал, ее сила и слабость. "Горнило сомнений" не разрушает того, что жизнеспособно; оно укрепляет и возвышает его. В призыве не бояться сомнений и

---

4. П.В. Палиевский, 'Место Достоевского в литературе XIX века', в сб. *Достоевский. Материалы и исследования* (Ленинград, 1985), т. VI, с. 46-54.

споров, но проверять все затвердевшие, бессознательно усвоенные идеологемы так же, как и любые роздающиеся в мире "новые" идеи, претендующие на общезначимость, в мирном диалоге между людьми, в их общении, в оценке каждого мнения и каждой идеи в свете высокого и благородного, "лучезарного" нравственного идеала состоит завет Достоевского людям сегодняшнего дня. Как всякий человек, он и сам, как мы все хорошо знаем, не избежал увлечения абстрактными идеологическими построениями и схемами, которые опровергаются живой правдой его романов и его мысли. И в этом призыве Достоевского к постоянному, напряженному диалогу между нами во имя утверждения общей, большей человеческой Правды, нашего постоянного общего движения вперед я вижу один из факторов, способствующих близости Достоевского жизни и литературе нашего времени – времени сближения людей и усиления взаимообмена их культурными ценностями, романов Булгакова и Замятина, Гроссмана и Домбровского, Оруэлла и Хаксли, Айтматова и Солженицына, Т. Манна и У. Фолкнера, К. Абэ, Г. Грина и Г. Маркеса. Ибо необходимым компонентом культуры нашего сегодняшнего для уже стал и становится с каждым днем во все большей мере свободный и открытый, мирный диалог между людьми всех стран и регионов, людьми различного социального положения, неодинаковых политических, социальных и религиозных убеждений во имя взаимопонимания и сохранения нашей планеты, ее цивилизации и культуры, а также во имя общих интересов свободного и гуманного развития всего человечества, развития, обеспечивающего право на благосостояние, свободу и счастье каждого народа и каждого отдельного члена нашего земного сообщества.

3.

ПАРАДОКСЫ ПРИЗНАНИЯ: ПРОБЛЕМА "ТРАДИЦИЙ ДОСТОЕВСКОГО" В КУЛЬТУРЕ XX ВЕКА

ВЛАДИМИР ЗАХАРОВ

Популярность Достоевского в современном мире достигла такой степени, когда автора начинают чтить, подчас переставая читать. При всех издержках это верный признак того, что Достоевский превращается в символ современной культуры, когда важнее знать не то, что он написал, а то, что это значит. Произошло и происходит своеобразное разложение общего текста Достоевского на конъюнктурный свод формул и цитат ("Смирись, гордый человек", "Красота спасет мир", "Константинополь должен быть наш", "все разрешается", "все позволено", и т.д.) – свод в котором спутано Слово автора и слова героев, а сами высказывания приобретают другой, чем Достоевского, смысл.

Достоевский без Достоевского

Вот недавний, но характерный случай. В одном из телевизионных интервью 1989 года кинорежиссер А. Михалков-Кончаловский произнес свой нелучший каламбур (Достоевский – Горький). Дословно было сказано:

> Достоевский был горький писатель. При всей своей такой ... я сказал бы... Ну, он был в какой-то степени оглашен духовностью и русскостью, но все-таки он сказал такую фразу, которую мы до сих пор не решаемся произнести. Я вот решусь сейчас. Он сказал: в русском человеке приверженность к великой идее удивительно сочетается с величайшей подлостью и чего в нем больше, великой ли идеи или подлости, покажет будущее. Это мог сказать только человек, который как бы рубил свою собственную руку.

Конечно, это не Достоевский. От своего имени он говорил иные слова о русском народе и России. Их мог произнести любой из его подпольных героев, но не сам автор. Сказано в упрек русскому человеку, хотя для этих слов была бы уместна одна интонация – интонация покаяния, но ее не было в словах известного режиссера.

Достоевский не говорил ничего подобного. И не потому, что не точна цитата по памяти. Похожие слова говорил не Достоевский, а Аркадий Долгорукий, герой романа *Подросток*, который неожиданно обнаружил в себе "душу паука" – способность единовременного созерцания "идеала Мадонны" и "идеала Содомского". При всем молитвенном отношении к Катерине Николаевне Подросток не может удержаться от плотского соблазна – потребовать "выкуп" за документ у "барыньки". Для него это "способность" – тайна:

> Да и всегда было тайною, и я тысячу раз дивился на эту способность человека (и, кажется, русского человека по преимуществу) лелеять в душе своей высочайший идеал рядом с величайшей подлостью, и все совершенно искренно (*ПСС*, XIII: 307).

Есть азбучные истины. Нельзя актера путать с его ролью. Нельзя автору приписывать слова героя. Достоевский настаивал на этом в течение своей творческой жизни – от *Бедных людей* до *Братьев Карамазовых*.

По поводу критики на *Бедных людей* Достоевский писал брату:

> В публике нашей есть инстинкт, как во всякой толпе, но нет образованности. Не понимают, как можно писать таким слогом. Во всем они привыкли видеть рожу сочинителя; я же моей не показывал. А им и невдогад, что говорит Девушкин, а не я, и что Девушкин иначе и говорить не может (*ПСС*, XXVIII/1: 117).

Этим азам читательской культуры Достоевскому пришлось учить во время печатанья *Братьев Карамазовых* редактора *Русского вестника* Н.А. Любимова. Не привожу других – укажу на самое выразительное и убедительное разъяснение:

> Само собою, что многие из поучений моего старца Зосимы (или, лучше сказать способ их выражения) принадлежат лицу его, то есть художественному изображению его. Я же хоть и вполне тех же мыслей, какие и он выражает, но если б лично от себя выражал их, то выразил бы их в другой форме и другим языком. Он же не мог ни другим языком, ни в другом духе выразиться, как в том, который я придал ему. Иначе не создалось бы художественного лица (*ПСС*, XXX/1: 102).

Эти творческие принципы Достоевского давно не составляют тайны. После выхода шестьдесят лет назад известной книги М.М. Бахтина *Проблемы творчества Достоевского* это научно доказанный факт. Довериться ли Достоевскому или Бахтину – истина одна. Когда-то наивность читателя была извинительна ("нет образованности"). Сейчас она – увы, невежество.

Игра в цитаты (цитата на цитату) мало что стоит, но вот слова еще одного героя: "«Ненавижу Россию». До ненависти даже дошло. Напиши что хошь дурное про русского человека – великим человеком тебя вознесут" (*ПСС*, XV: 252). Это старец Зосима, и извлечена фраза из заготовок к его "Поучениям". Актуально? Современно? Только цена хулы уже не та, что сто лет назад, – обесценилась: величия не стяжать – лишь добавить скандала к своей известности.

От ошибок никто не застрахован. Впрочем, вряд ли и ошибка это. То, что А. Михалков-Кончаловский не услышал Достоевского, – его позиция (художественная, если хотите): Платонов без Платонова ("Любовники Марии"), Достоевский без Достоевского (герои вместо писателя). Саморазоблачительно резюме режиссера, раскрывающее его уровень осмысления Достоевского: "Это мог сказать только человек, который как бы рубил свою собственную руку". Этот штамп массовой культуры многого стоит: не Достоевский, а "Новый однорукий боец" – китайский боевик режиссера Chang Cheh.

До сих пор Достоевского корят за слова из Пушкинской речи – его призыв, обращенный к русскому интеллигенту: "Смирись, гордый человек". В этих словах видят проповедь покорности, рабского страдания, непротивления злу насилием, между тем у Достоевского этот призыв имел иной и этической, и культурный смысл: "подчини себя себе" (*ПСС*, XXVI: 139), "узры Христа" (*ПСС*, XXVI: 215), "представь Русскую мысль" (*ПСС*, XXVI: 216), смирись перед народной правдой, обрети "сродство духа с родною почвой" – народной культурой, причем эта проповедь имела у Достоевского не столько национальное, сколько общечеловеческое значение: "Чуть соприкоснулся с почвой, стал на великую дорогу. Великая дорога – это соприкосновение с великими идеалами общечеловеческими, это и есть назначение русское" (*ПСС*, XXVI: 211). Справедливы ли упреки Достоевскому после этих слов?

Замечательны слова: "Красота спасет мир". Настолько замечательны, что стали одной из идей современной культуры. Теперь их можно услышать всюду и с обязательной ссылкой на авторитет Достоевского. В романе *Идиот* это слова князя Мышкина, но произносит их не он, а Ипполит Терентьев, который слышал эту фразу не от князя, а в передаче Коли Иволгина. Ипполит обращается с риторическим вопросом к Мышкину:

> Правда, князь, что вы раз говорили, что мир спасет "красота"? Господа, — закричал он громко всем, — князь утверждает, что мир спасет красота! А я утверждаю, что у него оттого такие игривые мысли, что он теперь влюблен. Господа, князь влюблен; давеча, только что он вошел, я в этом убедился. Не краснейте, князь, мне вас жалко станет. Какая красота спасет мир? Мне это Коля пересказал... Вы ревностный христианин? Коля говорит, вы сами себя называете христианином (*ПСС*, VIII: 317).

Все эти знаменительные вопросы Мышкин оставил без ответа, но развитие реплики красноречиво: Ипполит не удовлетворен формулой князя. При всем безусловном доверии к Достоевскому сходными сомнениями поделился в "Нобелевской лекции" А. Солженицын, и сделал это художественно тонко и убедительно: ему необходимо триединство Истины, Добра и Красоты. Так что вполне уместен этот непраздный вопрос Ипполита: "Какая красота спасет мир?".

Афоризм вошел в роман из третьих уст. К нему причастны Мышкин, Коля Иволгин, Ипполит Терентьев. Подобные ситуации в произведениях Достоевского возникали, когда изреченная мысль героя не исчерпывалась сказанным, когда возникала потребность обсуждения недодуманной мысли, появилась возможность "пробы", испытания ее. Даже Мышкин не отвечает в полной мере за эту отчужденную мысль – в подготовительных материалах к роману остались заготовки: "«Да, вы правы, гадко и паточно, если... Но поймут». Мир красотой спасется. Два образчика красоты". На полях вписана фраза: "Князь скажет что-нибудь о Христе" (*ПСС*, IX: 222). В романе князь не связал красоту с Христом – это сделали Ставрогин и Шатов в набросках "Фантастических страниц" к *Бесам*. Ставрогину были приготовлены слова:

> "Христианство спасет мир и одно только может спасти — это мы вывели и этому верим. Раз. Далее: христианство только в России есть, в форме православия. Два". Его перебивает Шатов: "Итак, Россия спасет и обновит мир православием" (*ПСС*, XI: 185).

Позже Ставрогин уточняет свою мысль:

> Многие думают, что достаточно веровать в мораль Христову, чтобы быть христианином. Не мораль Христова, не учение Христа спасет мир, а именно вера в то, что слово плоть бысть. Вера эта не одно умственное признание превосходства его учения, а непосредственное влечение. Надо именно верить, что это окончательный идеал человека, все воплощенное слово, Бог воплотившийся (*ПСС*, XI: 187-88).

Тогда – в конце концов: "Мир станет красота Христова" (*ПСС*, XI: 188). Пытался примерить эту формулу спасения мира Достоевский и Версилову. В заготовленных герою словах из записной тетради есть реплика: "Что же спасет мир? – Красота. – Но всегда с насмешкой" (*ПСС*, XVI: 43). Насмешка – поправка формулы на характер героя.

Не имею ничего против этой выразительной эстетической идеи спасения мира, но даже в романной судьбе князя Мышкина это лишь одно из значений его мессианского чувства – есть и другие: спасти мир, по Мышкину, могли и Христос, и Бог, и Россия, и правда, и любовь.

Был у Достоевского и литературный аспект этой проблемы. В записных тетрадях к *Дневнику писателя* есть рассуждения о "деловой" и "идеальной" литературе:

> Романы дела, к сожалению, не удались. Прекрасное в идеале недостижимо по чрезвычайно силе и глубине запроса. Отдельными явлениями. Оставайтесь правдивыми. Идеал для Христос. Литература красоты одна лишь спасет (*ПСС*, XXIV: 167).

"Все разрешается" и "все позволено" – уличный, ординарный вид идей Раскольникова и Ивана Карамазова. Их истинный смысл иной: Раскольников разрешает себе не "все", а только, что "по совести"; Иван Карамазов позволяет себе тоже не "все", а то, на что есть "санкция истины".[1]

Таков Достоевский без упрощений и подмен. Таково реальное значение расхожих слов "цитатного" Достоевского. Примеров можно приводить много – ограничусь одним, достаточно выразительным.

Вот уже двадцать пять лет с подачи Б.И. Бурсова в научной и критической литературе гуляет фраза: "Как известно, Достоевский называл свой реализм фантастическим". В подтверждение весомо добавлено, но без конкретных ссылок: "На эту тему много написано в специальной литертуре".[2] Сам Б.И. Бурсов повторил ее несколько раз, но эхо этой фразы можно услышать в сотнях работ, в том числе и научных, но без обязательных в таком случае библиографических сносок. Их нет, потому что Достоевский никогда и нигде не говорил о "фантастическом реализме". Иногда, чтобы как-то подтвердить этот критический миф, ссылаются на слова: "реализм, доходящий до фантастического". Но разителен контраст между реальным и мифическим значением фразы. У Достоевского речь идет не о литературе, а о жизни – не о творческом методе, а о родах:

> Принять не во что, пеленок нет, ни тряпки нет (бывает этакая бедность, господа, клянусь вам, бывает, чистейший реализм - реализм, так сказать, доходящий до фантастического), и вот праведный старичок снял свой старенький вицмундирчик, снял с плеч рубашку и разрывает ее на пеленки (*ПСС*, XXV: 91).

Комментарии, как говорится, излишни.

Есть еще один возможный источник этой "цитаты" без кавычек и сносок. В известной книге Д.С. Мережковского о Л. Толстом и Достоевском эффектно блистает перл – с виду фраза Достоевского, но сочинена она Мережковским. Сочинена, хотя скорее всего Мережковский привел ее по памяти, а память – ненадежный помощник. Из трех цитат Достоевского получилась одна фраза Мережковского:

---

1. Подробнее об этом см.: В.Н. Захаров, *Система жанров Достоевского: Типология и поэтика* (Ленинград, 1985), с. 145-54, 159-64.
2. Б.И. Бурсов, *Национальное своеобразие русской литературы* (Москва-Ленинград, 1964), с. 319.

> "Я ужасно люблю реализм, — реализм, так сказать, доходящий до фантастического. То, что большинство называет фантастическим, то для меня иногда составляет самую сущность действительного", — говорит Достоевский.[3]

А вот собственные слова Достоевского. Из рассуждений о реализме и "нравственном центре" в произведениях искусства:

> Я ужасно люблю реализм в искусстве, но у иных современных реалистов наших нет *нравственного центра* в их картинах, как выразился на днях один могучий поэт и тонкий художник, говоря о картине Семирадского (*ПСС*, XXV: 90-91).

Из рассуждений об ужасной нищете: "бывает этакая бедность, господа, клянусь вам, бывает, чистейший реализм, – реализм, так сказать, доходящий до фантастического" (*ПСС*, XXV: 91). Из письма Н.Н. Страхову:

> У меня свой особенный взгляд на действительность (в искусстве), и то, что большинство называет *почти* [выделено мной — В.З.] фантастическим и исключительным, то для меня иногда составляет самую сущность действительного (*ПСС*, XXIX/1: 19).

Что не соответствует им – то от Мережковского. Смысл высказывания искажен, хотя на слух "цитата" звучит как фраза Достоевского, на деле же – Мережковского. Если у кого-либо есть желание аргументировать концепцию "фантастического реализма", то лучше это делать без ссылок на авторитет Достоевского.

Так возникает "знаковый" и "цитатный" Достоевский: слова героев приписываются автору, вырванные из контекста цитаты нередко теряют свой истинный смысл. Так возникает литературно-критические и политические мифы о Достоевском: "жестокий талант", "злой гений", "шовинист", "антисемит", православный клерикал, "имморалист" и т.д. И каждый такой миф (такова его знаковая природа) стремится к подмене творчества, но всякий миф не вечен.

Все то, так сказать, издержки признания, сопуствующие репутации любого гения. В этом нет ничего необычного. Проблема в другом – в характере и степени воздействия Достоевского на культуру XX в.

Наследие Достоевского в Культурной Традиции XX Века

Влияние Достоевского на культуру XX в. очевидно, но проявилось оно противоречиво и неоднозначно, если не сказать – парадоксально.

На философию Достоевский повлиял сильнее, чем на искусство, но философия его героев оказала, в свою очередь, большее воз-

---

3. Д.С. Мережковский, *Л. Толстой и Достоевский* (С.-Петербург, 1901), с. 344.

действие на культуру, чем философия самого автора. В современной философии авторитет Достоевского и его героев-философов упрочен именами Ф. Ницще, Л. Шестова, В. Розанова, З. Фрейда, Н. Бердяева, А. Камю, М. Бахтина и многих других, но, пожалуй, только Н. Бердяев и М. Бахтин брали уроки "философии жизни" у самого Достоевского, а не у его героев. Впрочем, плодотворны и тот, и другой путь развития традиций Достоевского в современной культуре. Так, герои Достоевского помогли В. Розанову стать самим собой – свободной личностью в жизни и искусстве, а философия искусства М. Бахтина немыслима без трех откровений, которые он нашел еще в двадцатые годы в творчестве Достоевского.

В музыке, театре, кино (исключая почти все экранизации) традиции Достоевского раскрылись полнее, чем в литературе. Достаточно назвать конгениальные проявления: С. Прокофьев и Д. Шостакович, А. Куросава и А. Тарковский. Несмотря на сомнительный подчас успех, постоянно идут инсценировки произведений писателя – в Достоевском ищут и находят нового драматурга, который может изменить современный театр. Сегодня и других авторов ставят, рассматривая их "глазами Достоевского" – через призму его духовного опыта. Сложнее в живописи. Известны художественные вкусы самого Достоевского. Есть конгениальный портрет автора *Бесов* кисти В. Перова. Уникальны по степени проникновения в мир Достоевского иллюстрации М. Добужинского к "Белым ночам". В целом же воздействие Достоевского скорее всего выразилось не в зримых образах, а в качестве художественого мышления – неслыханной свободе личности, взыскующей духовности и человечности.

В русской поэзии XX в. традиции Достоевского выразились ярче, чем в прозе. Тут много аспектов. Диалогичное слово новых поэтов оказалось ближе прозаику Достоевском, чем поэтам–предшественникам. Освобождение мысли в слове, муки изреченного и неизреченного слова, трагизм духовных переживаний определили психологизацию и романизацию лирики XX века. В поэзии полнее выразились идеи и темы Достоевского – и прежде всего благодаря концепции лирического героя, осознанной в поэзии так, как ставил проблему личности Достоевский. Обшая духовная "почва" (Россия и Петербург Достоевского) роднили И. Анненского, А. Блока, А. Ахматову. Даже Б. Пастернак, не жаловавший иногда Достоевского в поздних устных отзывах, в своей урбанистической лирике "вышел из Достоевского".[4]

---

4. Об этом убедительно говорил в ноябре 1986 года на чтениях "Достоевский и мировая литература" в Литературно-мемориальном музее Ф.М. Достоевского (Ленинград) Евг. Б. Пастернак.

Консервативнее всего в усвоении художественных открытий Достоевского оказалась проза. Обозначилась эта проблема уже во время дебюта Достоевского. Лишь два критика (В. Белинский и В. Майков) признали "новое слово" Достоевского в искусстве, оценили оригинальность его дарования. На гребне сенсационного успеха возникла (правда, ненадолго и без серьезных историко-литературных последствий) "школа молодого Достоевского". П.В. Анненков назвал ее "фантастико-сентиментальным направлением" в литературном процессе конца сороковых годов. Сюда входили Я.П. Бутков, М.М. Достоевский, А.Н. Плещеев, А.И. Пальм, восполнившие прозаический отдел *Отечественных записок* после ухода многих авторов в новый *Современник*. По воспоминаниям С.Д. Яновского, Достоевский помогал своим подопечным в выборе тем, сюжетов, следил за развитием их литературных дарований.[5] Они откровенно подражали своему "метру" в постановке социальных и психологических проблем, в разработке анекдотических фабул и фантастических сюжетов. К их кругу (точнее к "фантастико-сентиментальному направлению") можно причислить М.Е. Салтыкова (будущего Н. Щедрина), Н.Д. Ахшамурова. Это увлечение начинающих писателей стилевой манерой молодого Достоевского было, пожалуй, единичным эпизодом в дальнейшей историко-литературной судьбе писателя. Большинство же писателей-современников не принимало или недооценивало его творчество. Так, влияние Достоевского на Тургенева было преходящим – он недолго был привлечен открытиями своего сверстника: в дальнейшем отношение Тургенева к Достоевскому было однозначно отрицательным – его раздражала повествовательная манера Достоевского. Не приходится, например, говорить о серьезном влиянии Достоевского на Некрасова, но глубокое влияние Некрасова на Достоевского – очевидный факт. Можно говорить о влиянии Толстого на Достоевского, но значительно меньше о влиянии Достоевского на Толстого. Предшествующая и современная литература повлияла на Достоевского значительно разнообразнее и глубже, чем сам Достоевский на литературный процесс. Немало писателей предпочли просто не заметить присутствие в литературе писателя Достоевского. Среди тех, кто обратил внимание, лишь немногие были увлечены открытиями Достоевского – остальные не принимали его. Увлечение символистов Достоевским почти не отозвалось в их прозе, которая оказалась невосприимчивой к поэтике Достоевского, хотя в критике было глубокое проникновение В.И.

---

5. *Ф.М. Достоевский в воспоминаниях современников* (Москва, 1964), т. I, с. 166-67. Ср.: П.В. Анненков, 'Заметки о русской литературе прошлого года', *Современник*, № 1 (1849).

Иванова в тайны его поэтики. Чуть ли не признаком хорошего тона и прогрессивных убеждений было ругать или пренебрежительно отзываться о Достоевском. Таковы были неприязненные отзывы М. Горького, И. Бунина, В. Набокова, А. Платонова и многих других. В советской литературе 20–50-х годов Достоевский был сведен к "достоевщине", его гуманизм стал "абстрактным", его традиции стали предметом ожесточенной борьбы с ними, а проблема русского интеллигента в его творчестве была сведена к фиктивной проблеме "маленького человека". Суд над Достоевским, учиненный на Первом съезде Союза Писателей СССР, выработал стойкий иммунитет к "синдрому Достоевского" у многих советских писателей, пришедших в литературу в эти годы. Пожалуй, только в творчестве Л. Леонова положительно оценивалось развитие традиций Достоевского – изпользование психологических открытий писателя (подполье, двойничество) для разоблачения традиционных типов русской социальной жизни. Сейчас именем Достоевского клянутся многие, но убедительнее всего эти заверения в любви Достоевскому звучат в литературной критике, а не в художественном творчестве писателей.

В чем дело? Почему в поэзии традиции Достоевского проявляются свободнее, чем в прозе, в других видах искусства (музыке, театре, кино) ярче, чем в литературе? Чтобы ответить на эти вопросы, необходимо определить объем понятия "традиции Достоевского". Это достаточно широкое понятие. Оно включает в себя общность тематики, сходство проблем, развитие идей, мотивов, образов, социальных типов семейств, характеров героев, поэтических принципов изображения действительности. Достаточно одной из названных категорий (например, наличия тематической общности), чтобы возник разговор о развитии традиций одного писателя в творчестве другого.

Чему учились и учатся у Достоевского? Прежде всего восприняты очевидные социально-психологические открытия Достоевского ("подполье", "двойничество"), такие принципы изображения человека и мира, как "полифонизм", "диалогизм", экспрессивный психологизм, экспериментальный сюжет, усвоены идеи многих героев Достоевского, развиты отдельные мотивы, социальные типы, темы и проблемы Достоевского. Высок авторитет Достоевского – гуманиста и "почвенника". И все же не преувеличиваем ли мы влияние Достоевского, когда разговор о "традициях" возникает подчас вокруг цитаты Достоевского, развития мотива, реминисценции, психологической и сюжетной экспрессии? Ведь в конце концов это внешние подобия, в которых несходства больше, чем сходства. И не случайно, что во многих работах, в которых возникает "тень" традиций Достоевского, исследователи охотнее анализируют прямые высказывания писателей о Достоевском, чем художественное воплощение этих традиций.

То, что освоено литературой, конечно, не "весь Достоевский", а лишь отдельные фрагменты его художественного мира. И так происходит даже у тех, кто сознательно следовал традициям Достоевского: Л. Андреев,, А. Ремизов, Е. Замятин, Т. Манн, Л. Леонов, А. Солженицын, В. Распутин и другие. Чаще все-таки подражали *Войне и миру* Толстого, повестям Тургенева, рассказам и драмам Чехова, чем романам Достоевского.

Что мешает? – Мешает, в первую очередь, "антилитературность" Достоевского. Поэтика Достоевского не укладывается в традиционную поэтику нового времени. Слово Достоевского диалогично, слово повествователя лишено иллюзорного авторитета "всеведения", слово героя нередко обессилено многословием. Слово не исчерпывает сложности, полноты и глубины явлений. Автор сознательно выговаривает у читателя право "угадывать и ... ошибаться" (ср. *ПСС*, XIII: 455). Кому из современных писателей нужно такое право? Какой писатель доверит сегодня свое заветное слово неавторитетному герою? У Достоевского это привилегия не только авторитетных и "умных", но и неблагообразных героев. У него принципально невозможны глупцы (не говорю "дураки" – дурак в русской сказке подчас умнее умного). Шекспир доверил мудрое знание жизни шутам, но их высокая репутация была освящена традицией. У Достоевского же солгавший может сказать и говорит правду, "глупый" – умное слово, подлец тоскует о совести, циник – об идеале, грешник – о святости. Человек в произведениях Достоевского безмерен, сложен и глубок, в его душе "все противоречия вместе живут", "Бог с дьяволом борются", сошлись "идеал Мадонны" и "идеал Содомский", но в то же время Лица его героев проступают в романах, как на рембрантовских портретах, но в другом, духовном освещении – при свете совести.

Герой Достоевского нередко неведом самому себе, непредсказуем не только для читателя, но подчас и для самого автора. У него всегда есть "вдруг" – спонтанная перемена, неожиданный "переворот" во мнениях и поступках, преображение личности. Он всегда больше, чем сознает себя. У Достоевского воскрешают "мертвые души", но умирает "бессмертная", забывшая Бога душа, когда речь идет о возмездии – наказании за преступление. Возвращение Свидригайлова, Ставрогина, Смердякова к своему исконному духовному облику куплено дорогой ценой – самоубийством. Таков нравственный закон, определяющий художественный мир – Космос Достоевского. "Тайна человека", которую всю свою творческую жизнь разгадывал Достоевский, по-прежнему остается "тайной за семью печатями" для многих писателей: его антропологические принципы поэтики практически не усваиваются современными писателями.

Сейчас, благодаря М. Бахтину, немало писателей знают о "полифоническом романе" Достоевского, но это лишь теоретическое знание без серьезных художественных попыток воплощения этого опыта. Истинный "полифонизм" невозможен без "диалогизма", но на "диалогизм" уже не обращают внимания. В той трактовке, которую дал этому явлению М.М. Бахтин, диалогизм Достоевского остался уникальным явлением в мировой литературе (в мировой культуре наиболее близок Достоевскому Платон, автор сократических диалогов, в которых бьется та изощренная непредсказуемая мысль, которая искушает многих героев Достоевского).

"Уроки Достоевского" еще не пройдены современной прозой. Причины разные, но в первую очередь – "антилитературная" поэтика и новая (действительно новая) концепция человека. У Достоевского до сих пор учились ремеслу, но не творчеству. И все же, если у Достоевского, как впрочем, и у Пушкина, нет прямых последователей, то все мы – их ученики.

Примером и образцом плодотворного усвоения традиций Достоевского в современном искусстве может служить одно из последних сочинений Д.Д. Шостаковича – вокальный цикл для баса и фортепиано "Четыре стихотворения капитана Лебядкина" (ор. 146). Сочинение закончено 23 августа 1975 года, первое исполнение состоялось 10 мая 1975 года за три месяца до смерти композитора.

Шостакович и Достоевский

Нельзя сказать, что давний и глубокий интерес Д.Д. Шостаковича к творчеству Достоевского был выражением исключительной и безраздельной любви композитора к писателю – Гоголя и Чехова, к примеру, Шостакович предпочитал Достоевского, в чем он, в частности, признался А.А. Гозенпуду летом 1970 года:

> Люблю ли я его? Если бы речь шла о Гоголе и Чехове, мне было бы легче. Трудно, мучительно жить с Достоевским, а без него — невозможно. Я подумывал не раз о том, чтобы написать музыку на его текст. Не знаю, удастся ли.[6]

Как свидетельствует Г.А. Федоров, у композитора были замыслы музыкальных трагедий по *Преступлению и наказанию* и *Бесам*.[7]

---

6. А. Гозенпуд, *Достоевский и музыкально-театральное искусство* (Ленинград, 1981), с. 193.
7. Г.А. Федоров, 'Вокруг и после *Носа*', *Советская музыка*, № 9 (1976), с. 50.

Впрочем, первый подступ к Достоевскому был уже в двадцатые годы – включение в оперу *Нос* лакейской песни "Непобедимой силой привержен я к милой", которую в *Братьях Карамазовых* напевал даме своего сердца Смердяков. Но существенно не это, а то, что и оперный Гоголь (*Нос*), и оперный Лесков (*Леди Макбет Мценского уезда*) были увидены Шостаковичем как бы "глазами" Достоевского.[8] О преображении отношения Шостаковича к Достоевскому говорил мне Г. А. Федоров, бравший интервью у композитора 19 июня 1975 года. За новым отношением уже стояло проникновение композитора в художественный мир гения.

Итак, вместо музыкальной трагедии "Бесы" Шостакович написал вокальный цикл "Четыре стихотворения капитана Лебядкина". Из многих героев *Бесов* композитор выбрал одного – пьяницу и графомана, из всего романа и "лебядкинского текста" самое несуразное – стихи капитана. Выбор неожидан и парадоксален: на первый взгляд, полнее, чем Лебядкин, могли бы выразить смысл романа другие герои: трагический смысл – Ставрогин, памфлетный – Верховенский, философский – Кириллов и Шатов. Впрочем, у Достоевского герой всегда глубже и значительнее того, что он сам говорит о себе, что о нем говорят другие. Так и капитан Лебядкин в романе – запутавшийся, по отзыву хроникера, ввязавшийся не в свое дело человек. Некогда Фальстаф при "принце Гарри" (Ставрогине), он, действительно, некоторыми чертами своего характера напоминает знаменитого героя шекспировских хроник. Но он же обиженный брат Марьи Лебядкиной, "хромоножки", брак с которой скрывает Ставрогин, которого, в свою очередь, третирует и публично шантажирует капитан, облекая свои непристойные поступки в форму социального протеста. Втянувшийся в заговор Петра Верховенского, он в то же время (не без подсказки Ставрогина, правда) способен на анонимный донос на заговорщиков. Лебядкин фатально бездарен, но замечательна его потребность высшего духовного развития. Эта черта его особенно ярко проявилась в графоманских опытах. Достоевский наделил своего героя неистребимой потребностью выражать свои темные мысли и чувства стихами и написал их капитану Лебядкину.

В стихах Достоевский не был поэтом – он был поэтом в прозе. Только жестокая необходимость получить после каторги разрешение на печатанье заставила его написать три политических стихотворения, впрочем, так и не опубликованные при жизни писателя, оставшиеся в архивах III отделения и канцелярии военного министра. Сочинение стихов было отчасти семейной забавой Федора

8. Гозенпуд, *Цит. произ.*, с. 189-93.

Михайловича и Анны Григорьевны – до нас дошли их шутливые *поэмы* "Абракадабра" и "Офицер и нигилистка". Но интерес представляют не они, эти малозначительные "крохи" со стола гения, а то, что использовано Достоевским в романах. Когда Достоевскому было нужно серьезное поэтическое содержание, он цитировал Шиллера и Гете, Пушкина и Тютчева, Некрасова и Фета. То, что сочинял сам автор, выдержано в одном стилистическом ключе. Так, на эпиграмму Щедрина "Федя Богу не молился" Достоевский ответил пародией на нее в романе *Идиот* ("Лева Шнейдера шинелью..."), причем один из героев добавил при этом: "Это черт знает, что такое [...] точно пятьдесят лакеев вместе собирались сочинять и сочинили" (*ПСС*, VIII: 222). В такой же манере выдержаны и "лебядкинский" цикл в *Бесах*, и "стишки" Ракитина в *Братьях Карамазовых*. Стоит напомнить, что сочинял стихи и лакей Видоплясов из Села Степанчикова, даже название своим стихам придумал – "Вопли Видоплясова", но его графоманские опыты Достоевский не "опубликовал". Из всех изысков лакейского творчества (а стихов иного качества Достоевский не писал своим героям) стихи капитана Лебядкина – самый интересный цикл, к тому же имевший некоторые историко-литературные последствия и значение.

А.А. Гозенпуд остроумно назвал стихи Лебядкина "гениальным графоманством".[9] "Гениальный" – современная оценка, подсказанная поэтическим опытом уже XX века. Оправдали Лебядкина "обериуты", которые не без иронии и литературного кокетства назвали бездарного графомана своим предшественником и кумиром. Кстати, в двадцатые годы Шостакович был близок к "обериутам"[10] – не этим ли и вызван его интерес к Лебядкину? Маниакальная одержимость Лебядкина переводить прозу в стихи, которые от его лишь оттеняли свое комическое несоответствие – не становились поэзией, его косноязычие и пристрастие к канцеляризмам и алогизмам предвосхищали стилистические эксперименты "обериутов" – с той лишь, но существенной разницей, что у Лебядкина это было всерьез и бездарно (иначе он не мог), а у раннего Н. Заболоцкого, Д. Хармса, А. Введенского, Н. Олейникова было и своеобразной литературной игрой, и намеренной деэстетизацией поэтического языка.

Музыкальная трагедия и вокальный цикл – внешне несопоставимые жанры. Удивительнее всего то, что в характере Лебядкина Шостаковичу удалось музыкальными средствами воспроизвести сокровенный смысл *Бесов*. Для этого Шостакович смело пошел на сотворчество:

---

9. Гозенпуд, *Цит. произ.*, с. 193.
10. Федоров, 'Вокруг и после *Носа*', с. 47-50.

включил не только "стихи", но и "прозу" капитана Лебядкина – его комментарии своих художеств; внес композиционные изменения – в вокальном цикле дана иная последовательность сочинений Лебядкина, чем в романе; в одно целое "Любовь капитана Лебядкина" собраны рассыпанные по всему роману четыре лирических фрагмента; сочинена реплика пианисту ("Пожалуйста, сначала") и придуман эпизод повторного исполнения лебядкинской басни "Таракан", дописана заключительная фраза, которую не смог придумать гувернантке Лебядкин, но которая достойно и в соответствии с характером героя венчает его "оду": "Плюй! Ликуй! И торжествуй!"[11] Но особенно выразительно сотворчество Шостаковича проявилось в том, что композитор включил в круг лебядкинских сочинений стихотворение "Светлая личность". Для этого нужно было прозрение, ведь в романе "Светлая личность" принадлежит не Лебядкину, а самому автору – это его пародия на стихотворение Н. Огарева "Студент", посвященное сначала памяти друга поэта С. Астракова, но Достоевский знал другое, второе посвящение, которое по просьбе М. Бакунина дал Огарев для агитационной листовки – "Молодому другу Нечаеву". Не подозревая о перемене посвящения, Достоевский сделал то, что не смог или не захотел Огарев, – сделал содержание своей пародии "нечаевским", включив в нее лозунги из *Катехизма революционера*, например такие:

Порешить вконец боярство,
Порешить совсем и царство,
Сделать общими именья
И предать навеки мщенью
Церкви, браки и семейство —
Мира старого злодейство! (*ПСС*, X: 273)

Включение "Светлой личности" в лебядкинский цикл не всеми понятно и принято. Так, А.А. Гозенпуд считает, что заключительная песня "существенно меняет характер капитана".[12] Это утверждение мне и хотелось бы оспорить. Действительно, за пародией на огаревского "Студента" стоит не характер Лебядкина, а сарказм Достоевского над самозванством и бесовщиной нечаевщины. Было бы наивно предпологать, что Шостакович не знал, чьи это стихи. Важно понять, каким образом эти "чужие" стихи могли стать лебядкинскими песнями. В пародии Достоевского Шостакович проницательно разглядел "лебядкинское" в таких оборотах: "незнатной породы", "возрос среди народа", "пошел вещать народу", "и восстанье начиная, он бежал в чужие краи", "ждал его он поголовно, чтоб идти беспреко-

11. Д. Шостакович, *Собрание сочинений в сорока двух томах*, т. XXXIII: *Романсы и песни для голоса с фортепиано* (Москва, 1984), с. 206.
12. Гозенпуд, *Цит. произ.*, с. 193.

словно" и т.д. Пародийные моменты "Светлой личности" стилистически однородны с графоманскими стихами Лебядкина. Сделал "лебядкинским" композитор и исполнение "Светлой личности": вместо припева каждый куплет заканчивается красноречивым придыханием героя "Эх!" Один характерный штрих – и песня стала "лебядкинской". У капитана захватывает дух от собственной революционности.

Шостакович не только составил новую композицию из текстов Достоевского – он создал концепцию цикла в такой логически завершенной последовательности: эротика ("Любовь капитана Лебядкина") – философия ("Таракан") – социология ("Бал в пользу гувернанток") – политика ("Светлая личность"). Каждая из песен – своего рода кредо капитана Лебядкина.

Виртуозна и одновременно пародийна и трагична музыкальная фактура цикла. По верному замечанию Т.Н. Левой, при давнем интересе Шостаковича к творчеству Достоевского "лишь гротеск явился почвой для их реальной встречи, гротеск, опять-таки равно типичный для того и другого художника".[13] Так, "Любовь капитана Лебядкина" разрешается апофеозом в партии фортепиано – цитатой из арии Елецкого "Я вас люблю, люблю безмерно" (*Пиковая дама* Чайковского), переходящей в канкан;[14] лебядинская "глубокая философия на мелких местах" ("Таракан") оказывается в музыкальном прочтении Шостаковича "пародийно переведенным в минор" уличным 'Чижиком',[15] который, в свою очередь, насыщен интонациями другого русского музыкального "насекомого" – *Блохи* М. Мусоргского; "пьяный вальс на пять четвертей «Бала в пользу гувернанток»"[16] переходит в распеве двух последних стихов на четыре четверти современного музыкального ритма – "рок-н-рола"; "Светлая личность" в лебядкинском исполнении грубо, бесцеремонно воспроизводит "знаменитую музыку" из "Сцены под Кромами" в опере М. Мусоргского *Борис Годунов*.[17] Обращалось внимание на то, что в вокальном цикле музыка дополняет текст, "усложняет скрытой полемикой и собственной, особо активной образностью".[18] Это справедливо, но стоит уточнить: не музыка вообще, а взаимоотношение двух партий – вокальной и фортепианной. Их соотношение диалогично – под стать

13. Т.Н. Левая, 'Тайна великого искусства', в кн. *Музыка России* (Москва, 1978), вып. 2, с. 323.
14. Наблюдение М. Якубова в аннотации к грамзаписи: Д. Шостакович, *Вокальные произведения* (Ленинград, 1981).
15. Гозенпуд, *Цит. произ.*, с. 194.
16. Левая, *Цит. произ.*, с. 325.
17. *Там же*, с. 325.
18. С.М. Хентова, *Шостакович: Жизнь и творчество* (Ленинрад, 1986), т. II, с. 572.

ведущему принципу поэтики Достоевского. Партия фортепиано выполняет в вокальном цикле функции авторского повествования, примерно такие же как в *Двойнике* Достоевского: автор усваивает "голос" героя, настраивается на его язык и его понятия, сочувствует передразнивает, иронизирует, вдохновляется, пародирует, насмешливо акцентирует "голос" капитана Лебядкина, создавая богатый культурно-исторический фон трагедийной сатиры Шостаковича. Таковы наиболее существенные музыкальные соответствия поэтическим принципам Достоевского. Драматургия и стиль вокального цикла Шостаковича пронизаны глубоко прочувствованным пониманием композитора не только творчества, но и законов поэтики Достоевского.

Шостакович не только составил текст и написал музыку – он создал еще и инсценировку вокального цикла. Исполнение каждой из песен Шостакович сделал характерным, и в их исценировке композитор был изобретателен. Так, например, он не только придумал и обыграл эпизод повторного исполнения Лебядкиным басни "Таракан", но и 9 мая 1975 года во время репетиции накануне первого исполнения подсказал пианисту Е. Шендеровичу обязательный и художественно необходимый жест. После слов Лебядкина, "Пожалуйста, сначала", – пианист должен был сделать вид, что переворачивает ноты. В инсценировке цикла участвовали все исполнители.[19]

Музыковедческие интерпретации вокального цикла Шостаковича часто органичиваются одной формулой, характеризующей капитана Лебядкина: смешон, но страшен. Отчасти повод подобным критическим иллюстрациям к вокальному циклу дал сам композитор, сказавший Е. Нестеренко после удачной репетиции 9 мая 1975 года: "Здесь, мне кажется удалось ухватить достоевщину. Лебядкин, конечно, шут гороховый, но иногда от него становится страшно".[20] Позже эта характеристика Лебядкина была повторена в письме Шостаковича композитору Б. Тищенко: "Капитан Лебядкин в большой степени шут гороховый, но как мне кажется, фигура зловещая".[21] Впрочем, из этих слов Д.Д. Шостаковича отнюдь не следует, что богатое содержание вокального цикла мы должны сводить к одной, пусть и справедливой оценке характера капитана Лебядкина. Композитору удалось большее, чем создание зловещей фигуры "горохового шута".

---

19. Е. Нестеренко, 'Последние встречи', в кн. *Музыка России* (Москва, 1978), вып. 2, с. 335.
20. *Там же*, с. 335.
21. Письмо Д. Шостаковича к Б. Тищенко цитируется по изданию: Хентова, *Цит. произ.*, с. 573.

"Четыре стихотворения капитана Лебядкина" – конгениальное прочтение Достоевского средствами другого вида искусства, удачный "перевод" романа на язык другого, уже камерного жанра – вокального цикла: музыкальными средствами Шостакович воссоздает *романический характер героя*, ставит важнейшие *проблемы* и выражает *идею Бесов*. Для меня до сих пор загадка, как это превращение произошло. В этой тайне – истинность высокого искусства Д.Д. Шостаковича.

SECTION II

DOSTOEVSKY AND HISTORICAL REALITY

4.

PETER VERKOHVENSKY AND THE BANALITY OF EVIL

RICHARD W.F. POPE

In his immense comedy of evil, *The Possessed*, Dostoevsky launched a frontal attack on the romanticisation of evil whereby it was depicted as glamorous, heroic, and even attractive, and he attempted to reduce it to what he felt was its proper depiction – something ugly, banal, and ludicrous, though still pre-eminently dangerous. The practitioners of evil in *The Possessed* are neither noble, majestic, nor lofty, but rather base, lowly, and ridiculous like the serpents in Milton's hell. Of these evildoers Peter Verkhovensky is the most villainous. Mochulsky called him "a typical villain of melodrama", although after reflecting he went on to say, "No, Verkhovensky is not simply a 'villain of melodrama',... he has 'holy madness',... demonic inspiration, the idea of universal destruction".[1] What makes Peter frightening and unusual, however, is not just his thorough-going villainy and the idea of universal destruction and subsequent tyranny maintained through violence, but also his true believer's insouciant readiness to kill as widely and brutally as is necessary to bring his ideas to fruition. Peter is no mere caricature of the radicals of Dostoevsky's time – many of whom were people of great moral rectitude – nor was he meant to be.[2] Peter is a product of Dostoevsky's imagination[3] – the predictable result when the destructive and totalitarian tendencies that Dostoevsky felt were inherent in the radical nihilist type of his day appear in an intellectually limited and narrow person with no moral scruples whatsoever for whom any means, no matter how violent and evil, are acceptable and justified by some "cause". Peter is a prophetic character and one is drawn towards more modern times when seeking to

1. K. Mochulsky, *Dostoevsky: His Life and Work*, tr. by Michael A. Minihan (1967; reprint: Princeton, Princeton U.P., 1973), pp. 451–52.
2. For an interesting discussion of this point, see Edward Wasiolek, *Dostoevsky: The Major Fiction* (1964; reprint: Cambridge, M.I.T. Press, 1971), pp. 135–36.
3. In the words of S.M. Nel's — "'Komicheskii muchenik" (k voprosu o znachenii obraza prizhival'shchika i shuta v tvorchestve Dostoevskogo)', *Russkaia literatura*, № 1 (1972), p. 130 — "The image of Peter Verkhovensky is in many ways unclear. In creating it, Dostoevsky did not work from life and therefore a homunculus resulted, bred in the creative laboratory".

explain him and his unlimited potential for evil.[4]

Camus saw Peter and Shigalev as announcing "the totalitarian theocrats of the twentieth century",[5] and indeed in Peter's belief in universal destruction and violent tyranny, he does recall men like Stalin.[6] In this paper, however, I shall not examine Peter's evil beliefs and deeds, but rather the essential banality and ridiculousness of his character, a character that one would not expect to be capable of generating such evil, and here comparison with another 20th-century personage may prove instructive.

In *Eichmann in Jerusalem: A Report on the Banality of Evil*, Hannah Arendt grappled with "the dilemma between the unspeakable horror of the deeds and the undeniable ludicrousness of the man who perpetrated them...".[7] Arendt took great pains to establish the fact that Eichmann was not a Iago, Macbeth, or Richard III, as one might expect of such a man, but rather a mediocrity in every way, though especially intellectually. He was a thoughtless man totally dependent upon others for his ideas, and his main desire seems to have been to do whatever he was told to do to the best of his ability in the hope of being recognised and promoted within the organisation. Eichmann seems to have never even thought about the ethics of killing so a great a number of people in pursuit of his end, an end which for him presumably justified any amount of killing. For Arendt, the lesson that could be learned in Jerusalem was "that such thoughtlessness can wreak more havoc than all the evil instincts taken together...".[8] In Eichmann we are not confronted with a "diabolical or demonic profundity",[9] but with an example of "the fearsome, word-and-thought-defying *banality of evil*".[10] In her analysis of a real human being who had shown himself capable of monstrous social evil, Arendt discerned many of the same traits that Dostoevsky, working intuitively, had put into his character, Peter Verkhovensky.

---

4. For interesting comments on some of the various ways in which *The Possessed* is prophetic, see Philip Rahv, 'Dostoevsky in *The Possessed*', in his *Image and Idea: Fourteen Essays on Literary Themes* (1949; reprint: Westport, Conn., Greenwood Press, 1978), pp. 86–110. *The Possessed* has lost none of its relevance in the 1980s. Iurii Kariakin writes that, "Over the past quarter-century the 'hottest', most relevant work of Dostoevsky's and indeed of all the classics in the world has proved to be *The Demons* — 'Zachem khroniker v "Besakh"', *Literaturnoe obozrenie*, № 4 (1981), p. 72. Kariakin's comment is cited and translated by N.M. Lary (who brought it to my attention) in his *Dostoevsky and Soviet Film: Visions of Demonic Realism* (Ithaca, Cornell U.P., 1986), p. 230.
5. Albert Camus, *The Rebel: An Essay on Man in Revolt*, tr. by Anthony Bower (1956; reprint: New York, Alfred A. Knopf, 1971), p. 175.
6. Rahv, 'Dostoevsky in *The Possessed*', takes a stern look at realities in the Stalin period.
7. Revised and enlarged edition (1965; reprint: New York, Penguin, 1983), p. 54.
8. Arendt, *Eichmann*, p. 288.
9. *Ibid.*
10. *Ibid.*, p. 252.

Dostoevsky went to great lengths to differentiate Peter from the attractive evil heroes of the romantic tradition that served as models for Stavrogin. Peter is physically disgusting and ludicrous. This is how Dostoevsky describes him:

> a little above average weight, with thinning blond [*белокурый*] hair that he wore rather long and a ragged [*клочковатый*], hardly noticeable mustache and beard... At first glance he looked a little hunched and stiff[11] ... nobody liked his looks. His head was elongated in the back and seemed compressed at the sides, making his face rather pointed. His forehead was high and narrow and his other features small and fine: sharp eyes [*глаз вострый*], a sharp little nose [*носик маленький и востренький*] and long, thin lips. He wore an expression of suffering that was actually due to the deep folds that ran down his cheeks and the wrinkles on his cheekbones. They gave him the look of a man convalescing after some serious illness.[12]

Here we are about as far as one can get from Byron's or Lermontov's demonic heroes. Fatal men are never blond, balding, and hunched in appearance with thin moustaches and long lips! Peter is grotesque, a cartoonist's delight, and Dostoevsky underlined this through his use of unflattering adjectives and mocking diminutives.

Not surpisingly, it is not to Satan that Peter has often been likened, but to the more clownish Mephistopheles.[13] The comparison is an apt one, not just because of Peter's role as the investigator of so much evil, but because like, Mephistopheles, Peter is drawn not from the noble Prince of Evil but from the tradition of the devil as a mean-spirited tempter and an ugly, garrulous serpent. Like the serpent, so Peter, when he talks, has a tongue that one comes to imagine "had something special about it, that it was very long and thin, very red, and exceptionally pointed with a constantly flickering tip" (172). The very title of the chapter (Part I, Chapter V) in which we learn this detail is "The Wise Serpent" (152; "Premudryi zmii", 127) and Peter's duplicitous loquacity displayed in this chapter is right in keeping with the attribution. Although elsewhere it is

---

11. This is possibly a discreet reference to Peter's devilishness. Victor Terras may have had this passage in mind when he wrote that "Dostoevsky had introduced a hint of the cloven hoof in a diabolic personage (Piotr Verkhovensky) in ... *The Possessed*" — *A Karamazov Companion: Commentary on the Genesis, Language, and Style of Dostoevsky's Novel* (Madison, Wisconsin U.P., 1981), p. 382.
12. Fyodor Dostoevsky, *The Possessed*, tr. by Andrew MacAndrew, 'A Signet Classic' (New York, New American Library, 1962), p. 171. Future citations are from this edition and page numbers have been incorporated into the text in parenthesis. Here and in the few other cases when this very readable translation has not proved accurate enough, I have made additions where necessary and amended MacAndrew's translation, citing the original and indicating in parenthesis the appropriate page of Dostoevsky's *The Possessed* from his *PSS*, X.
13. See, *inter alia*, V. Ivanov, *Borozdy i mezhi*, 'Rarity Reprints, № 4' (1916; reprint: Letchworth, Bradda, 1971), p. 67; A.L. Bem, 'Faust v tvorchestve Dostoevskogo', *Zapiski nauchno-issledovatel'skogo ob"edinenie*, V (Prague: 1937), pp. 125, 129; Mochulsky, *Dostoevsky*, p. 464; Wasiolek, *Dostoevsky*, p. 131.

Stavrogin who is called a "wise serpent" (98), it is highly likely that this chapter heading is an ironic reference to Peter implicitly identifying him further with the tradition of evil mocked and cast into the dust, the more so since it is in this chapter that Peter appears on stage for the first time and really comes to the fore.

Not only is Peter physically repulsive and reptilian like the humiliated Satan, he is also intellectually without depth which clearly sets him apart from Stavrogin and Kirillov and likens him to Arendt's Eichmann. Just as Eichmann was dependent upon others for his ideas, so Peter also draws intellectual inspiration from Stavrogin and derives his ideas from Shigalev. Even in *The Notebooks for the Possessed,*[14] we find Dostoevsky thinking about Nechaev/Verkhovensky in terms of severe intellectual limitations, repeatedly making comments about his outrageous "denseness" (361), his "mediocrity and narrow-mindedness" (405), and about how "stupid" (256, 360, 364, 399) he is. In the finished novel we find Stepan Trofimovich exclaiming in embarrassment, "Peter, *c'est une si pauvre tête!*" (75) and he later tells us that as a boy Peter was "very sensitive and ... fearful", that "when he went to bed he said his prayers on his knees and made the sign of the cross over his pillow", that he had no "aesthetic sense – no feeling for higher things", and finally that "*c'était comme un petit idiot*" (90). Stavrogin calls Peter "a rather mediocre person" (209) and he considers Peter's political ideas rather stupid (400), particularly the idea of presenting Stavrogin as Ivan Tsarevich, which Stavrogin labels madness and "sheer insanity" (404; *неистовство*, 326). "If you weren't such a ridiculous fool...", Stavrogin says to Peter, "If only you were a little bit less stupid –" (553). Kirillov views Peter as an intellectual nothing incapable of comprehending his theory. Shatov calls Peter "a bedbug, an ignoramus, and an idiot who understands nothing about Russia" (230). Thus nearly all the major characters deprecate Peter's intelligence and undermine his authority as a thinker. While it is true that Peter is able to manipulate all these characters for his own ends, he succeeds in doing so out of guile and deceit, not intelligence. The serpent only appears wise because of the gullibility of those around it. Dostoevsky went out of his way to make it clear that intellect was not Peter's forte. Although he has a genius for evil, Peter is no evil genius.

Again like Eichmann, Peter displays a "remoteness from reality"[15] and even in *The Notebooks* Dostoevsky characterised Nechaev/Verkhovensky as having "an absolute ignorance of reality"(350). Peter badly misjudges Fedka, almost with fatal consequences, and it is Fedka who points out Peter's Achilles' heel: "he

14. Fyodor Dostoevsky, *The Notebooks for the Possessed*, ed. by Edward Wasiolek, tr. by Victor Terras (Chicago, Chicago U.P., 1968); henceforth: Wasiolek, *The Notebooks*. All citations are from this reliable edition and pages numbers have been incorporated into the text in parentheses.

15. Arendt, *Eichmann*, p. 288.

just imagines a man the way it suits him and then goes on living with him" (245). It is this tendency to "invent" people rather than to see them as they really are that led Peter to put his hopes so ludicrously on the reclusive Stavrogin as his fairy-tale prince,[16] to risk counting on the perhaps mad Kirillov, to think that after his visit with von Lembke that the good Governor would remain quiet for at least six days, and to think that a rum lot like his Five, "human muck" (368) as Stavrogin calls them, would be transformed into a reliable unit, welded together by Shatov's blood. No wonder Peter thought that he was really going to make everything collapse. In this respect Peter appears as yet another of Dostoevsky's theoretician-heroes who are out of touch with "living life".[17]

Unlike his original prototype, Nechaev, who served only as an initial inspiration for his character,[18] Peter does not have a tight grip on things. Stavrogin is "dumbfounded" (397) to see Peter completely lose control of himself after Stavrogin hurled him to the ground:

> ... Stavrogin looked at him... This was not the man he knew – his look was different, his voice was not the same... Peter Verkhovensky was begging. Here was a man who had lost all control of himself... (397).

Later, when Stavrogin suddenly leaves town, we learn that to Peter his disappearance

> was a great blow...; he was utterly crushed by it... Peter had run around the whole day trying hard to find out what had happened ... he was worried as never before' (571).

Before the murder of Shatov, Peter "was in a terrible rage and had blurted out many things he shouldn't have said" (620). In the scene leading up to Kirillov's suicide, Peter becomes utterly exasperated and shouts "hysterically" (638). This is hardly the kind of behaviour we would expect from the real Nechaev or from a revolutionary terrorist or anarchist killer of the type portrayed so well by Ken Follett in Feliks Kschesshinsky in *The Man from St. Petersburg*.

Perhaps the most surprising thing about Peter is that he is in many ways a comic character. Just as Arendt was perplexed by Eichmann's "undeniable ludicrousness", so we are surprised by Peter's ridiculousness. True, "the laughter we feel for Peter is mixed with apprehension"[19] because Peter is dangerous, but

---

16. "'In a mad fit of fury', Peter yells at Stavrogin, 'I can't afford to give you up! There's no one in the world to put in your place. I invented you while I was still abroad – invented you while actually looking at you'" (404).
17. Dostoevsky was aware of this theoretical remoteness from reality. On 26 June 1872 he wrote in *The Notebooks*, "All his clever cynicism notwithstanding, Verkhovensky was terribly stupid in believing that it would be possible to make everything collapse. With regard to this point, he was as much of a theoretician as Liputin" (399).
18. For a good discussion of the distance between Nechaev and Peter, see Richard Peace, *Dostoyevsky: An Examination of the Major Novels* (1971; reprint: Cambridge, Cambridge U.P., 1975), pp. 146–50.
19. Wasiolek, *The Notebooks*, p. 14.

he is still comical. From a very early stage Dostoevsky saw that his character would have comic overtones – something that surprised even him. On 20 October 1865 Dostoevsky wrote to Katkov about Peter: "To my great surprise this character comes out half comic for me".[20] In *The Notebooks* as early as August 1870, Dostoevsky wrote, "Everything is clear about Nechaev, to the point of being comical and repulsive" (285), and "Nechaev is constantly cutting a comic figure" (287),[21] and four times he associated Nechaev/Verkhovensky's appearance on the scene with the style of Gogol's Khlestakov (261, 263, 264).

Peter's outrageous treatment of Stepan Trofimovich and his duping of the von Lembkes are cruel but funny. His pretention, care about clothes, and unwarranted vanity (e.g. the case of the "Noble Heart" – *Светлая личность*) all combine to make him ludicrous. His bustling about poking his nose in where and when he is least wanted, his constant prattling, and even his coarse and vulgar vernacular Russian are comic.[22] Peter's prodigious appetite and the gusto with which he attacks food at moments of high plot tension create comic situations, such as when he pounces on Kirillov's left-over chicken right before Kirillov's suicide, or when on the way to Kirillov's with Liputin he stops in for a leisurely steak in a restaurant, eating with relish and asking the waiter several times for different kinds of mustard and more beer, while the progressively more enraged Liputin watches him, hating him "for the way he smacked his lips over the tastier morsels" (573), and the other members of the Five desperately await news.[23] It is satisfying to see Peter degraded by the comedy of the situation when he is forced to skip along in the mud beside Stavrogin pleading for forgiveness and trying to explain Shigalev's mad scheme, while Stavrogin strides down the centre of the sidewalk.

Stavrogin calls Peter a "clown" and Peter immediately replies, "Maybe I am a clown, but I don't want you – my better half – to be one" (553), thereby underlining the jester and master relationship between the two. Richard Peace sees

---

20. Cited in Wasiolek, *Dostoevsky*, p. 111. For the original, see *PSS*, XXIX/1: 141 (*Pis'ma 1869–1874*).
21. I have slightly amended Victor Terras' translation substituting the word "comic" for "ridiculous". The Russian uses the word *комический* — *Polnoe sobranie sochinenii* (1974), Vol. XI, p. 212.
22. In his "Remarks for the Actors" at the beginning of *The Inspector General*, Gogol specifies that Khlestakov's "speech is jerky and words fly from his lips quite unexpectedly" — N.V. Gogol, *Revizor*, in his *Sochineniia v dvukh tomakh* (Moscow, 1962), Vol. II, p. 9. For a discussion of Peter's comic movements and manner of speaking, see Nel's, "'Komicheskii muchenik'", p. 130. Nel's (*ibid.*) also points out the great similarity in the depictions of Golyadkin Junior, the comic petty intriguer in *The Double*, and Peter Verkhovensky.
23. Of this last episode N.M. Lary — *Dostoevsky and Dickens: A Study of Literary Influence* (London, Routledge & Kegan Paul, 1973), p. 131 — writes that "The richly comic description ... suggests Verkhovensky is dangerously unaware of the men he manipulates".

Peter as "the wicked spiteful doll in a puppet show",[24] Mochulsky calls him "a personage out of a tragic-comic farce",[25] and S.M. Nel's sees him as one of Dostoevsky's hangers-on and buffoons.[26] While in some ways, as we have seen, Peter does resemble the villain/buffoon of carnival, puppet show, and farce, this type of villain is comic because he is constantly thwarted and fails, whereas Peter, in spite of the fact that his plan ultimately fails, does succeed in depriving a number of people of sanity or life and in this respect bears closer resemblance to the villain of melodrama and tragedy. Like Eichmann, Peter was totally unhampered by ethical constraints and by "fresh blood" (402; *свеженькая кровушка*,325), and he was quite prepared to kill people, any number of people, to gain his end. In spite of the association in *The Notebooks*, Peter is no hare-brained Khlestakov "without a tsar in his head" who "acts without any reflection whatsoever"[27] and this is not just farce. Peter is great in evil because he understands human weakness and how to exploit it.

Why, then, did Dostoevsky complicate Peter by rendering him comic? Partly, of course, to prevent him from becoming in any way an attractive character the way Milton's Satan inadvertently turned out in *Paradise Lost*. But drawing on the example of Eichmann again, we could say it was because such blinkered, unthinking evildoers often are in some measure ludicrous. Dostoevsky knew what Hannah Arendt would come to realise almost a century later, that "the horrible can be not only ludicrous but outright funny".[28] In Dostoevsky's worldview at the time of writing *The Possessed*, evil itself was trite, ugly, and ridiculous, as it was in the unofficial, carnival tradition upon which he drew for his depictions in this novel. For Dostoevsky, it seems, evil could *not* be banal and ludicrous, because that for him was its essence as the opposite of good, something inside out, spoiled and ugly like Stavrogin's "small, repulsive pimply little devil with a cold in his nose, one of those failures" (278).[29] Unlike Stavrogin and Kirillov, Peter has no redeeming side; he is a consistent character and purely evil. For Dostoevsky, therefore, he was the most ridiculous of the three and the one to be trivialised the most by ridicule and black comedy.

---

24. Peace, *Dostoyevsky*, p. 151.
25. Mochulsky, *Dostoevsky*, p. 451. Irving Howe — 'Dostoevsky: The Politics of Salvation', in *Dostoevsky: A Collection of Critical Essays*, ed. by René Wellek (1962; reprint: Englewood Cliffs, N.J., Prentice-Hall, 1965), p. 61 — also sees Peter in terms of farce: "Peter Verkhovensky is Nechaev's double, a double in whom monstrous courage has been deflated into farce".
26. Nel's, "'Komicheskii muchenik'", pp. 131–32. Dostoevsky was probably thinking of Nechaev/Verkhovensky's move towards the serious when he wrote in *The Notebooks*, "Khlestakov, on the other hand, grows from a comic figure into a *personnage*" (264).
27. Gogol, *Revizor*, p. 9.
28. Arendt, *Eichmann*, p. 48.
29. "... маленький, гаденький, золотушный бесенок с насморком, из неудавшихся" (231).

Dostoevsky's reason for rendering Peter half-comic could almost be called pedagogical.[30] It is as if Dostoevsky wanted to teach us where to look for evil and how to recognise it and to show us how much evil could be wrought by such unprepossessing, untalented, ludicrous men. Real evil is not to be found only where men are used to seeking it. Its origins are frequently petty, not grand. For Dostoevsky the principal threat to Russia was not the typical radicals of the day, but rather the underendowed, cynical nihilists whom he feared would appear, men who would not be acting with any higher, humanitarian "cause" in mind, the hangers-on when high ideals were dead and only power and destruction for their own sake would remain.[31] "Know the real potential enemy" seems to be Dostoevsky's message to mankind here.

Peter is a comic character with much more than comic seriousness. Like Mephistopheles, he is a demon of destruction and chaos in spite of his inherent comicalness. "We shall proclaim destruction", says Peter, "because – because, once again, the idea is so attractive for some reason!" (402). "There'll be havoc [*смута*] everywhere – upheaval [*раскачка*] such as the world has never before witnessed" (403; Russ. 325). From his very first sketches in *The Notebooks*, Dostoevsky saw Peter (whom he called simply "the student") as a kind of *Geist der stets verneint*: "The Student's idea: 'All this just won't work, and so it's better to destroy it all, down to the root ...'" (88).[32] Dostoevsky imagined Peter as an as yet undeveloped, but potentially shattering, destructive force threatening the cosmos of Holy Russia and the world, an unlimited source of evil that transcended the personal and the rational. Peter is the representative of Dostoevsky's terrifying premonition of what was to come.[33]

---

30. Leonid Grossman — *Dostoevskii*, Zhizn' zamechatel'nykh liudei, 2nd ed. (Moscow, Molodaia gvardiia, 1965), p. 458 — who otherwise seems to have no understanding of what Dostoevsky was up to with Peter, is on the right track when he says that by means of irony Dostoevsky wanted to punish the organiser of violence among the people.(Nechaev) "by mockery to belittle his image, by caricature to annihilate all his claims to recognition by contemporaries or the young generation". While partly true, there is, of course, more to it than this and Dostoevsky had deeper, more ambitious reasons for his irony and mockery.
31. "Verkhovensky ... foreshadows the adventurers who will soon spring up in the unswept corners of all political movements, ready to capitalise on victories and betray in defeat", writes Irving Howe ('Politics of Salvation', p. 66).
32. Cf. Mephistopheles to Faust, "alles was entsteht ist werth dass es zu Grunde geht" — Johann Wolfgang Goethe, *Faust: Eine Tragödie*, in his *Werke*, I Abt., Sophie von Sachsen edition (1887; reprint: Tokyo, Sansyusya Publ. Co., 1975), Vo. XIV, p. 23.
33. This is how Boris Pasternak seems to have understood Peter too, seeing in him the direct forerunner of some of the revolutionary activists of 1917. On the train home to Moscow from the front in 1917, Yury Zhivago meets the ludicrous, ungainly duckhunter, Pogorevshikh, who had been involved in setting up the Zabushino republic. Pogorevshikh is a deaf-mute who learned how to speak, although symbolically and in reality he still cannot hear. He preaches anarchism and widespread destruction with "unpleasant schoolboy arrogance" and reminds Yury of Peter Verkhovensky because of his extremism,

There *is* something chillingly modern in Peter Verkhovensky, something that speaks directly to the 20th century, as the analogy with Eichmann bears out. I have not, of course, tried to claim that Eichmann and Peter shared all the same views or were in similar social positions. Eichmann was a bureaucrat of the Right whose large-scale evil deeds were prescribed by an evil society that he took to be just; Peter was a revolutionary of the Left whose small-scale evil deeds were aimed against a society that he considered unjust. I have tried to show that the instructive analogy between the two lies in their mediocrity, lack of originality in thought, intellectual narrowness, remoteness from reality, ludicrousnss, and in their unquestioning acceptance of the need to kill whatever number of people necessary to ensure the attainment of their ideal societies. It is ironic that there should be such a parallel between a bureaucrat who applies rules unthinkingly and a terrorist who will stop at nothing to gain his end. For both men, any means, no matter how brutal and base, are justified by the end, no matter what it is. Though theoretically at opposite ends of the political scale, in reality the import of their actions for humanity is the same. When all is said and done, killing people in the name of any political idea or cause is wrong and it makes no difference whether one stands to the Left or to the Right.

Both Dostoevsky and Arendt suggest that the greatest evil and destruction may be generated by the most trivial people and banal ideas, Peter and Shigalevism, Eichmann and the *Endlösung*. "As we have learnt more about how bland and dull the personalities of Hitler and Stalin were", writes Andrew Greeley, "we are appalled and astonished that such trivial men could create such unspeakable suffering".[34] This is exactly the same feeling that one is left with after reading about all the prosecutors and jailors in Solzhenitsyn's *The Gulag Archipelago*, which from beginning to end is a massive testimony to the banality of evil and the triviality of its perpetrators. It seems almost formulaic that the more trite the idea, the more evil it may beget, especially if we listen to the self-justifications of all the various terrorists and killers of our own day. In any case, this seems to be what Dostoevsky suggested in his depiction of Peter Verkhovensky and his mad scheme to take over the world. Not to see the enormous potential for evil in men like Peter is a tragic error. Peter may be banal and comic, but his potential for evil is unlimited and "he is awesome in evil because real".[35]

---

corruption of thought, and bombast — Boris Pasternak, *Doctor Zhivago*, tr. by Max Hayward and Manya Harari (1958; reprint: London, Collins Harvill, 1988), pp. 146–52. Pasternak had *The Possessed* on his mind while writing *Doctor Zhivago*, he mentions it again on p. 253, and seems to have viewed the Russian Revolution as the tragic result of Peter Verkhovensky uncurbed.

34. Andrew M. Greeley, *The Devil, You Say!: Man and His Personal Devils and Angels* (Garden City, N.Y., Doubleday, 1974), p. 16.

35. Wasiolek, *The Notebooks for The Possessed*, p. 14.

5.

DOSTOEVSKY AND THE PROBLEM OF MEANING IN HISTORY

BRUCE K. WARD

Consideration of Dostoevsky's relation to the 20th century tends to invite discussion of the "prophetic" nature of his writings. Dostoevsky, and other writers of the past century whom we now consider "prophetic", fascinate us because of their apparent ability to discern an underlying sense or pattern to the confusing historical times in which we live. Our fascination with these "prophetic" voices, then, can be seen as an aspect of what Hannah Arendt has called "the unprecedented historical consciousness" of the modern age.[1] Whatever the differences among the dominant ideologies of our century, they manifest a common orientation towards mastery of the future which is rooted in a certain conception of meaning in history. The word "history", like other words such as "freedom" and "creativity", lies at the core of the 20th-century vision of life.

"Prophecy" is commonly understood as the prognostication of particular, usually calamitous, historical events. Such prognostications are certainly present in Dostoevsky's writings. Some have proven remarkably accurate by the subsequent course of history; others, however, have been proven spectacularly wrong. Yet Dostoevsky's value as a prophetic voice for our times cannot be judged simply according to some sort of final tally of correct *versus* incorrect predictions about future events. Rather, it is necessary (to borrow a phrase from Dostoevsky himself) to speak of prophecy "in the higher sense".[2] This higher order of prophecy, in keeping with the original Biblical sense of the term, is

1. Hannah Arendt, *The Human Condition* (Chicago, Chicago U.P., 1958), p. 296.
2. See Ellis Sandoz, *Political Apocalypse: A Study of Dostoevsky's Grand Inquisitor* (Baton Rouge, Louisiana State U.P., 1971), p. 53. See also *The Diary of a Writer*, tr. by Boris Brasol (Haslemere, Ian Mead, 1984), p. 90 (*PSS*, XXI: 82): 'The aim of art is not to portray these or those incidents in the ways of life but their general idea, sharp-sightedly divined and correctly removed from the whole multiplicity of analogous living phenomena'. Note: References to Dostoevsky's works throughout this paper will be to both English and Russian editions, with the Russian text cited in parenthesis after the English-language reference. The English translations have been checked against the original Russian, and altered where necessary for the sake of accuracy.

ultimately concerned not with the actual "facts" of history, but with the essential reality of which such "facts" are the visible manifestations. Dostoevsky, as a prophet in this sense, was primarily concerned with bringing to light the underlying meaning of modern civilisation rather than with predicting its future in detail.

In his concern with the meaning of the modern age, Dostoevsky did not fail to notice its "unprecedented historical consciousness"; one need only think of the Grand Inquisitor's repeated appeal to the course of world history as verification of his formula for final human happiness. My intention in this paper is to explore the remarkable meditation on the problem of meaning in history which is found in Dostoevsky's writings.

I. The Modern Philosophy of History

Let us turn our attention, first, to *Notes from Underground*, the herald of so many central themes of Dostoevsky' major works. In the course of his attack on modern rationalism, the Underground Man ridicules the argument of H.T. Buckle that "man mellows under the influence of civilisation and becomes less bloodthirsty and less prone to war".[3] In his three-volume *History of Civilisation in England*, Buckle put forward a philosophy of history in which he equated advancing scientific knowledge with advancing humaneness. As promising evidence of the steady progress of European civilisation he cited two developments: the virtual disappearance of religious persecution, and the steady decline of warfare which "must be evident to the most hasty reader of European history".[4] The hearty optimism of Buckle's philosophy of history has, needless to say, not proven equal to the subsequent facts of modern history. A century later, he is remembered, if at all, primarily as the hapless object of the Underground Man's caustic wit. Yet he was an extremely influential spokesman for a doctrine of progress which had captivated the consciousness of the 19th century, and which continues, in different forms, to exercise a powerful influence today.

Dostoevsky was fascinated by that mysterious process whereby ideas, once launched by their authors into the world, take on a life of their own and come to dominate the consciousness of people who have little or no awareness of their original source. The Underground Man cites Buckle as a source for the idea of history as progress. There were, of course, many others who had given expres-

3. *Notes from Underground, White Nights, The Dream of a Ridiculous Man, and Selections from the House of Dead*, tr. by Andrew R. MacAndrew (New York, New American Library, 1961), p. 107 (*PSS*, V: 111).
4. Henry Thomas Buckle, *History of Civilisation in England*, 3 vols. (London, Longmans, Green & Co., 1885), p. 190. This work appeared in a Russian edition in 1864, an edition which Dostoevsky had in his own library. See Leonid Grossman, *Biblioteka Dostoevskogo* (Odessa, 1919), p. 145.

sion to the same idea with varying degrees of assurance and subtlety: Russian thinkers such as Belinsky, Herzen, Bakunin and Chernyshevsky, and the Western progressivist philosophers most influential for them such as Voltaire, Saint-Simon and Fourier, Schelling, Hegel and Marx. Dostoevsky's chief concern, however, was not intellectual history, but the inner meaning, and the implications, of the modern faith in progress.

According to the Underground Man, the doctrine of progress places great emphasis on the notion that world history is ultimately "reasonable".[5] We might add that the assumption of the capacity of human reason to grasp the final meaning of history is apparent in that very term "philosophy of history" invented by Voltaire.[6] But does this emphasis on rationality perhaps conceal a more deeply rooted impulse? For the Underground Man, reason "amounts to perhaps one-twentieth of the whole" of what human beings are. Under his scrutiny, the modern idea of progress reveals itself finally, not as the expression of dispassionate reason, but as the expression of fervent hope – hope for the "Crystal Palace" of the future.[7] The "Crystal Palace" (*хрустальное здание*) is one of a set of images – the "Tower of Babel" (*Вавилонская башня*) is another – which function in Dostoevsky's work as signifiers of the modern hope that history is progressively advancing towards a new human order.

This hoped-for order, though often associated in Dostoevsky's writing with the French revolutionary slogan of "*liberté, égalité, fraternité*",[8] is far more than "political" in the ordinary sense. As the narrator of *The Brothers Karamazov* asserts in his introductory words about Alyosha,

> socialism is not only the labour question [...] but above all [...] the question of the Tower of Babel which is deliberately being erected without God [...] for the sake of bringing heaven down to earth (*для сведения небес на землю*).[9]

This expresses the essentially religious dimension of the modern doctrine of progress. Dostoevsky's writing as a whole appears to offer powerful support to those who argue that modern civilisation should be understood not as something fundamentally novel, but as somehow descended from the same religious tradition which it ostensibly rejects.

Dostoevsky was not the first to understand the modern idea of progress as a secularised expression of the Biblical religious tradition. After all, Hegel himself claimed that his philosophy represented the rational fulfillment of the truth contained embryonically in Christianity. What is of enduring significance in

5. *Notes from Underground*, p. 114 (*PSS*, V: 116).
6. Voltaire used the term to designate his *Essai sur les moeurs et l'esprit des nations* (1756).
7. *Notes from underground*, p. 112, 118–19 (*PSS*, V: 115, 120).
8. See, for instance, *Winter Notes on Summer Impressions*, tr. by Richard Lee Renfield (New York, Criterion Books, 1955), pp. 109–10 (*PSS*, V: 78).
9. *The Brothers Karamazov*, tr. by David Magarshack (Harmondsworth, Penguin Books, 1958), pp. 26–27 (*PSS*, XIV: 25).

Dostoevsky is his depiction of the inner moral dynamic of the secularising process, a dynamic embodied most memorably in Ivan Karamazov's "rebellion". Ivan, whom Dostoevsky described in a letter as a "socialist of today",[10] gives voice to that ancient, intractable problem of the Western intellectual tradition: the problem of reconciling the idea of a perfect God with the affliction of human beings. According to Ivan, the traditional religious response to this problem, the doctrine of Providence, ends in the assertion that good is evil and evil is good, rather than the truthful recognition that the facts are what they are. He therefore rejects the traditional theodicy in the name of compassionate love for suffering humanity. It is this "metaphysical rebellion" which, in Dostoevsky's art, is revealed as the primary source of the modern project of bringing heaven down to earth.[11] Modern progressivism shares the traditonal religious hope for the final overcoming of evil by good; but, on moral grounds, it refuses any longer to await obediently the transcendent overcoming promised in the doctrine of Providence. Instead, it envisages the process of history, hastened by human action, as the sphere of this overcoming. This notion of humanity bringing good out of evil through its own progressive shaping of history is that binding idea which, in the words of Versilov in *A Raw Youth*, "underlines all contemporary civilisation".[12]

It should be recognised, however, that Ivan's return of the ticket of admission to the future harmony could signify the repudiation of modern progressivism no less than Christian providentialism. This is underlined particularly by the strong resemblance between his protest and Belinsky's famous retort to Hegel: "Disharmony is said to be a condition of harmony: that may be very profitable and pleasant for melomaniacs, but certainly not for those whose fates are destined to express the idea of disharmony".[13] In the arena of conflicting ideas which is Dostoevsky's art, no doctrine stands unopposed. In the case of Ivan, both the moral justification of modern progressivism and its most fatal inadequacies are revealed through the same character.

Ivan's renunciation of the future harmony can be seen as the culmination of objections to the idea of progress voiced by various characters throughout Dostoevsky's work. Perhaps the most obvious of these objections is that of the Underground Man who, in response to the notion of the "reasonableness" of the historical process, simply appeals to the facts accessible to common sense:

---

10. Letter of 19 May 1879 to Konstantin Pobedonostsev, *PSS*, XXX: 66.
11. *The Brothers Karamazov*, pp. 274–88 (*PSS*, XIV: 208–24). The term "metaphysical rebellion" is Albert Camus's. For his insightful commentary on Ivan's rebellion, see *The Rebel*, tr. by Anthony Bower (New York, Knopf, 1956), pp. 55–61.
12 *The Adolescent*, tr. by Andrew R. MacAndrew (New York, Doubleday & Co., 1972), p. 212 (*PSS*, XIII: 173).
13. Vissarion G. Belinsky, *Selected Philosophical Works* (Moscow, 1948), pp. 149–50.

> Just have a look at the history of mankind and tell me what you see there. You find it grand? Maybe so... You find it colourful? Yes, I suppose there's plenty of colour in human history. You find it monotonous? Yes, you have a good point there. They fight and fight and fight; they are fighting now, they fought before, and they'll fight in the future. Yes, I must agree that it's a bit too monotonous... So you see, you can say anything about world history – anything and everything that the most morbid imagination can think up. Except one thing, that is. It cannot be said that world history is reasonable. The word sticks in one's throat.[14]

As for the notion of "progress", again, according to the Underground Man, the facts speak loudly to the contrary:

> And what is it in us that is mellowed by civilisation? All it does, I'd say, is to develop in man a capacity to feel a greater variety of sensations. And nothing, absolutely nothing else... Civilisation has made man, if not always more blood-thirsty, at least more viciously, more horribly bloodthirsty.[15]

Ivan's painful cataloguing of the cruelties which modern, civilised human beings remain capable of inflicting upon one another constitutes a graphic elaboration of the Underground Man's observation. The more sophisticated philosophies of history are, of course, aware of such "facts", but one suspects that the Underground Man would not be swayed by references, for instance, to Hegel's emphasis on the role of negation in historical development. For where Hegel sees the necessary labour of the dialectic, the Underground Man sees the "chronic perversity" (*постоянное неблагонравие*) of human nature, a perversity which casts doubt upon the whole notion of a new order of freedom, equality, and brotherhood.[16]

"Chronic perversity" or the "labour of the dialectic": we have here two different readings of the facts of history. Yet even if the progressivist reading were to be granted, it would still face, in Dostoevsky's art, extremely powerful objections. Perhaps most damaging is the observation that the idea of progress is inherently contradictory. The Underground Man notes that, according to the modern philosophy of history, the final order of free, good, and happy human beings is the inevitable product of historical necessity: "people will have no choice but to become good". Yet is this compatible with the idea of individual freedom, and in the absence of a free, personal choice, can one speak of genuine moral goodness?[17] The notion that people can be forced to become free by some

---

14. *Notes from Underground*, pp. 113–14 (*PSS*, V: 116).
15. *Ibid.*, p. 108 (*PSS*, V: 112).
16. *Ibid.*, p. 113 (*PSS*, V: 116).
17. *Ibid.*, p. 105 (*PSS*, V: 110). In his rough notes for *The Devils*, Dostoevsky has "Granovsky" insist, in an argument with "Nechaev", that charity is good only if it proceeds from personal freedom: "Why won't you leave the initiative to me!... Leave me a chance to satisfy a need of my heart, let me give freely when I feel compassion... Leave me my personal freedom" – *The Notebooks for the Possessed*, ed. by Edward Wasiolek, tr. by Victor Terras (Chicago, Chicago U.P., 1968), p. 189 (*PSS*, XI: 160). The argument here is reminiscent of Kant's reluctance to accept the progressivist view of history

sort of automatic mechanism called "history" seems contradictory. Most acute, however, is the apparent contradiction between the idea of progress and the idea of personal happiness. If happiness can be located at some future point within history, then what becomes of those individuals now, and throughout history, who, by sheer bad luck, do not happen to live at the right moment? To quote Ivan: "Surely the reason for my suffering was not that I as well as my evil deeds and sufferings may serve as manure for some future harmony for someone else".[18] There does not appear to be much consolation in the thought that one's life, viewed from the perspective of history, can be regarded as fertilizer for the happiness of others.

Even for that rare individual who might rise above the natural concern with personal happiness to a greater concern with the happiness of others, there remains a final inadequacy in the idea of progress. This is the fact of finitude; not so much one's own death, which is perhaps no longer of primary concern, but the inevitable death of those living with the future order, and moreover, the inevitable death of that order itself as part of a universe subject to the law of entropy. Hence the question posed by Arkady in *A Raw Youth*:

> Why must I inevitably love my neighbour or your future humanity, which I'll never see, which I'll never know, and which will eventually also disintegrate without leaving a trace ... when the earth will turn into an icy rock and float in airless space amidst an infinite number of other such icy rocks? ... why must I behave so nobly when nothing is going to last more than a moment?[19]

Such objections to the doctrine of progress focus on the problem of ensuring the consent of those who are asked to serve as raw material for the future edifice. The perspective can also be reversed to focus on those fortunate enough to inhabit that edifice. Would they be able to accept a happiness based on the suffering of so many? Could a just person, as Ivan asks, consent to a happiness founded on the innocent tears of even one "tiny creature"?[20]

The modern idea of history as progress justifies the trampling down of "many an innocent flower" (to quote Hegel himself) by appealing to the future goal of universal innocence.[21] Such logic, however, can entail the tendency to worship force, since force is the principal mechanism of historical change. Countering this tendency is the belief itself in the future goal, which functions as

---

insofar as it posits a human "goodness" which is not essentially the outcome of a "morally good disposition". See Immanuel Kant, *On History*, ed. and tr. by Lewis White Beck (New York, Bobbs-Merrill, 1963), p. 21.

18. *The Brothers Karamazov*, p. 285 (*PSS*, XIV: 222).
19. *The Adolescent*, p. 55 (*PSS*, XIII: 49).
20. *The Brothers Karamazov*, p. 287 (*PSS*, XIV: 224).
21. "... so mighty a form must trample down many an innocent flower ... crush to pieces an object in its path". G.W.F. Hegel, *The Philosophy of History*, tr. by J. Sibree (New York, Dover Pubs., 1956), p.32.

a moral restraint on human actions in the present. Modern progressivism repudiates the notion of a moral absolute beyond space and time, and substitutes for it the notion of a moral absolute within history. But what if it is no longer possible to believe in the final goal of historical progress? This question, posed so acutely, as we have seen, by Dostoevsky's characters, finds one answer in the formula of Ivan: "If there is no God" – either beyond history or within history – then "everything is permitted".[22]

Dostoevsky's prophetic significance for the 20th century was defined by Albert Camus as follows:

> ... I have loved Dostoevsky as the one who most profoundly lived and expressed our historical destiny. For me, Dostoevsky is, above all, the writer who, well before Nietzsche, knew how to discern contemporary nihilism, to define it, to predict its monstrous consequences, and to attempt to point out the way of salvation from it.[23]

Dostoevsky might not have used the word "nihilism" in precisely the same way as Nietzsche and Camus – in 19th-century Russia it had a particular and relatively limited usage[24] – but the phenomenon which he depicted was the same. Before Nietzsche's annunciation of the death of God, Dostoevsky in Russia had already explored some of the consequences of the awareness that life is without any final meaning, that all the gods, all the moral ends, to which human beings have devoted themselves are human inventions. Stavrogin, in *The Devils*, is perhaps the most compelling result of this exploration on the level of the individual; but the nihilist insight, once sufficiently widespread, has profound implications also for society as a whole.

Dostoevsky discerned on the horizon a profound social crisis precipitated by the loss of faith in that doctrine of progress which had been the guiding idea of modernity. The modern world is confronted by him with this fundamental question: what will become of human society in the absence of any shared idea of the meaning of existence? Various responses to this question are expressed in his work. There is, for instance, the possibility that many will simply cling to a debased vision of the final human happiness promised in the idea of progress. Lebedev, in *The Idiot*, foresees a universal decline into "flabbiness", the

22. *The Brothers Karamazov*, pp. 77–78, 92, 309, 743 (*PSS*, XIV: 65, 76, 240; XV: 67).

23. Albert Camus, 'Pour Dostoievski', in his *Théâtre, Récits, Nouvelles* (Paris, Gallimard, 1962), p. 1888.

24. Dostoevsky would already have encountered the term "nihilist" in the Russian intellectual life of the 1860s where, first given currency by Turgenev's *Fathers and Sons*, it generally signified a radical rejection of the traditional bonds of family, society and religion for the sake of a future order based on modern science. See, for instance, Andrzej Walicki, *A History of Russian Thought, From the Enlightenment to Marxism* (Stanford, Stanford U.P., 1979), pp. 209–15. Yet what particularly concerned Dostoevsky was the person who, having rejected the traditional gods, cannot believe either in those of the future. This is a concern with nihilism in the broader, Nietzschean sense.

inevitable consequence of an exclusive concern with material consumption.[25] This vision of the trivialisation of human life through a triumphant materialism finds several echoes throughout Dostoevsky's writing. Yet Lebedev's evocation of future materialism is closely associated with a story about cannibalism, which hints at another possibility: that of the complete disintegration of social life portrayed, for instance, in Raskolnikov's chilling dream in the epilogue to *Crime and Punishment*, in which human beings who could no longer "agree what was good or what was evil ... killed each other in a kind of senseless fury".[26] Such violent disorder would demonstrate the insufficiency of materialism alone as a basis for social union; it could also result in the virtual destruction of the human race. Faced with this, a desperate humanity might embrace yet another possibility – the tyranny of the Grand Inquisitor, which offers both material satisfaction and a system of meaning to human beings who, however, have ceased to be fully human. By one of those ironies in which history seems to delight, the Inquisitor's tyranny might prove to be the fulfillment in actuality of that hope for heaven on earth with which the modern project was inaugurated.

Yet there is nothing certain about such a conjunction of nihilism with political power. The nihilist might strive to rule over others, but he could just as well decide, in Ivan's words, to "dash the cup to the floor", or even to "become a banker and play the stock-market".[27] Boundless materialism, wholesale destruction, total tyranny: all these remain possibilities – "trial balloons" launched by Dostoevsky's art[28] – rather than certainties. They signify attempts to give some shape to what Dostoevsky, speaking in his own name in *The Diary of a Writer*, called the "immense cataclysms" (*огромные перевороты*) on the horizon of modern civilisation.[29]

---

25. *The Idiot*, tr. by David Magarshack (Harmondsworth, Penguin Books, 1955), pp. 416–17 (*PSS*, VIII: 315).
26. *Crime and Punishment*, tr .by David Magarshack (Harmondsworth, Peguin Books, 1966), p. 555 (*PSS*, VI: 419–20). See also Zosima's prediction about future "cannibalism", in *The Notebooks for The Brothers Karamazov*, ed. and tr. by Edward Wasiolek (Chicago, Chicago U.P., 1971), p. 107 (*PSS*, XV: 254):
"And don't dream, materialists, that mutual advantage will force you to construct an order like that of a regular society... A strong desire and great talent will not want to be compared with mediocrity, and since there will be no moral tie ... except for the mutual advantage of bread, then the great and powerful will arise with his savagery and confederates, and you will begin to destroy each other in eternal emnity and you will devour each other, and that's the way it will finish".
27. *The Brother Karamazov*, p. 308 (*PSS*, XIV: 239); *The Notebooks for The Brothers Karamazov*, pp. 72–73 (*PSS*, XV: 228).
28. *The Notebooks for The Brothers Karamazov*, p. 75 (*PSS*, XV: 230).
29. *The Diary of a Writer*, p. 908 (*PSS*, XXVI: 87).

II. AN ALTERNATIVE INTERPRETATION OF MEANING IN HISTORY

Albert Camus spoke of Dostoevsky's attempt to find a way out of the impasse of modern nihilism. Certainly, in Dostoevsky's art, no perspective, including that of nihilism, remains unopposed. Since the nihilist insight and the modern historical consciousness are for him so closely linked, a perspective opposed to nihilism would entail an alternative view of the problem of meaning in history. Such an alternative is expressed in his art, above all, in Father Zosima in *The Brothers Karamazov*. Dostoevsky himself said that Zosima was meant to be a response to the position of Ivan, not as a "point by point" refutation, but as the embodiment of a different vision of things (*мировоззрение*).[30] This includes a different vision of history.

Zosima, in order to constitute a genuine response to Ivan, must address the central issue of suffering. One might expect Zosima, a Christian monk, simply to reaffirm the truth of the traditional doctrine of Providence; and he does indeed appeal to the mystery of "eternal justice" as it is revealed, for instance, in the Book of Job. Yet is such a stance adequate to Ivan's rebellion? It would seem not, for we find this monk also affirming repeatedly that "life is paradise" (*жизнь есть рай*), that "we have only to want to understand and it will at once come in all its beauty". In response to the modern quest for heaven on earth, Zosima does not stop at reaffirming the mystery of a transcendent heaven; instead he evokes an alternative vision of heaven on earth – one founded not on reason alone, but on Christ.[31]

Rather than judging profane history as ultimately unimportant, Zosima appears to envisage it as having a final spiritual goal, which it is capable of containing within itself and towards which it is moving. He defines this goal as the realisation of a truly Christian society, of a "single ecumenical and ruling church" (*единая вселенская и владычествующая церковь*).[32] The Christian society envisaged by Zosima might be labelled by some a "theocracy", but insofar as that term implies the rule of a priestly order representing God's will, it is a misnomer. Zosima has very little to say about priests, and what he does say is invariably tinged with criticism. He has even less to say about the sacramental functions of the church. The ecumenical church on earth awaited by Zosima is not primarily an ecclesiastical and sacramental institution imaging forth through symbolism and ritual the Lordship of Christ in a profane world. It is, rather, a realised human community in which human behaviour and relationships have been transformed by Christian love, in which people actually feel and live according to the idea that "everyone is really responsible for everyone and

30. See Dostoevsky's letter of 24 August 1879 to Konstantin Pobedonostsev, *PSS*, XXX: 122.
31. *The Brothers Karamazov*, pp. 342–43, 352, 374 (*PSS*, XIV: 264–65, 272, 288).
32. *Ibid.*, p. 73 (*PSS*, XIV: 61).

everything".[33] This community, like that envisaged by the modern philosophy of history, is one of freedom, equality, and brotherhood – but understood and achieved in imitation of Christ.

Yet, as we have noted, Zosima is also the preacher of "eternal truth", of "the higher truth, not of the earth", of "other worlds" – in short, of a heaven transcending this earth.[34] How can this be reconciled with his notion of a future heaven on earth? The apparent confusion is lessened somewhat by careful attention to a distinction made by Zosima's fellow monk, Father Paisy. Paisy, who can be regarded here as Zosima's spokesman, distinguishes between the 'Kingdom of Heaven' (*Царство небесное*) and the kingdom of the Church on earth: "The Kingdom of Heaven, of course, is not of this world, but in Heaven; but you enter Heaven only through the Church which has been founded and established on earth".[35] Apparently, for Zosima, the ecumenical church on earth is the ultimate goal of profane history, but *sub specie aeternitatis* it is a penultimate goal, to be succeeded at the end of time by the eternal consummation promised in the New Testament.

The view that profane history is capable, to some extent, of embodying spiritual truth naturally leads to the question of how particular historical nations and events are related to this future embodiment. Zosima has very little to say about the actual course of history, but he is emphatic in regard to the crucial role of one historical people, the Russians: "... this people is a Godbearer" (*богоносец*). The truth of the universal Christian society is preserved in theory by the Russian monk and in practice by the Russian people; and "when the time comes they will reveal it" to the modern world.[36]

In Zosima one finds an attempt to formulate a religious interpretation of history as an alternative to both modern progressivism and modern nihilism. Implicit in Zosima's alternative is the aspect of judgment. This is made clear, for instance, in the words of his "mysterious visitor", who predicts that the period of human isolation characterising the modern epoch will "most certainly" come to an end and be replaced by the "general human solidarity" of the new order: "... and everyone will be surprised at having remained so long in darkness and not having seen the light. And then the sign of the Son of Man will appear in the heavens...". There is no reason to doubt that Zosima shares this perspective. Although in his "discourses and sermons" he offers unorthodox interpretations

33. See *The Brothers Karamazov*, pp. 339, 343–44, 353, 369–74 (*PSS*, XIV: 262, 265–66, 273, 284–88). For an excellent, comprehensive account of Zosima's religious teachings, see Sven Linnér, *Starets Zosima in "The Brothers Karamazov" : A Study in the Mimesis of Virtue* (Stockholm, 1975).

34. *The Brothers Karamazov*, pp. 342, 363, 377 (*PSS*, XIV: 265, 280, 290).

35. *Ibid.*, p. 68 (*PSS*, XIV: 57).

36. *Ibid.*, pp. 368–70 (*PSS*, XIV: 284–85).

of judgment and hell, he does not repudiate the concepts themselves.[37]

To what extent does this distinction between darkness and light represent the perspective of Dostoevsky himself? It would seem that this question cannot be avoided if people are going to discuss seriously the status of Dostoevsky as a modern "prophet", for prophecy implies judgment. This apparently straightforward question involves, of course, notoriously difficult issues of critical interpretation; but certainly basic observations seem warranted here. First, Dostoevsky stated explicitly that he fully shared the ideas expressed by Zosima, though if he were to express them in his own name, he would do so "in another language and in another form".[38] Secondly, it is possible to infer from his journalism, notebooks, and correspondence what he himself thought of the conflicting ideas expressed in the novels (whether, or to what extent, his personal preference is reflected in his art). Finally, in *The Diary of a Writer*, one finds Dostoevsky expressing in his own name the salient elements of Zosima's interpretation of history, but in the "form" suited to a 19th–century man of letters, and within the context of a more detailed account of European and Russian history.

Vasily Zenkovsky has spoken of Dostoevsky's development of a "metaphysics of history".[39] Although this probably says too much, there is evidence in *The Diary of a Writer* of repeated pondering on the basic theoretical principles which ought to govern the interpretation of history. Dostoevsky presents himself as the advocate of what he calls the "idealist" approach to history: in his view, those who strive to define the "laws" or "necessities" which determine historical development should examine, above all, those varying systems of meaning which have given purpose to the lives of peoples.[40] This principle of the primacy of religious ideas in determining the rise and fall of civilisations is applied to actual history in *The Diary of a Writer*, and elsewhere.

Dostoevsky's interpretation of actual history posits a three-stage schema. The first stage, represented in the primitive communities at the dawn of history, is characterised by the complete integration of the individual within society. This stage of unconscious happiness is disrupted by the appearance of individual self-consciousness. The ensuing disharmony between the individual and society

37. *Ibid.*, pp. 356–37, 378–81 (*PSS*, XIV: 275–76, 291–93).
38. See his letter of 7 August 1879 to N.A. Liubimov, *PSS*, XXX: 102. See also Sergei Hackel, 'The Religious Dimension: Vision or Evasion? Zosima's Discourse in *The Brothers Karamazov*', in *New Essays on Dostoyevsky*, ed. by Malcolm V. Jones and Garth M. Terry (Cambridge, Cambridge U.P., 1983).
39. Vasily V. Zenkovsky, 'Dostoevsky's Religious and Philosophical Views', in *Dostoevsky: A Collection of Critical Essays*, ed. by René Wellek (Englewood Cliffs, Prentice-Hall, 1962), p. 144.
40. See, for instance, *The Diary of a Writer*, pp. 360–65, 383–87, 609, 996–1006 (*PSS*, XXIII: 46–50, 67–70; XXV: 51; XXVI: 161–70).

results in a fundamental unhappiness which has burdened this second stage, called "civilisation" by Dostoevsky, from its inception up to the present. Civilised humanity has striven desperately to find a new social harmony, but the interests of society and of the individual have only become articulated into opposed, apparently irreconcilable ideas. These opposing ideas of social unity and personal freedom have, in turn, been incarnated in those massive and bloody conflicts which have characterised the history of civilisation. In the West, for instance, the idea of compulsory social unity has animated, first the Roman Empire and then its descendents, Roman Catholicism and socialism, while the idea of personal freedom has been expressed in the opposing movements of Protestantism and bourgeois and nihilist individualism. Although the Roman Empire was undermined by Christianity, the new religion, in Dostoevsky's view (and contrary to that of the Grand Inquisitor), did not signify exclusively the idea of freedom. Rather, it held, in its idea of a new human order, the key to a reconciliation of freedom and unity. The historical realisation of this idea of the church on earth would signify the third and final stage of history, In Dostoevsky's words, "at this point development stops, the ideal is attained".[41]

Dostoevsky applied this "metaphysics of history" to the contemporary relationship between Russia and the West with well-known results. According to him, the intense struggle between France and Germany for European hegemony had to be understood ultimately in terms of the more fundamental, antithetical ideas of unity and freedom. Just as he tended to associate the former idea with France and the latter with Germany, so he tended to associate the reconciling Christian idea with the Orthodoxy of Russia. The inevitable and perhaps decisive involvement of Russia in the conflicts of the modern West implied the possibility of a final resolution of the problem of human order, and the inauguration of a new historical epoch.[42]

While this appears to have been Dostoevsky's hope, it must be emphasised that even in *The Diary of a Writer* he was capable of acknowledging the historical realities – especially the Russian realities – which contradicted this hope.

---

41. These words are found in Dostoevsky's rough outline of 1864 for an article which was to have been entitled "Socialism and Christianity". In this outline an interpretation of history in terms of a three-stage development is expressed most explicitly: "Patriarchy was the primitive condition. Civilisation is the middle, the transitional. Christianity – the third and final degree of man, but at this point development stops ... the ideal is attained". See *The Unpublished Dostoevsky*, ed. by Carl Proffer (Ann Arbor, Ardis, 1973), Vol. I, pp. 95–98 (*PSS*, XX: 191–94). Dostoevsky's own concise summaries of his interpretation of the history of Russia and the West can be found in *The Diary of a Writer*, pp. 727–31, 910–13, 1004–05 (*PSS*, XXV: 151–54; XXVI: 89–91, 168–70). See also Iurii Seleznev, 'Velikaia nadezhda Dostoevskogo', in his *Mysl' chuvstvuiushchaia i zhivaia* (Moscow, Sovremennik, 1982), pp. 36–51; and my book, *Dostoevsky's Critique of the West: The Quest for the Earthly Paradise* (Waterloo, Wilfrid Laurier U.P., 1986), Chs. II, III, VI.
42. See, for instance, *The Diary of a Writer*, pp. 979–80 (*PSS*, XXVI: 147–48).

And in the more strident passages of the *Diary* we still find qualifying expressions such as "it may be", "perhaps", and "who knows the ways of Providence" (*пути божии*).[43] If Dostoevsky shared Zosima's hope for the future new society, he hesitated before the notion of its inevitability. Like the Grand Inquisitor's tyranny, it remains a possibility which will or will not become an actuality according to the choices made by modern people. As Martin Buber has written in regard to the original conception of prophecy: "The true prophet does not announce an immutable decree. He speaks into the power of decision lying in the moment ...".[44]

III. Concluding Remarks

Dostoevsky's tentative formulation of a religious interpretation of history poses several questions. I would like, in closing, to raise a question related to Buber's idea that true prophecy presupposes a real choice between real alternatives. The question is this: to what extent does Dostoevsky's view of meaning in history actually constitute an alternative to the modern historical consciousness?

Note has already been made of Dostoevsky's hesitation in the face of a dogmatic, full-blown religious interpretation of political history. This hesitation is perhaps most tellingly evident in the portrayal, in *The Devils*, of the conversation between Shatov and Stavrogin about the religious mission of the Russian people. Shatov's response to the all-important question put to him by Stavrogin is, to say the least, ambiguous:

> "I believe in Russia. I believe in her Orthodoxy. I – I believe in the body of Christ – I believe that the second coming will take place in Russia – I believe –" Shatov murmured in a frenzy.
>
> "But in God? In God?"
>
> "I – I shall believe in God".[45]

It is possible that such hesitation, even confusion, reflects some sense on the author's part of the dangers inherent in Shatov's view of history. Since Shatov is unable to affirm the existence of a God beyond history, and since, according to him, it is the Russian people which is the true Godbearing people, then the final demonstration of this truth must be found in the eventual historical success of Russia. Unless it can somehow be demonstrated that peaceful persuasion, rather than force, is the primary mechanism of historical success, Shatov's views ultimately imply little more than the worship of sheer force. Given this vision of history, the trampling down of "many an innocent flower" would appear to be unavoidable. Shatov's religious interpretation of history is therefore open to

---

43. For instance, *Ibid.*, p. 365 (*PSS*, XXIII: 50).
44. Martin Buber, *The Prophetic Faith* (New York, Harper & Row, 1960), p. 103.
45. *The Devils*, tr. by David Magarshack (Harmondsworth, Penguin Books, 1953), pp. 256–59 (*PSS*, X: 200–01).

precisely the same objections expressed in Dostoevsky's work to the modern idea of history as progress.

There are notable differences in emphasis between Shatov's view of history and that of Zosima. Zosima is much less concerned with the historical mission of Russia than with the final goal of history itself, the ecumenical church on earth, in which presumably no particular nation would be dominant. And, of course, he is able to affirm a higher truth beyond any historical goal. Nevertheless, his expectation of a future, if penultimate, fulfillment within history does lead him also to declare that the Russian people is a Godbearing people. At the very least, the kinship between the hope of the Russian monk and that of the secular nationalist must be acknowledged. Insofar as Dostoevsky identified himself with Zosima's hope for the future, his interpretation of history also is related to Shatov's, and consequently is open to similar objections.

This problem compels us to ask why Dostoevsky felt it necessary to hold the view of history he did. Of the variety of responses which can and have been made to this question, let us consider the most obvious: Dostoevsky thought that his interpretation of history simply reflected the truth of Christianity. The significance of the New Testament for Dostoevsky has been amply confirmed by Geir Kjetsaa's examination of the text originally given to him on his way to penal servitude in Siberia. As Kjetsaa points out, the Johannine texts are by far the most heavily marked. Beside a verse in Christ's farewell discourse to the disciples in the Gospel of John (16:33), there is an "N.B." in the margin and the last three words – *Я победил мир* ("I have overcome the world") – are underlined.[46] It would seem that Dostoevsky looked to the Revelation to John as the pattern for the historical fulfillment of this promise. For instance, in the unpublished notes for *The Devils* one finds this statement:

> We are bringing the world the first paradise of the millenium. – And from amongst us, there will appear Elias ... and Enoch, who will give battle to the Antichrist, i.e. the spirit of the West which will become incarnate in the West.[47]

The "first paradise of the millenium" refers to the promise of Revelation 20 that prior to the Last Judgment and the end of the world, there will be a thousand–year reign of Christ and his followers on this earth. One must, of course, be careful in discussing the role of apocalyptic speculation in Dostoevsky's work:

---

46. Geir Kjetsaa, *Dostoevsky and His New Testament* (Atlantic Highlands, NJ, Humanities Press, 1984), pp. 8, 42.
47. *The Notebooks for The Possessed*, p. 226 (*PSS*, XI: 168). For a helpful discussion of Dostoevsky's personal interest in the Book of Revelation, see Geir Kjetsaa, *op. cit.*, p. 13; Vladimir Solov'ev, 'Tri rechi v pamiat' Dostoevskogo', in his *Sobranie sochinenii* (Brussels, 1966), Vols. III–IV, p. 223. Interesting accounts of the manner in which this interest is reflected in *The Idiot* and *The Devils* are found in Roger L. Cox, *Between Earth and Heaven: Shakespeare, Dostoevsky, and The Meaning of Christian Tragedy* (New York, Holt, Rinehart & Winston, 1969), Ch. VIII; William J. Leatherbarrow, 'Apocalyptic Imagery in *The Idiot* and *The Devils*', *Dostoevsky Studies*, III (1982), pp. 43–51.

the words just quoted are attributed to the character who was to become Stavrogin in the final novel, and the Grand Inquisitor refers more often to the Apocalypse than does Father Zosima. Despite the need to tread carefully here, there seems little doubt that New Testament eschatology was a major source of inspiration for Dostoevsky's interpretation of history.

It remains to be explained, however, why Dostoevsky was so attracted to the apocalyptic elements of the New Testament. Reference alone to his Christianity is not a sufficient explanation, as this assumes a necessary connection between Christianity and apocalyptic speculation which is not borne out by an examination of the Christian tradition. As early as the 4th century, Saint Augustine was already dismissing the literal belief in the millenium as "ridiculous fables", which could pose a danger to the Church. He attempted to remove the danger by treating the Apocalypse as a spiritual allegory in which he identified the thousand-year realm with the reign of Christ in his present Church, a reign that has already been inaugurated and will continue until the Last Judgment. Augustine's dismissal of the whole idea of a future millenium on earth rapidly became the accepted position within official Christianity, and has tended to remain so.[48] If the New Testament was a major source of inspiration for Dostoevsky's conception of a future ecumenical church on earth, this must be because he was predisposed to read the New Testament in a way which gave importance to the Book of Revelation, and which understood that obscure text in a particular manner. His reading was already influenced by an interpretative tradition.[49]

While much has been accomplished in tracing the intellectual influences which helped to shape Dostoevsky's religious thought, the task is not yet completed. One contribution to this task might be to point to the striking similarity

48. Augustine, *City of God*, Book XX, 7, 8, and 9. For more discussion of this question, see Norman Cohn, *The Pursuit of the Millenium* (New York, Harper & Row, 1961), Ch. I; Karl Lowith, *Meaning in History* (Chicago, Chicago U.P., 1949), Ch. IX; Eric Voegelin, *The New Science of Politics* (Chicago, Chicago U.P., 1952), Ch. IV.

49. On the problem of how to read the Book of Revelation, see Paul S. Minear, 'The Cosmology of the Apocalypse', in *Current Issues in New Testament Interpretation*, ed by W.K. Klassen and G.F. Snyder (New York, Harper & Row, 1962). Geir Kjetsaa notes that Dostoevsky possessed in his library a commentary on Revelation by a French lay theologian, Adolphe Bertet, *Apocalypse du bienheureux Jean dévoilée, ou Divulgation de la doctrine secrète du christianisme* (Chambery, 1870). Having examined this commentary, it is my view that it was not a guide for Dostoevsky's speculations, at least not in a positive sense. Bertet interprets the millenium of Revelation 20 as the "inauguration of pure democracy, without officials or kings ... of solidarity, liberty and equality ..." (p. xxiii). Bertet was writing against the conservative papacy of Pius IX and in defence of the liberal Catholicism of Lamennais, who was once described by Saint-Beuve as one of the great cornerstones of French socialism. Bertet's commentary, then, would probably have been regarded by Dostoevsky as confirmation of his view of the kinship between socialism and Roman Catholicism. See, for instance, *The Diary of a Writer*, p. 911 (*PSS*, XXVI: 89–90).

between Zosima's vision of history and that found in what at first appears an unlikely place – the theology of the 12th-century Italian abbot, Joachim of Fiore. Joachim, contrary to the theological concensus since Augustine, gave priority to the Book of Revelation, making it the basis of a novel interpretation of secular history. He conceived history as a sequence of three ages, each successively manifesting one of the Persons of the Trinity. The third age, that of the Spirit, was to be the final Third Realm after which history would come to an end. According to Joachim, the existing church of clergy and sacraments would be replaced by the coming church of the Spirit. This future church would be essentially an order of monks in which the mediating role of preaching and sacraments would no longer be required. In the next century Joachim's followers were to recognise in Saint Francis the inauguration of the third and final historical epoch.[50] Sergei Hackel has remarked upon the use of the Franciscan title, "*Pater Seraphicus*", to refer to Father Zosima,[51] a remark which becomes even more suggestive in light of the affinities between Joachim's and Zosima's conceptions of the future church on earth. When the Church suppressed the Franciscan Spirituals in the 14th century, Joachim's theology of history was forced "underground", to re-emerge five centuries later, in secularised form, in modern philosophers such as Saint-Simon, Schelling, and Hegel. One finds clearly expressed in Schelling's "philosophy of revelation", for instance, the notion of history as a sequence of three ages culminating in a church of all humankind associated with the name of the apostle John. Indeed, Schelling expressed his delight at having found his own philosophy of history so closely anticipated by Joachim.[52] It is doubtful that Dostoevsky was familiar with Joachim's theology, but his (at least indirect) familiarity with Schelling's philosophy can be established.[53]

This pointing out of affinities between Dostoevsky's interpretation of history and that of Schelling or Joachim is not meant to preclude the perhaps more de-

---

50. For a thoughtful exposition of Joachim's theology of history, to which my own remarks are indebted, see Lowith, *op. cit.*, Ch. VIII.
51. Sergei Hackel, 'The Religious Dimension', *op. cit.*, pp. 147–48.
52. See Friedrich W.J. Schelling, *Ausgewählte Werke* (Darmstadt, 1966), Vol. IV, pp. 294–356 (especially the footnote on p. 298). See also Paul Collins Hayner, *Reason and Existence: Schelling's Philosophy of History* (Leiden, E.J. Brill, 1967), Ch. V; Lowith, *op. cit.*, Appendix I – "Modern Transfigurations of Joachism".
53. For an account of the influence of Schelling's "philosophy of revelation" on the Slavophiles, especially Ivan Kireevsky and Aleksey Khomyakov, and on the *почвенники*, especially Apollon Grigoryev – all of whom were so important for Dostoevsky's thought, see for instance Walicki, *History of Russian Thought*, pp. 93–103, 216–19. The influence of Schelling on the youthful Dostoevsky himself is discussed in Joseph Frank, *Dostoevsky: The Seeds of Revolt 1821–1849* (Princeton, Princeton U.P., 1976), pp. 63–64. See also his *Dostoevsky: The Stir of Liberation 1860–1865* (Princeton, Princeton U.P., 1986), p. 46; and V.A. Kotelnikov, 'Dostoevskii i Ivan Kireevskii', *Russkaia literatura*, № 4 (1981), pp. 57–76.

cisive influence of Russian Orthodoxy. Nor is it meant to suggest that a writer of Dostoevsky's stature can be fit neatly into any network of intellectual influences. Yet such affinities do have importance for our original question about the extent to which he really does offer an alternative to the modern Western philosophy of history. Dostoevsky may be a prophetic figure for our age, not only in his insight into the implications of the modern historical consciousness, but also as an example of how difficult it is to move beyond this consciousness.

SECTION III

Dostoevsky and Modern Thought
Philosophy/ Religion/ Psychology

6.

FREUD AND BAKHTIN'S DOSTOEVSKY: IS THERE A BAKHTINIAN FREUD WITHOUT VOLOSHINOV?

CARYL EMERSON

Our panel has variously been listed as "Illness and Creativity" and "Dostoevsky and Freud": the common ground of both seems to be a concern with various models of the psyche and their implications for Dostoevsky as a writer, a philosopher, and an epileptic. One way or the other, as analyst, patient, or victim, Dostoevsky is presumed to have been a "psychologiser" of life. My paper will discuss that claim by considering one aspect of the secondary, or perhaps it is the tertiary, literature on Dostoevsky: what Mikhail Bakhtin did not like about Freud, and how that dislike came to influence his reading of Dostoevsky.

It must be emphasised at the outset that this image of a "Bakhtinian Freud" has nothing to do with the well-known polemic against Freudianism written in 1927 by Bakhtin's friend and associate Valentin Voloshinov ("Freudizm: Kriticheskii ocherk"). As I and others have argued elsewhere, the so-called "disputed texts", that is, the Marxist and semiotic books authored by members of Bakhtin's circle and frequently attributed to Bakhtin, are, judging by the available evidence, the work of the persons who actually signed them.[1] *Freudianism* is not the sort of book Bakhtin would have written in the mid–1920s. Voloshinov was indisputably a Marxist, and believed in dialectics; Bakhtin was not. Voloshinov was interested above all in achieving some objective explanation of inner experience, and this he hoped to accomplish through the sign (in this sense he was a semiotician); Bakhtin almost never made references to signs (*знаки*) in his writings, and was critical of the tendency of signs to come together into codes. Bakhtin had no patience with dialectal reasoning; in fact, he routinely opposed dialectics to dialogue. As he put the case in two of his most celebrated notebook jottings from the early 1970s:

1. See 'Introduction' to *Rethinking Bakhtin*, ed. by Gary Saul Morson and Caryl Emerson (Evanston, Northwestern U.P., 1989), Part II: 'The Disputed Texts', pp. 31–49. The pioneers in this project to deconflate Bakhtin and his associates were I.R. Titunik and Nina Perlina.

> Dialogue and dialectics. Take a dialogue and remove the voices (the partitioning of voices), remove the intonations (emotional and individualizing ones), carve out abstract concepts and judgments from living words and responses, cram everything into one abstract consciousness – and that's how you get dialectics.
>
> Context and code. A context is potentially unfinalized; a code must be finalized. A code is only a technical means of transmitting information, but it does not have cognitive creative significance. A code is a deliberately established, killed context.[2]

In a recent article entitled "The Bakhtin Circle's Freud",[3] Gerald Pirog contributes to the cause of "deconflating" Bakhtin and Voloshinov by demonstrating – among much else – that Voloshinov's critique of Freudianism is itself very much in the spirit of its discredited target. It is, Pirog claims, much more materialist and "objectively scientistic" than anything Bakhtin would have undertaken:

> Objectification for Bakhtin results in domination and control [Pirog writes]; For Voloshinov, on the other hand, the issue is precisely one of defining "inner experience" objectively. His goal is to make all inner experience outer experience or better, public experience ... through his equation of the inner psyche with the sign.[4]

Thus, Pirog concludes, "Voloshinov's explicit focus on the *semiotically mediated* institutional settings in which the productive activity of men and women takes place is grounded in a determinism no less inclusive than the biological determinism he accuses Freud of promoting". Laws governing this activity could presumably be discovered "through the 'objective' methods of dialectical materialism".[5]

This struggle for objectivity and the concomitant tolerance for "determinism" has a curious effect on Voloshinov's reading of Freud. Pirog suggests that this attitude might account for Voloshinov's inability to discuss pathology except in terms of "animality"[6] – and, one might add, it also makes difficult any discussion of what for Freud was a "healthful pathology", namely, creativity.

The unwarranted assumption that Bakhtin is the real author of Voloshinov's books has not only resulted in refashioning Bakhtin as a Marxist, which he was not. It has also worked to obscure Bakhtin's own subtler polemic against Freudian-style thought.[7] In the 1920s, Bakhtin did not engage in direct debate with psychologists and psychoanalysts – as did Voloshinov – because, for him, the problem of the self was not strictly a psychological problem but more

---

2. 'From Notes Made in 1970–71', in M.M. Bakhtin, *Speech Genres and Other Late Essays* (Austin, Texas U.P., 1986), p. 147.
3. Gerald Pirog, 'The Bakhtin Circle's Freud: From Positivism to Hermeneutics', *Poetics Today*, VIII/3-4 (1987), pp. 591–610.
4. *Ibid.*, p. 586.
5. *Ibid.*, p. 597.
6. *Ibid.*, p. 598.
7. This discussion of Bakhtin's difficulties with "Freudian-style" thought is adapted from Gary Saul Morson and Caryl Emerson, *Bakhtin: Creation of a Prosaics* (Stanford, Stanford U.P., 1990), Ch. V, 'Psychology: Authoring a Self'.

broadly a philosophical one. As he wrote in his early essay, "Avtor i geroi":

> The problem of the soul cannot be a problem of psychology, which is a non-evaluative and random science, for the soul, although it develops and becomes in time, is an indiviudal, value-bearing and free whole.[8]

Bakhtin detected something "non-evaluative" and "causal" about psychology – something, as he put it, that was opposed to the "soul", which was "individual and free". In his book on Dostoevsky, Bakhtin cites with approval Dostoevsky's assertion that, in spite of all the psychological insight of his novels, he was *not* a psychologist.[9] Even Dostoevsky's protagonists are invited to join in the attack. Bakhtin mentions, as an example, Stavrogin's outburst in Tikhon's cell: "Listen, I don't like *spies* and *psychologists*, at least those who poke into my soul". Bakhtin immediately adds that the accusation was unfair; Tikhon in fact *was* approaching Stavrogin dialogically. Alone among the many who cluster about Stavrogin, the old man is neither frightened nor impressed; he understands the "unfinalizability of his inner personality" (*незавершенность его внутренней личности*).[10]

In this example from *The Devils*, then, Bakhtin opposes "psychology" to one of his key concepts and most precious values, "незавершенность". I would suggest that this opposition to psychology that Bakhtin foists so vigorously upon Dostoevsky is more significant and far-ranging than a mere reference to the well-documented aversion that Dostoevsky had for legal investigative psychology, the "two-edged sword" (*палка о двух концах*). Rather, it is Bakhtin himself who is against psychology, and this prejudice is reflected in his thinking about the self from his earliest writings to the end of his career. It was this faintly "determinist" approach to the mind that made some Russian thinkers of the 1920s – notably the young Alexander Luria – attempt a synthesis of Freudianism and Marxism, and precisely this factor marked Bakhtin's dislike of both.[11] The fact that both Freudianism and Marxism presented themselves as scientific *systems* doubtless deepened Bakhtin's suspicions.

We may note another crucial difference between Bakhtin's many approaches to the mind and Freud's. Bakhtin always avoided invoking an unconscious as

---

8. 'Avtor i geroi v esteticheskoi deiatel'nosti', in M.M. Bakhtin, *Estetika slovesnogo tvorchestva* (Moscow, Iskusstva, 1979), p. 89. In Bakhtin's view, neither could the soul be a problem of ethics; as he goes on to explain, "methodologically" the soul could only be a problem of aesthetics (an interaction between "given" and "posited" components).
9. "Menia zovut psikhologom: ne pravda, ia lish' realist v vysshem smysle"; cited in M.M. Bakhtin, *Problemy poetiki Dostoevskogo* (Moscow, Sovetskaia Rossiia, 1979), pp. 70–71; tr. in Mikhail Bakhtin, *Problems of Dostoevsky's Poetics* (Minneapolis, Minnesota U.P., 1984), pp. 60–61.
10. Bakhtin, *Problemy poetiki Dostoevskogo*, p. 70.
11. In *Psychology and Marxism* (1925), for example, Luria stressed the compatibility of the two systems: both were monist, materialist, anti-behaviourist, hospitable to clinical experiment, and reassuringly "scientific" rather than speculative or mystical.

Freud understood it. To be sure, Bakhtin – like his associate Voloshinov and like their contemporary, the developmental psychologist Lev Vygotsky – did not believe (and who ever has?) that we are fully aware of the implications of our actions, and that everything we do emerges in a controlled fashion from the centre of our attention. But rather than invoke an unconscious, these Russian thinkers were more likely to turn to the dynamics of memory and habit. Most important, they resisted the notion of a separate and inaccessible structure out of which our impulses, fears, and surprises emerge, and argued instead for a richer and more varied picture of consciousness. As Bakhtin was to write in the early 1960s when revising his book on Dostoevsky: "Consciousness is much more terrifying than any unconscious complex".[12]

Both Bakhtin and Freud invoke Dostoevsky as an illustration of their very different theories of the mind. This is not surprising: Dostoevsky's novels contain sufficient support for a Freudian theory of the unconscious as well as for a description of the mind in terms of dialogue and inner speech. But in each case, crucial aspects of Dostoevsky are overlooked. Thus Freud can react with bemused dismay to Dostoevsky's invocations of a theologically based human freedom, and Bakhtin offers a rather benign account of all those pathologies and perversities we now call "Dostoevskian".

What, then, is a conscious self as Bakhtin understands it? In his early writings Bakhtin deals with the self in three related categories.[13] First there is the "I–for–myself" (*я–для–себя*): how my self looks and feels to my own consciousness. Then there are two categories of outsideness and otherness, "I–for–others" (*я–для–других*): how my self appears to those outside it; and "the–other–for–me" (*другой–для–меня*): how outsiders appear to my own self. Working with this triad – so different from the three-part model that Freud had devised – Bakhtin poses a further number of questions about self-hood. He asks, first, how a self establishes a relationship to the world.

Bakhtin begins by rejecting the traditional subject–object opposition as fundamentally flawed. It cannot be drawn, he says, because there exists neither a stable self nor a stable "given" world to which that self might be opposed. Rather, the world *becomes* determinate and concrete for us only through our willed relationship with it; in this sense, he writes, "our relationship defines the object and its structure, but not the other way round".[14] It follows that our environment seems most arbitrary and alien to us not when we create or perceive the wrong relationship with the world, but when we refuse to have any relationship with the world at all. Bakhtin calls those who refuse to commit to a

---

12. Bakhtin, *Problems of Dostoevsky's Poetics*, p. 288 (*Problemy poetiki Dostoevskogo*, p. 313).
13. Bakhtin, 'Avtor i geroi', pp. 23–25.
14. *Ibid.*, p. 8.

relationship in the world "pretenders" (*самозванцы*).[15]

His use of the word is curious. Normally a "самозванец" tries to usurp someone else's place; in Bakhtin's usage, a pretender is a person who tries to live in no particular place at all, or from a purely abstract, generalised, pre-scripted place. Dostoevsky, we might note, created several pretenders of this sort: Stavrogin, with his compelling and yet weirdly unreal masks, forever generating ideas that inspire others but leave him cold and uncommitted, is one good example. Such characters are all doomed.

Bakhtin's vigilance against pretendership explains the enormous role he allots to the *body* as a carrier or marker for the self. Since no other self can ever be in my precise time and space, nor see and do what my self can see and do, each relationship and each event is genuinely singular. Thus Bakhtin has little interest in – and perhaps no real knowledge of – those emotions that figure so prominently in most narratives of the psyche: jealousy, nostalgia, anxiety, regret. Only I can do what I can do from where I am and only I answer for it. For Bakhtin, the primary values are always non-fusion, interaction, and willingness to take responsibility (which is quite independent of the question of blame).

How are these meditations on personal ethics connected to aesthetic creativity, and how does all this measure up against more psychoanalytic methods for reading Dostoevsky? Freudian models of the self also rely on the body, to be sure, but the body in that context is more a source of standardised somatic demands than of "singularities". In Bakhtin's view, they are what matter – that is, the ways in which bodies radically *differ* from each other, not the number of scenarios they can be shown to share. Physical embodiment, and the unique *de*-limitation of each person *vis-à-vis* other persons that results from it, are in fact as central to his ideas about the production of art as they are to his thinking about the formation of a self. Bakhtin distinguishes aesthetic creativity from other sorts of human activity (such as the cognitive, ethical, religious) in terms of differentiated embodiment, that is, the distribution within that activity of *authors* (creators) and *heroes* (created persons).[16] In the pure rationation of cognitive events, Bakhtin claims, there is no hero; in ethical events, author and hero coincide; in religious events, the hero is transcendental; only in the aesthetic event are there two distinct consciousnesses engaged in some sort of dialogue. Ultimately Bakhtin will suggest that successful selves are in fact formed like novels – and that Dostoevsky, perhaps the world's most successful novelist, offers the richest scenarios for self-building. To focus this thesis, I shall contrast Bakhtin's psychology of the creative act with Freud's more familiar psychoanalytic model.

15. M.M. Bakhtin, 'K filosofii postupka', in his *Filosofiia i sotsiologiia nauki i tekhniki* (Moscow, Nauka, 1986), pp. 95, 121. Bakhtin most likely wrote this 80-page segment on ethical responsibility before "Avtor i geroi" (i.e. 1919–22).

16. Bakhtin, 'Avtor i geroi', p. 22.

We recall that Freud distinguishes real, lived experience from three other activities that he groups together in one category: play, daydreams or fantasy, and art.[17] "The opposite of play is not what is serious, but what is real", Freud observes. "The creative writer does the same as the child at play. He creates a world of fantasy which he takes very seriously ... while separating it sharply from reality". The creative impulse in art, Freud surmises, results from a repression of fantasy, and the pleasure we feel in creating or viewing art compensates us for some unrealised desire. In other words, art, play, and fantasy all arise from a *lack*: "We may lay it down", Freud concludes, "that a happy person never fantasizes, only an unsatisfied one".

Bakhtin challenges this approach to the creative process on almost every level. For him, "aesthetic activity" – that is, authoring others and being authored – is utterly routine activity, and thus to live at all is to create. The larger, more noticeable acts we honour with the name "creative" are simply extensions of the sorts of activity we do all the time. Freud, Bakhtin would say, partakes of the romantic tendency to regard creativity and inspiration as exceptional events. And to see creativity as redirected unhappiness or a healthful use of potential pathology is to misunderstand the very nature of daily human activity. Although some creativity may indeed be "Freudian", as a rule it is positive, conscious, and the result of work undertaken by the whole personality. Furthermore, since personalities develop through interaction with others, creativity, like the formation of an individual unrepeatable self, is a special kind of *social* act.

Not surprisingly, Bakhtin's description of fantasy also differs markedly from Freud's – and this would explain, perhaps, why Bakhtin routinely interprets fantasy in Dostoevsky not "physiologically" or pathologically, but, as it were, more the result of social and dialogic deprivation. For Bakhtin, fantasy, although a somewhat aestheticised activity, is not only perfectly normal but also an activity requiring no repression and generating no guilt. In his own early discussions of the relationship between life and art,[18] Bakhtin does *not* oppose real experience to a triumvirate of dreams, fantasy, and art. Rather he classifies real experience, dreams, and fantasy *together*, and distinguishes all three as a group *from* art.

Bakhtin's reasons for calling dreams and fantasies "real life" can be found in his initial three-part model of the self, its mix of "я–для–себя, я–для–других, and другой–для–меня". What characterises *both* life and fantasy, Bakhtin claims, is "inner self-sensation", that is, the absence of an "outward expressed quality" to the self. Neither our life as we live it for ourselves, nor our fantasies as we dream them for ourselves, can finalise or consummate the

17. Sigmund Freud, 'Creative Writers and Daydreaming', in *Critical Theory Since Plato*, ed. by Hazard Adams (New York, Harcourt Brace, 1971), p. 749.
18. Bakhtin, 'Avtor i geroi', pp. 67–68.

primary actor, the I–for–myself.[19] Others I can *see*, Bakhtin notes, but myself I can only sense as acting. In a dream, too, I can only sense myself acting; only when I *retell* a dream or a fantasy can it become finalised or (in Bakhtin's sense) artistic.

Retelling an inner sensation to another (and outside) party serves to invest the hero of the experience with a real body, and the body with "surroundings".[20] Once something has a body, Bakhtin argues, the artist can be "outside" it and the aesthetic act is born. Alone, fantasy cannot give rise to art. It remains an "inner imitation", able to "imagine" but not to "impart an image" to anything – because it allows for no genuinely embodied other consciousness.[21]

Bakhtin does not illustrate this point, but he seems to have in mind the sort of dilemma Dostoevsky explores in his early portraits of "doubles" and "dreamers". The "dreamer" (*мечтатель*) from "White Nights" is an excellent example of the paradoxes, dangers, and dynamics of fantasy without consummation. Far from being a mawkish sentimental tale, or even the parody of such a tale, it is a case study in "psychological otherlessness", in the refusal to risk genuine encounters with the other's finalising power. The Underground–Man, of course, is the pathological culmination of this type.

Bakhtin's passion for exposing doubles and dreamers gives us a clue to his preference for the *early* rather than the late Dostoevsky. It has often been pointed out that *Problems of Dostoevsky's Poetics* devotes an extraordinary amount of space to themes and texts from Dostoevsky's pre-exile and middle periods, and deals rather cursorily with the long mature novels. The late Dostoevsky, after all, was receptive to the cosmic mysticism of Solovyov and Fyodorov, and several entries in *Diary of a Writer* profess sympathy not only for an unconscious but also a "collective national unconscious" that appears to unfold in history.[22] In short, it appears to have been important to Bakhtin's own concept of what art should do that both he and Dostoevsky were "not psychologists", that is, not willing to approach the soul dialectically, causally, and from within. Both had to be "realists in the higher sense", that is, willing to approach the self dialogically, to recognise its unfinalisability, and to confirm that selves can be creative only in response to images of themselves given by *others*.

This model of the self is, of course, a sort of rough draft for the polyphonic word. Like its verbal counterpart, it has no special interest – and certainly no exclusive interest – in replication or annihilation, that is, in sex and death. It is interested solely in learning and creating. From this fact, perhaps, stems Bakhtin's remarkable inability to appreciate texts of true rage or psychological

19. *Ibid*., p. 67.
20. *Ibid*., p. 28.
21. *Ibid*., p. 67.
22. See, for example, the January 1877 entry in *Diary of a Writer*, 'Three Ideas'.

paralysis. Dostoevsky's vision of the world, in contrast to Bakhtin's domestication of him, is a more radically divided and radically unsolvable one – and not in the benignly dialogic or ecstatically carnivalesque sense of the word. By all indications, the mature Dostoevsky really believed in the ultimate innerness of guilt, just as he believed in ultimate closure, the Apocalypse.

To close, then, by bringing Dostoevsky, Freud, and Bakhtin together on the question of creating and created selves. For Bakhtin, the self is not divided into a conscious and an unconscious, nor is it shaped by the "socialization" of an originally "individual" self. The whole idea of an initial self forced to accommodate its fantasies and desires to the realities of social pressure was for Bakhtin a typical product of Western psychological thought, Freudian and other. And the related idea that aesthetic activity is a sort of by-product, a compensatory distraction that helps reconcile us to the collapse of our fantasies, seemed to Bakhtin cynically dismissive of the active, socially responsible role that art is destined to play in life. But if it is not repression, sublimation, non-negotiable biological drives and the considerations of reality versus pleasure that generate and organise art, then what does?

Bakhtin does not provide a neat programmatic statement beyond the general comments on aesthetic activity already discussed. But I suggest that one can find a clue to Bakhtin's thinking on the subject in the concept of the *dominant* (*доминанта*) that he invokes at several points in his book on Dostoevsky. This is not the "dominant" as appropriated from German aestheticians by the Russian Formalists, who used it to measure degrees of language deformation in poetry. It is, rather, a more "organic" and biological concept – here the parallel with Freudian models is intriguing – developed by the great Russian physiologist, religious thinker and Dostoevsky enthusiast, the same man who gave Bakhtin the idea of the chronotope: Alexey Ukhtomsky.[23]

The case cannot be developed here in detail (it is, in any event, being pursued by others),[24] but one should note that Ukhtomsky's "dominant" is an organising principle for the relationships of both body and soul – in fact, it might be said that the dominant is what keeps bodies and souls together. Although Ukhtomsky originally developed the idea to explain the lability, or instability, of cortical excitation and inhibition,[25] he himself extended the idea to interpersonal relations

23. For a short biography in English, see the entry on Ukhtomsky (1875–1942) in *Dictionary of Scientific Biography*, ed. by Charles Gillispie (New York, Scribner's), Vol. XIII, pp. 529–30.
24. Simonetta Salvestroni ((Universita di Cagliari) noted the Ukhtomsky connection in a paper delivered at the International Bakhtin Conference at Queen's University, Ontario, 7–9 October, 1983: 'Bachtin in Soviet and West European Semiotic Research' (Conference Proceedings, pp. 199–201); Michael Holquist is currently at work on a study of Russian science and the creative process, where Ukhtomsky is apparently discussed in detail.
25. The clinical experiment that prompted Ukhtomsky to his insight (1904) involved a dog

and then to literature, where he invoked Dostoevsky as key exemplar.

What did the concept of a "dominant" mean, then, when employed by a physiologist? Ukhtomsky asked himself that question in his 1927 essay "The Dominant as a Factor in Behaviour", and traced his use of it to Richard Avenarius, founder of empiriocriticism and advocate of a biological approach to cognition. In Ukhtomsky's paraphrase of Avenarius, the dominant in any organism is the "transformer of an ongoing reaction, the factor directing the behaviour of an animal under given conditions ... the one who detachedly lies in wait and watches out for [new] impulses and irritants" that might help in resolving a given problem.[26] For Avenarius, the dominant functions as an exception in the reflexes of an organism, which was properly governed by the principle of economy of effort.

Ukhtomsky takes the concept further. First he sharply distinguishes the dominant from "instinct" (88). Then he insists that the law of economy of effort does *not* apply (because the most powerful drives of an organism are toward nourishment and work). Finally, he defines the activity of the dominant as the norm, not the exception, in healthy organisms.

Central to Ukhtomsky's reasoning is his definition of an "organ", which, he argues, is not something "morphologically cast, constant, with fixed static signs" (79). Rather an organ is more like a process, a dynamic mechanism with a certain specific activity to perform in an ever-changing environment. Organs are in best working order when they are maximally receptive to a creative interruption of their established and successful reflexes.

Our dominant, then, is our insurance that our problems can be resolved flexibly with the help of resources from within our own organism. But how does our dominant, this "transformer" ever on the alert, interact with the dominants of other living things? At the end of his essay Ukhtomsky ponders the social implications:

> Every minute of our experience, huge areas of living and unrepeatable reality pass us by because our "dominants" are pointing in a different direction. In this sense our "dominants" stand between us and reality (90).

As an example of those defeated by their own dominants, Ukhtomsky considers the "poet, scholar and thinker" who tend toward a self-enclosed life, who

---

who unexpectedly failed to respond to routine electrical stimulation of the motor cortex; suddenly, just as unexpectedly, the dog defecated, after which the stimulus-response pattern was restored. Ukhtomsky pondered this lesson in "creative interruption" all his life. For one description of the experiment and its significance in his later thought, see his 'Dominanta kak faktor povedeniia' (1927) in the anthology A.A. Ukhtomskii, *Dominanta* (Moscow–Leningrad, Nauka, 1966), esp. pp. 75–76.

26. Ukhtomskii, 'Dominanta kak faktor povedeniia', pp. 80–81. Further consecutive references to to this essay are given in the text.

move through the world "deafened by their own theory" with "one and the same stationary, monotonously governing orientation" (91). Their creative activity does indeed proceed with an economy of effort. But the "chronotope of genius" works in another way, he claims (87). It seeks precisely the path of greatest resistance, response, interruption; "the more powerful the dominant that governs behaviour, the more it will prevail over the negative tendency to rest, self-satisfaction, to a breathing spell" (87). For, Ukhtomsky concludes, "we have absolutely no grounds for concluding that reality and truth will become at some time a cushion of tranquility... Our [neurological] organisation is designed in principle for constant movement, dynamics, constant tries and construction of projects, and also for continual verification, disappointment, and mistakes" (93). And this is because "the givens [of the world] expect from us not passive perception but a passionate search for what should be. *We are not observers but participants in existence*. Our behaviour is work" (94).

Ukhtomsky concludes his essay with a meditation on happiness. If human happiness is to exist at all,

> ... it will be possible in reality, only when some future human being has succeeded in developing a capacity for tuning in to the life of the other person ... when there has developed in each of us a "dominant" directed at the person of the other (95).

It should come as no surprise that Ukhtomsky sought illustration of these "physiological" laws in the work of Dostoevsky.

In an entry in his personal notebooks from the late 1920s on the topic of *The Brothers Karamazov*, Ukhtomsky defined a person's "dominant" as his "integral image of the world" (*его образ мира ... и лицо для других*).[27] If allowed to function undisturbed, a person's dominant – the product of habit and accumulated behaviour patterns – could only generate its own double. Apparently this prospect haunted Ukhtomsky as much as it haunted Bakhtin. In a letter to a friend in 1918 Ukhtomsky wrote, apropos of Dostoevsky's short novel *The Double*:

> Do you know, perhaps the most difficult thing of all is to free oneself from the Double, from the automatic inclination to see oneself in everyone one meets, one's vices, one's shortcomings, one's secret ugliness ... only from the moment that the Double is overcome, will a free path to one's companion be opened up (117).

As an "interlocutor" (*собеседник*), the primary obligation we have to others is to deliver them from their own dominants. The dominant here has little to do with its Formalist counterpart, which is a willed hierarchy of devices or forms that an author structures, defends, and imposes intact on readers. Ukhtomsky's charge – to the non-literary real world and to authors and readers alike – is that they construct dominants designed to be *challenged* and undermined. As

27. Cited in V.L. Merkulov, 'O vliianii F.M. Dostoevskogo na tvorcheskie iskaniia A.A. Ukhtomskogo', *Voprosy filosofii*, № 11 (1971), p. 119. Further references to this article are included in the text.

Ukhtomsky puts it, our task is to "change in people their physiological perceptions, physiological habits, the continuity of their lives" (119). To do so requires above all "слух", an acute sense of hearing or of listening, which Ukhtomsky considered the most crucial human sense.

In 1924 Ukhtomsky summed up Dostoevsky's contributions to art in three "laws". These were the laws of the dominant, of the "заслуженный собеседник" or interlocutor who fulfils his duty by interrupting and changing the other, and the law of compassion (*милосердие*; 119). Such are the psychological "laws" that Bakhtin also values, and that he also sees illustrated in Dostoevsky.

Here, then, in collaboration with Ukhtomsky, might we find Bakhtin's "negative image of Freud". It is certainly not to be sought in the crude and politically opportunistic polemic against psychoanalysis that Voloshinov penned in 1927.[28] Nor should it be sought in an attack on Freud's "somaticisation of the psyche", for as we have seen, Bakhtin also "somaticises" the inner world, although in a different way. Resistance to Freud is, rather, an organic part of Bakhtin's larger worldview, in which pride of place is given to open-ended dialogue, long messy novels, and centrifugal rather than centripetal forces. The particular doctrines of psychoanalysis mattered less to Bakhtin, it seems, than Freud's very style of thought.

At the base of that thought is the assumption that the self and the psyche is a riddle. Riddles, of course, depend for their effectiveness on the belief that the world is a system, that everything in it has a meaning that can be related to some "whole" if only we could remember all the parts, or trick the censor, or uncover the code. That style of thought, with its repressions, suppressions, and Freudian slips, rules out the very possibility that mental events could simply be a mess, that is, truly accidental, meaningless, and unrelated. For unless there is a pretty good chance of things not fitting together, and a pretty good chance that important aspects of the self are routinely available for change, there is nothing for the outside person or "собеседник" "interrupting" us to contribute that is genuinely new. The emphasis is rather on a backward process, a return to fixed scenarios in which we were merely observers or helpless witnesses. To the extent that our behaviour in these scenarios is prescripted and predetermined, it cannot be creatively addressed in Bakhtin's sense of the term; it can only be decoded and diagnosed. Much as Dostoevsky had faulted Tolstoy (rightly or wrongly) for approaching all events, even current ones, as an "historian" rather

---

28. This responds in some degree to the legitimate query by James Rice, who along with many others assumed (at least in 1985) the majority conflationist position on the "disputed text" question: "What Bakhtin's admirers have yet to explain is why the esteemed critic of Dostoevsky condoned the publication of his own private papers on Freud in this shabby paste-up format..."; James L. Rice, *Dostoevsky and the Healing Art* (Ann Arbor, Ardis, 1985), pp. 221–22.

than a novelist, so Bakhtin might be said to fault Freud for placing all the important events of the psyche in a prefigured past.

Bakhtin's response to "the self according to Freud", we might say, is the entire edifice of polyphony. For polyphony guarantees two values that Bakhtin felt were always threatened by "psychologism": the radical *singularity* of the person, and maximum, non-clinical, everyday *access* to that person's world. To the extent that Dostoevsky's heroes reflected those values, Bakhtin could celebrate them.

7.

SOME PECULIARITIES IN FREUD'S ESSAY ON DOSTOEVSKY

JEAN-PAUL C.J. SELTEN

INTRODUCTION

In 1928 Freud wrote a case history on the great Russian novelist Dostoevsky, entitled "Dostoevsky and Parricide" (FREUD 1928/a/b). In this essay he presented a psycho-dramatic explanation for Dostoevsky's epileptic fits. In the past decades the essay has been criticised sharply. Biographers and literary historians, for instance, reject Freud's handling of his sources (e.g. FRANK 1976; CATTEAU 1978; KJETSAA 1987).

Neurologists have rejected Freud's interpretation of the facts and devised a new diagnosis (e.g. GASTAUT 1978; VOSKUIL 1983; and GESCHWIND 1984).

Several psycho-analytic studies on Dostoevsky's novels have been published, for instance on the dreams of Raskolnikov, the protagonist in *Crime and Punishment* (LOWER 1969; MAZE, 1979). Only two publications, however, contain an evaluation of Freud's essay (REIK 1929/1975; SCHMIDL 1965). It seems that Freud did not value the case history very highly, for in reply to the critical review by Theodor Reik he wrote: "I think you are applying too high a standard to this triviality" (FREUD 1928/c).

The purpose of this paper is to summarise Freud's essay, to describe some new insights into Dostoevsky's life and illness and to point out some peculiarities in Freud's argument. (The last part of Freud's essay deals with Dostoevsky's pathological gambling and will not be discussed here).

"HYSTERO-EPILEPSY"

In the opening lines of his essay Freud highly praises the novelist Dostoevsky (1821–81). This commendation, however, is a short preamble to some highly critical comments on his religious and political views:

> After the most violent struggles to reconcile the instinctual demands of the individual with the claims of the community, he landed in the retrograde position of submission both to temporal and spiritual authority, of veneration both for the Tsar

> and for the God of the Christians, and of a narrow Russian nationalism – a position which lesser minds have reached with smaller effort... It seems probable that he was condemned to his failure by his neurosis (FREUD 1928/b: 177–78)

The rest of the essay is a discussion of this neurosis.

Dostoevsky suffered from fits with loss of consciousness and with convulsions. The doctor's diagnosis was epilepsy. Freud declares on more than one occasion that the information available on Dostoevsky's fits is incomplete and unreliable, and that there is not sufficient insight into syndromes of this kind (179–81). Nevertheless he is quite confident in his claim that most likely these fits were not due to organic disease, but were neurotic symptoms: "Now it is highly probable that this so-called epilepsy was only a symptom of his neurosis and must accordingly be classified as hystero-epilepsy, that is, as severe hysteria" (179). When fits occur in patients with a "complete mental development", Freud says, no organic epilepsy is involved, but an "excessive and as a rule insufficiently controlled emotional life". The only exception he knows of is the great physicist Helmholtz (180).

In a letter to Stefan Zweig (about Dostoevsky, 1920) he mentions Helmholtz and goes on to say: "All other great men who are said to have been epileptics are straight cases of hysteria" (FREUD, ed 1961).

With reference to Freud's argument, it should be borne in mind that in his days the classification of epileptic phenomena relied on the concept of genuine epilepsy (synonymous: idiopathic epilepsy or primarily generalised epilepsy), an organic disorder claimed to be hereditary and to be characterised by a particular course involving intellectual decline and character changes; patients were said to become irritable and aggressive. "Acquired" or "symptomatic" epilepsy, on the other hand, involved the patients having epileptic fits due to a demonstrable brain injury (FREUD: 179–80; KRAEPLIN 1913).

A distinction was to be made between hysterical and epileptic fits. Problems arose when in some cases differentiation seemed impossible or when the two types of fits occurred in one and the same patient. To classify these patients some French clinicians of the 19th century coined the term "hystero-epilepsy". They distinguished between "hystéro-épilepsie à crises séparées", when hysterical and epileptic attacks alternated, and "hystéro-épilepsie à crises mixtes" (synonymous: "... à crises combinées"), when in the attacks the two diseases were believed to come together and manifest themselves simultaneously. Source of much confusion was the assumption that some forms of epilepsy could be a manifestation of neurosis (TRIMBLE 1982).

Freud, in his essay on Dostoevsky, advocates a "functional" approach to epileptic phenomena. There is a disposition to "epileptic reaction", which in his view can become manifest under wholly different circumstances. It can be triggered either by cerebral dysfunctions, due to trauma or intoxification, or by inadequate control of emotions (180). According to Freud, this "epileptic reaction" is at the disposal of the neurosis. One could, therefore, distinguish between "organic epilepsy" and "affective epilepsy", the former involving brain disorder, the latter neurosis (181).

He also speculates on the nature of the "mechanism of instinctual discharge" and suspects that it cannot be much different from the mechanism of sexual processes, considering already in ancient times physicians referred to coition as "minor epilepsy".

DOSTOEVSKY'S FITS

Before Freud's arguments can be discussed, it must be determined what the fits were like. The facts have been provided by reports from eye-witnesses (friends, physician and second wife) and Dostoevsky's letters and diaries. The fits were sometimes introduced by a feeling of intense happiness persisting for a few seconds, or by a sense of fear. Witnesses then heard a cry and saw Dostoevsky lose consciousness and fall to the ground, sometimes hurting himself in the process. They described contractions of the muscles, changes in his complexion, foam at the mouth and incontinence of urine. In her *Reminiscences* (ed. 1976) his second wife, Anna Grigorevna, writes that most fits occurred during the night in his sleep. The frequency of the fits varied from twice a day to once every four months, averaging about once a month (ALAJOUANINE 1963; VOSKUIL 1983; GESCHWIND 1984).

The intense feeling of happiness that Dostoevsky experienced has received attention in neurological journals and has been designated as "ecstatic aura". Dostoevsky confided this experience to some of his friends and described it in his novels. He told his friend and future biographer Strakhov about the first few seconds of the fit:

> For several moments I experience a happiness that is impossible in an ordinary state, and of which other people have no conception. I feel full harmony in myself and the whole world, and the feeling is so strong and sweet that for a few seconds of such bliss one could give up then years of life, perhaps all the life (quoted in RICE 1985: 83–84).

The protagonist of *The Idiot*, Prince Myshkin, suffers from epilepsy and his aura is described as follows:

> The sense of life, the consciousness of self, were multiplied ten times at these moments which passed like a flash of lightning. His mind and his heart were flooded with extraordinary light; all his uneasiness, all his doubts, all his anxieties were relieved at once; they were all merged in a lofty calm, full of serene, harmonious joy and hope (DOSTOEVSKY, ed. 1946).

There is no doubt that this mystic experience was of great significance for Dostoevsky's work and view of life (CATTEAU: 161–77).

Finally it should be mentioned that most fits were followed by depressions with feelings of guilt lasting for some days, or by twilight states involving automatisms (for instance, clumsy cigarette-rolling). After some fits disturbances of speech and memory occurred (VOSKUIL 1983).

Freud knew what Dostoevsky's fits were like, but in his view these facts were not relevant to a differential diagnosis, since hystero-epilepsy and organic epilepsy had identical manifestations: "The description of the attacks themselves teach us nothing..." (181).

FREUD'S ARGUMENT

In his essay Freud starts from the assumption that Dostoevsky's father was a man with an unpleasant, violent character and that he was killed by the peasants of his estate in 1839. Freud points out the unmistakable parallel with the parricide in Dostoevsky's masterpiece *The Brothers Karamazov*. Freud regards the murder as Dostoevsky's most serious trauma and the root of his neurosis. He considers it likely that Dostoevsky's disorder already manifested itself in a mild form in his early childhood and did not assume an epileptic form until after the murder of his father (181).

Freud assumes the fits of his early childhood involved "lethargic somnolent states" quite similar to a state of apparent death:

> We know the meaning and intention of such deathlike attacks. They signify an identification with a dead person, either with someone who is really dead or with someone who is still alive and whom the subject wishes dead. The latter case is the more significant. The attack then has the value of a punishment. One has wished another person dead, and now one is this other person and is dead oneself. At this point psycho-analytical theory brings in the assertion that for a boy this other person is usually his father and that the attack (which is termed hysterical) is thus a self-punishment for a death-wish against a hated father (182–83).

Freud then proceeds to give a short exposition on the influence of the Oedipus complex on the development of conscience. He argues Dostoevsky's case was complicated by his strong bisexual disposition, apparent from the importance he attached to friendships with men, from his particular mild attitude towards rivals in matter of love, and from the perceptive descriptions in his stories of situations, in which latent homosexuality plays an important role.

The fear of the feminine-position (in the context of the negative Oedipus complex) enhanced the hostility towards his father. Because his father's character grew worse over the years, Dostoevsky's hate and parricidal wishes did not fade, but remained alive. Freud concludes:

> Now it is a dangerous thing if reality fulfils such repressed wishes. The phantasy has become reality and all defensive measures are thereupon reinforced. Dostoevsky's attacks now assumed an epileptic character; they still undoubtedly signified an

> identification with his father as a punishment, but they had become terrible, like his father's frightful death itself (186).

He does not specify from what source he obtained the information suggesting Dostoevsky's disorder deteriorated after his father's death. He refers to an article on this subject by Fülöp-Miller (1924).

Freud interprets the moment of ecstasy before, and the depression after, the fit as an expression of the feelings of triumph he experienced on learning of his father's death, and of the feelings of guilt about the parricidal wishes he nursed.

According to Freud it would be most appropriate if Dostoevsky had been free of fits during his exile in Siberia (1849–54), since in the event his need of punishment would have been satisfied by his father's substitute, the Tsar.

In a footnote Freud admits that most evidence, including that provided by Dostoevsky himself, indicates that the epileptic fits first occurred in Siberia. "Unfortunately", Freud says, "there is a reason to distrust the autobiographical statements of neurotics. Experience shows that their memories introduce falsifications which are designed to interrupt disagreeable causal connections" (182).

Thus Freud disregards the information provided by Dostoevsky and other witnesses. This curious attitude on the part of Freud will be discussed later on. He concludes:

> We can safely say that Dostoevsky never got free from the feelings of guilt arising from his intention of murdering his father. They also determined his attitude in the other two spheres in which the father–relation is the decisive factor, his attitude towards the authority of the State and towards belief in God (187).

BIOGRAPHICAL FACTS

Dostoevsky was the second child and second son in a family of eight children. His father was indeed a man with an unpleasant character. In the authoritative biography by Frank he is described as gloomy, irritable and suspicious. He suffered from pathological jealousy and without cause repeatedly accused his wife of being unfaithful to him. It is unlikely, however, that he beat his children (FRANK: 6–22). After his wife's death in 1837 he retired to his estate. He grew lonely and took to drinking. In this period incidents occurred which may have caused feelings of guilt in his son. At the time, Dostoevsky attended the Academy of Engineers in Petersburg. In 1838 he failed an exam. His father, a physician, claimed that on learning the bad news, he had a stroke (dizziness and one-sided paralysis) and blamed his son for it. Dostoevsky repeatedly asked his father for more money to support himself. In his last letter, dated May 1839, his father draws a picture of his financial straits only to wonder: "After this can you continue to grumble at your father for not sending your money?" (FRANK: 85). Yet, he sent his son the money he had asked for urging him to spend it economically.

In June 1839 he was found dead in the field. Dostoevsky must have received the letter and the report of his father's death at about the same time. The conclusion of the post-mortem examination was: apoplexia cerebri. However, the proprietor of the adjacent estate, Major Khotyaintsev, told the next of kin that Doctor Dostoevsky had been killed by the peasants of his estate and that the doctors had been bribed. This version was accepted by some members of the family and was considered an established fact in Freud's time. The motive remained unknown.

Recent research of the records, however, has undermined the facts of the case (FYODOROV 1975). The Major and Doctor Dostoevsky were involved in a lawsuit concerning a land demarcation dispute and consequently it was in the Major's interest to spread rumours. A thorough investigation organised by the criminal court in Tula remained entirely negative. The biographers are divided on the question which version Dostoevsky gave credit to. The only evidence of his reaction is found in a letter to his brother Mikhail (August 1839): "My dear brother, I have shed many tears over the death of father" (FRANK: 86–89; CATTEAU: 134; RICE: 8; KJETSAA: 28–36).

Freud, too readily, relied on German translators (Fülöp-Miller and Eckstein), who did not render their Russian sources very accurately, and, in addition to their translations, produced a somewhat sensationalistic biographical literature on Russian authors. There is, for instance, no reliable evidence that indicates the writer suffered from epilepsy in his childhood. Fülöp-Miller and Eckstein (1925: 60–61) misinterpreted two Russian sources: a brother and a friend of the author's, Andrey Dostoevsky and Solovyov. Both sources date Dostoevsky's fear of lethargic sleep and apparent death in a much later period (1843–49 and 1846–47 respectively). When the translators date these events in Dostoevsky's childhood, this stems entirely from their imagination (VAN HET REEVE 1982; FRANK: 387–88).

In a footnote Freud quotes two more sources, who attribute Dostoevsky's disease to a psychotrauma of his childhood, but do not specify the content of his trauma. The first source is the journalist Suvorin (quoted in FÜLÖP-MILLER and ECKSTEIN 1925: 45) who, according to literary historians, probably alludes to the murder of Dostoevsky's father (FRANK: 386). The second source (reported by MILLER 1921) is anonymous and is probably nothing more than a rumour (FRANK: 382–83). Neither source supports its claims with any evidence.

Nor is it likely that Dostoevsky suffered his first epileptic fit in subsequence to his father's death. This story was launched by his daughter Lyubov (Aimée). She wrote (1922): "According to a family tradition, it was when he heard of his father's death that Dostoevsky had his first epileptic fit". However, she was only 12 years old when her father died and, moreover, it is generally agreed that her book is quite unreliable. Her claim is contradicted by a great deal of evidence in which the onset of the disease is set at a much later date. The evidence includes that of the writer himself, of his brother Andrey, of his friend Sonya Kovalevsky and of his physicians. A decline in health shortly after the death of his father is not supported by any word of the author or by any testimony of persons who knew him at the time (KOVALEVSKY 1895; FRANK: 389–90; CATTEAU: 145–47; KJETSAA: 35).

Fülöp-Miller (1924), in the article to which Freud refers, writes that the epileptic fits probably began in Siberia. He remarks that there are some reports, from members of the Dostoevsky family mostly (not specified in more detail), which date the first attack in Dostoevsky's 18th year, when he heard of his father's death. Fülöp-Miller, at this point, may have thought of Lyubov's contentions.

One of the reliable sources is Dostoevsky's physician and friend, Stepan Dmitrievich Yanovsky, who witnessed three of his fits between 1847 and 1849 (VOSKUIL 1983). In 1881, shortly after Dostoevsky's death, he wrote:

> The late Fedor Mikhailovich Dostoevsky suffered from the falling sickness while still in Petersburg, furthermore for three or perhaps even more years before his arrest in the Petrashevsky case, thus before his exile to Siberia. The point is that this grave ailment, called Epilepsia – or falling sickness, appeared in F.M. in 1846, 1847, and 1848 in a slight degree. Meanwhile, though those not close to him didn't notice this, the patient himself (although, it is true, vaguely) was aware of his illness and usually called it "*Кондрашка* ['stroke', J.P.S.] with an aura" (quoted in RICE: 7).

It remains uncertain, then, when exactly the disease first became manifest. The fact that Dostoevsky, as Yanovsky points out, was vaguely aware of the disease, may explain why in his letters he dates the onset of the disease as late as his exile in Siberia (FRANK: 389). Evidence from various witnesses confirms that he was subject to fits during that period. The fits occurred most frequently between 1860 and 1870. Dostoevsky died from a lung disease in 1881 (VOSKUIL 1983).

NEUROLOGICAL DIAGNOSIS

Freud's diagnosis with respect to Dostoevsky's attacks is rejected in modern neurological publications. Some of the indications against the case for hysteria are the frequent occurrence of attacks at night during the patient's sleep, the acute and stereotyped onset of the attacks during the day, the injuries sustained in the process and the drowsiness and memory distrubances afterwards.

"Hystero-epilepsy" is a concept that has been abandoned for quite some time now. It is true that there are "fits" of hysteria that are like epileptic seizures in many ways and that some patients suffer from hysterical and from epileptic attacks, but each attack is either hysterical or epileptic, never both at the same time (TRIMBLE 1982). Among the patients described by Charcot there were hysterics who had learned to imitate epileptic attacks (MASSEY 1982).

Dostoevsky's case has been the topic of an interesting discussion among neurologists. Alajounine (1963) diagnosed temporal epilepsy with secondarily generalised seizures. Gastaut (1978) had a different opinion. He pointed out that ecstatic aura was quite a rare phenomenon and that there were no EEG–registrations of this type of aura. He doubted that it existed at all and assumed that it was a poetic interpretation of a short absence preceding a grand mal seizure. He agreed with Penfield, who had remarked the following on Dostoevsky's ecstatic experience: "This sensation is to be called a prodrome in the idiopathic variety of attacks, rather than an aura" (PENFIELD and KRISTIANSEN 1951). The diagnosis Gastaut arrived at was "primarily generalised epilepsy".

Cirignotta *et al.* (1980) were first to demonstrate that temporal epilepsy may cause seizures that are experienced by the patient as a mystic ecstasy. The evidence was a case report (with simultaneous EEG-registration) on a 30-year-old unmarried Italian male, who since adolescence had had fits with sensations of great joy lasting 20–30 seconds. He had not been referred to a neurologist until after a nightly tonic-clonic seizure. On their patient's personality Cirignotti *et al.* wrote the following

> A self-contained, suspicious, unsociable person, he is prone to lonely meditation. His only intellectual concerns, music and travel, are in harmony with his need to establish rariefied contacts with the environment. He has a taciturn nature and expresses himself slowly and with difficulty.

On the remarkable symptoms involved they wrote:

> The subjective symptoms are defined by the patient himself as "undescribable", words seeming to him inadequate to express what he perceives in those instants. However, he says that the pleasure he feels is so intense that he cannot find its match in reality. Qualitatively, these sensations can only be compared with those evoked by music. All disagreeable feelings, emotions and thoughts are absent during the attacks. His mind, his whole being is pervaded by a sense of total bliss.

The Dutchman Voskuil writes that even though he shares Gastaut's doubts, he cannot but conclude that on the strength of the available evidence and the Cirignotta case-report the most likely diagnosis in Dostoevsky's case is partial epilepsy with complex symptomatology (a more accurate designation than the more common term "temporal epilepsy") and with mostly secondarily generalised, nightly seizures (VOSKUIL 1983).

In 1984 Gastaut responded to Voskuil's article and put him in the right (GASTAUT 1984). Nothing is known for certain about any cause of Dostoevsky's epilepsy.

FREUD'S VIEWS ON "HYSTERO-EPILEPSY"

In two publications before 1900 Freud very clearly expressed his opinion on the concept of "hystero-epilepsy". In his contribution to Villaret's encyclopedia he described at length the differences in symptomatology between hystero-epileptic attacks and true epileptic seizures. In a footnote he wrote: "... no special value is to be attached to the term hystero-epilepsy and one must particularly guard against the view that a special disease combining the characteristics of hysteria and epilepsy is to be understood by it" (FREUD 1888: 58). He added a similar footnote to his translation of the "Tuesday Lectures" by Charcot, his admired neurology teacher:

> We shall certainly not be understanding Charcot if we conclude from his remarks on "hystéro-épilepsie à crises mixtes" and "à crises séparées" that the term "hystero-epilepsy" is thoroughly objectionable and that its use should be entirely dropped. Some of the patients indicated in this way are suffering simply from hysteria; others are suffering from hysteria and epilepsy, two disorders which have little internal relationship and only meet by chance in a single individual. A statement such as this may not be unnecessary, since many physicians nevertheless seem to be of the opinion that "hystero-epilepsy" is an aggravation of hysteria or a transition from it to epilepsy. An intention to convey this meaning no doubt originally underlay the creation of the term "hystero-epilepsy". But Charcot has long since abandoned any such view, and there is no reason why we should lag behind him on this point (FREUD 1892–94: 142).

Considering these statements, which, for that matter, correspond to the modern view, the position he took in "Dostoevsky and Parricide" is surprising.

First, the very use of the term "hystero-epilepsy" is surprising. Second, it is clear from his explanation of "organic" and "affective" epilepsy that both disorders are supposed to have a different *etiology*, because they are triggered by physical and emotional factors respectively. But they are supposed to have a shared *diathesis*: "It is as though a mechanism for abnormal instinctual discharge has been laid down organically, which could be made use of in quite different circumstances...' (FREUD 1928/b: 180). They are thought to have a shared *pathogenesis* too: "Behind this dichotomy we have glimpse of the identity of the underlying mechanism of instinctual discharge" (180). Third, it appears from two statements ("The similarity that we find in the manifest symptoms..." [180]; "The description of the attacks themselves teach us nothing..." [181]) that Freud considers the *clinical pictures* of both disorders similar. Thus, seemingly oblivious of his earlier statements on "hystero-epilepsy", Freud argues there is a considerable overlap between hysteria and epilepsy.

The influence of Charcot on "Dostoevsky and Parricide" is limited to the postulated criterion of intellectual decline in the differential diagnosis between organic epilepsy and "hystero-epilepsy". In Charcot's textbook of neurology (1875) is to be found a statement of the same purport.[1]

---

1. "Dans les attaques mixtes, alors que leur retour est très fréquent, jamais – c'est là encore un fait reconnu par les auteurs – jamais, dis-je, l'obnubilation de l'intelligence et la démence ne sont l'aboutissant des attaques, contrairement à ce qui aurait lieu, d'une manière presque fatale, s'il s'agissait réellement de l'épilepsie' (CHARCOT 1875 : 375).

FATHERS AND SONS

Finally, one might wonder if the flaws of Freud's argument can be accounted for. In his essay Freud proceeds very carefully at first. He repeatedly states that the incomplete and unreliable information on Dostoevsky do not warrant any conclusions. Later on, however, he seems to put aside all caution and confidently draws conclusions that are not well-founded. One hypothesis in particular, namely that the clinical picture of Dostoevsky's disease worsened after his father's death apparently appealed to him so much that any evidence to the contrary was disregarded. It may be relevant here to consider that the death of Freud's own father was the cause of neurotic symptoms. At that time Freud developed "survivor guilt", which he used to his benefit in his famous self-analysis. A few years later (1900) he published *The Interpretation of Dreams* (JONES 1953; GAY 1988). Could it be that Freud's view of Dostoevsky was biassed by his own experiences? In that case it would be justified to apply *mutatis mutandis* to Freud himself one of his comments on Dostoevsky ("Experience shows that their memories introduce falsifications which are designed to interrupt disagreeable causal connections" [182]) and to propose that authors of pathographies are in danger of unconsciously selecting their material, in order to demonstrate *favourite* causal connections.

Was it not Freud (1900) who in his preface to the second edition of "The Interpretation of Dreams" called the death of the father "the most important event, the most poignant loss, of a man's life" (p. XXVI)? There is no doubt Dostoevsky was deeply affected by his father's death. In the letter to his brother Mikhail mentioned above, he wrote that he had changed and that his soul was like "the heart of a man concealing a profound enigma". The aim in his life was to "study the meaning of life and man... Man is an enigma. This enigma must be solved, and if you spend all your life at it, don't say you have wasted your time" (FRANK: 90–91).

CONCLUSION

It can only be concluded that Freud's explanation for Dostoevsky's epilepsy is no longer relevant today. Considering Freud's statements before 1900 his use and explanation of the term "hystero-epilepsy" in "Dostoevsky and Parricide" is surprising: Freud proposes that hysteria and epilepsy have a shared diathesis, pathogenesis and symptomatology. One can only guess Freud's motives for re-introducing in 1928 a concept that was then considered obsolete and that had been condemned by himself.

BIBLIOGRAPHY

Alajouanine, T. (1963): 'Dostoevsky's Epilepsy', in *Brain*, LXXXVI, pp. 209–18.

Catteau, J. (1978): *La création littéraire chez Dostoïevski* (Paris, Institut d'études slaves).

Charcot, J.-M. (1875): 'De l'hystéro-épilepsie', in *Leçons sur les maladies du système nerveux* (Paris, Dalahaye et cie), Vol. I, pp. 367–85.

Cirignotta, F.; Todesco, C.V.; Lugaresi, E. (1980): 'Temporal Lobe Epilepsy with Ecstatic Seizures (So-called Dostoevsky Epilepsy)', in *Epilepsia*, XXI, pp. 705–10.

Dostoevsky, A. (ed. 1976): *Reminiscences* (London, Wildwood House), pp. 79–80.

Dostoevsky, F.M. (ed. 1946): *The Idiot*, tr. by C. Garnett (London, Heinemann), p. 219.

Dostoevsky, L. (Aimée) (1922): *Fyodor Dostoevsky: A Study* (New Haven, Yale U.P.), p. 33.

Frank, J. (1976): *Dostoevsky. The Seeds of Revolt, 1821–1849* (Princeton, Princeton U.P.).

Freud, S.

(1888): 'Hysteria', in *Standard Edition* [hereafter abbreviated as *S.E.*] *of the Complete Psychological Works of Sigmund Freud*, tr. by J. Strachey *et al.* (London, Hogarth Press, 1953–74), Vol. I.

(1892–94): 'Preface and Footnotes to the Translation of Charcot's "Tuesday Lectures"', in *S.E.*, Vol. I.

(1900): 'The Interpretation of Dreams', in *S.E.*, Vol. IV.

(1928/a): 'Dostojewski und die Vatertötung', in *Die Urgestalt der Brüder Karamasoff*, ed. by R. Fülöp-Miller and F. Eckstein (Munich, Piper), pp. 11–36.

(1928/b): 'Dostoevsky and Parricide', in *S.E.*, Vol. XXI.

(1928/c): 'Dostoevsky and Parricide. Appendix: A Letter from Freud to Theodor Reik', in *S.E.*, Vol. XXI.

(1961): *Letters of Sigmund Freud*, ed. by E.L. Freud, tr. by Tania and James Stern (London, Hogarth Press), pp. 337–39.

Fülöp-Miller, R. (1924): 'Dostojewski's heilige Krankheit', in *Neue Schweizer Rundschau*, XVII, pp. 1184–91 (formerly titled *Wissen und Leben*, and so cited by Freud, 1928).

Fülöp-Miller, R. & Eckstein, F. eds. (1925): *Dostojewski am Roulette* (Munich, Piper).

Fyodorov, G. (1975): 'Conjecture and the Logic of Facts', in *Soviet Literature*, № 10, pp. 87–93.

Gastaut, H. (1978): 'Fyodor Mikhailovitch Dostoevsky's Involuntary Contribution to the Symptomatology and Prognosis of Epilepsy', in *Epilepsia*, XIX, pp. 186–201.

(1984): 'New Comments on the Epilepsy of Fyodor Dostoevsky', in *Epilepsia*, XXV, pp. 408–11.

Gay, P. (1988): *Freud, a Life for Our Time* (New York, Norton), pp. 87–102.

Geschwind, N. (1984): 'Dostoevsky's Epilepsy', in *Psychiatric Aspects of Epilepsy*, ed. by D. Blumer (Washington D.C., American Psychiatric Press).

Jones, E. (1953): *The Life and Work of Sigmund Freud* (New York, Basic Books), Vol. I, pp. 324–25.

Kjetsaa, G. (1987): *Fyodor Dostoevsky, a Writer's Life* (New York, Fawcett Columbine).

Kovalevsky, Sonya (1895): *Recollections of Childhood* (New York, The Century Co.).

Kraepelin, E. (1913): *Psychiatrie* (Leipzig, Barth), Vol. III, pp. 1023–182.

Lower, R. (1969): 'On Raskolnikov's Dream in Dostoevsky's *Crime and Punishment*', in *Journal of the American Psychoanalytical Association*, XVII, pp. 728–42.

Massey, F.W. (1982): 'The History of Epilepsy and Hysteria', in *Pseudoseizures*, ed. by T.L. Riley and A. Roy (Baltimore, Williams & Hopkins), pp. 1–18.

Maze, J.R. (1919): 'Dostoevsky's Problems with the Concept of Conscience: Svidrigailov and

Raskolnikov', in *International Review of Psycho-Analysis*, VI, pp. 499–509.
Miller, O. (1921): 'Zur Lebensgeschichte Dostojewskis', in *Dostojewskis autobiografische Schriften* (Munich, Piper), p. 140.
Penfield, W. & Kristiansen, K. (1951): *Epileptic Seizure Patterns* (Springfield, Ill., Thomas), p. 55.
Reik, Th. (1929): 'Freuds Studie über Dostojewski', in *Imago*, XV, pp. 232–42.
(1975): 'The Study on Dostoevsky', in *From Thirty Years with Freud* (Wesport, Conn., Greenwood Press), pp. 158–76.
Van het Reve, K. (1982): 'Freud over Dostojevski', in *Freud, Stalin en Dostojevski*' (Amsterdam, Van Oorschot), pp. 22–46.
Rice, J.L. (1985): *Dostoevsky and the Healing Art* (Ann Arbor, Ardis).
Schmidl, F. (1965): 'Freud and Dostoevsky', in *Journal of the American Psychoanalytical Association*, XIII, pp. 518–31.
Trimble, M.R. (1982): 'Anticonvulsant Drugs and Hysterical Seizures', in *Pseudoseizures*, ed. by T.L. Riley and A. Roy (Baltimore, Williams & Wilkins), pp. 148–58.
Voskuil, P.H.A. (1983): 'The Epilepsy of Fyodor Mikhailovitch Dostoevsky (1821–1881)', in *Epilepsia*, XXIV, pp. 658–67.

GLOSSARY

1. *Partial epilepsy*:
Characterised by seizures that originate in a circumscribed area of the brain. This area is often a place of local damage.

2. *Partial epilepsy with complex symptomatology*:
Partial epilepsy with impairment of consciousness. Complex partial seizures usually begin in the temporal lobe ("temporal epilepsy"), but may originate from other areas of the brain.

3. *Primarily generalised seizures* (synonymous: *idiopathic seizures*):
Seizures that involve, from the very beginning, the entire brain. There is no area of local damage and the cause is obscure ("idiopathic").

4. *Secondarily generalised seizures*:
A partial seizure may spread to both hemispheres and thus evolve into a "grand mal" seizure.

5. *Aura*:
A warning symptom perceived by the patient, before consciousness is lost. It is often an unpleasant sensation (e.g. a bad smell or taste in the mouth) or a certain emotion.

6. *"Grand mal" seizure*:
The classic epileptic attack, characterised by complete loss of consciousness, falling and contraction of the muscles. The tongue is sometimes bitten and urinary incontinence may occur. A grand mal seizure (synonymous: *tonic-clonic seizure*) is always generalised (i.e. involves the entire brain).

7. *Absence*:
Transient loss of consciousness. An absence is a minor attack of primarily generalised epilepsy, not associated with convulsive movements.

8.

ДОСТОЕВСКИЙ И РОССИЯ ФРЕЙДА

Дж.Л. РАЙС

Уже в 1877 году Зигмунд Фрейд выразил мнение, что русский царь, — "обезьяна и плохой вождь, [... который] сам роет себе могилу". Пророческий гнев молодого Фрейда, который особенно интересовался военным делом, был вызван русско-турецкой войной и всеобщей мобилизацией в Румынии, где жили близкие его родственники. Один из них, которого Фрейд в шутку называл "полуазиатом", женился на его сестре. Не раз его кузены, а также и его отец, торговали шерстяными товарами в России, главным образом в Одессе. Мать Фрейда, урожденная Натанзон, выросла в Одессе, где в 40-е годы ее братья основали школу. В самом деле, как недавно стало известно, у Фрейда были *десятки* родственников в Русской Империи. Племянница Фрейда сообщила мне, что в доме его родителей в Вене в начале девяностых годов часто говорили о русских родных, с которыми переписывались. В самом конце века к Фрейду, еще малоизвестному врачу-психиатру, приезжали лечиться больные из *Житомира*, по всей вероятности его родня или друзья семьи. Добавим к этому, что прадеды Фрейда в позднее средневековье жили – как и род Достоевских – в Литве. Вот самый общий русский фон в биографии Фрейда.

Будучи уже стариком, Фрейд писал об ужасном положении еврея, ожидающего погрома. Но невозможно было ему войти в положение такого несчастного, так же как в положение раба на галере в античности, или в положение жертвы инквизиции. Это было, разумеется, отнюдь не потому, что ему недостает воображения, сочувствия или конкретного знания. С отрочества он был знатоком испанской истории, где как раз инквизиция доминирует, а после убийства царя Александра II Фрейд внимательно вчитывался в историю России. Раз был изобретен динамит, приходит он к выводу, конец царей неизбежен. Нежелание входить в положение ожидающего погрома еврея происходило оттого, что Фрейд отказался от роли раба, ждал революции, и оставался на стороне большевистского "эксперимента", по крайней мере до 27-го года. Именно тогда, в год, когда убывала власть Троцкого (защитника психоанализа) и разваливалось Московское Общество Психоанализа, Фрейд писал свою статью о Достоевском, начатую в мае 26-го года и изданную в декабре 28-го. Очерк "Достоевский и отцеубийство" должен быть оценен в свете того сложного текущего момента, но этим далеко не исчерпывается отношение Фрейда к Достоевскому. Достойны внимания и более ранние исследования, посвященные Достоевскому в Венском Обществе Психоанализа за 20 лет (включая замечания самого Фрейда), и знакомства Фрейда с русскими, его воззрения на Россию и на русского человека. Эта тема содержит много любопытного. Сначала я сообщу о разновидности материалов и сделаю некоторые предварительные выводы. Потом я обращусь к творческой истории статьи Фрейда о Достоевском – его проблематике и значению.

* * *

У Фрейда был дядя Иосиф Фрейд, которого в 60-годы посадили в тюрьму. Это не просто случай из детства, но яркий эпизод в "Толковании сновидений", в котором дядя Иосиф стал символом угнетенности и бунта. Фрейд, как честолюбивый, но неудачный пожилой человек, отталкивался от позора дяди, и тем не менее привлекался к мятежному идеалу, тем более что библейский *Иосиф* – толкователь сновидений фараона. Вот в этом-то Фрейд признал свою революционную роль. Недавно в полицейском архиве обнаружилось дело Иосифа Фрейда, из которого следует, что в его владении нашли фальшивые деньги: 17,950 *рублей!* По мнению австрийской полиции, эту валюту подделывали евреи в Лондоне накануне польского восстания, с намерением поддерживать революцию в Литве. Был ли дядя Иосиф в самом деле революционером или же заурядным мошенником, пока неизвестно. Но без сомнения, эти фальшивые *рубли* (о которых писали в газетах) должны были интриговать Фрейда. Они были следом на пути к предкам – *die Ostjude.*

Отец Фрейда в последний раз ездил в Одессу в 1883 году, уже в эпоху погромов. Причина поездки не установлена. По приезде домой в Вену в 84-ом году он познакомился с молодым русским врачом из Ярославля, будущим крупным невропаталогом Ливерием Даркшевичем. Русского ученого Яков Фрейд познакомил с сыном, с которым позднее в Париже Даркшевич сотрудничал. Когда Фрейд учился у Шарко, его лучшими друзьями были русские — Даркшевич, который, по наблюдениям Фрейда, был "фанатиком религии, отечества и мозговой анатомии", и другой – Кликович, ассистент великого Боткина. Как и шеф Фрейда Шарко, который часто ездил в Россию, Боткин был врачом царя. Между прочим, Боткин в свое время лечил и Достоевского, но это было давно. В газетах России и Запада писали о Боткине и о Шарко как о врачах, лечащих царей. Об этом пишет Фрейд в письмах. Именно в это время в Париже Фрейд писал, что его "фантазия вся в истории России". Это значит, он передумал все свое прошлое и решился, в духе Бакунина, на изменение прежней жизни, которой он "нанес смертельный удар [*den Todesstreich*]". Можно предположить, что тогда же Фрейд впервые прочитал Достоевского, но никаких данных на этот счет нет.

Уже в конце века Фрейд читал в газетах о манифесте Николая II, предложившего созвать мировой конгресс сторонников разоружения и мира (28.VII.1898 г.). Фрейд шутил об этом, вспоминая Великого Лорда Палача в *Микадо* Гильберта и Сюлливана, который страшится крови. В письме другу Фрейд пишет, что он уже давно поставил диагноз молодому Николаю: страдающий навязчивым состоянием. Шуточная мечта Фрейда – поехать в Россию, чтобы вылечить царя, оставив ему *только немножко страха крови*, чтобы не было войны. Манифест царя, заключает Фрейд, явный признак неуравновешенности, потому что в России таких антимилитаристов ссылают в Сибирь. Фантазия, связанная с медицинским подвигом в Россию, разумеется, основана на карьере Шарко, который до конца жизни (93-го года) переписывался с Фрейдом. С другой стороны, забавная фантазия Фрейда в некотором смысле осуществилась, когда спустя десятилетие психоанализ, хоть кое-как и на время, но приняли в России.

Лет через десять после издания *Толкования сновидений* к Фрейду стали приезжать врачи из Одессы и Москвы. Тогда же приезжали и русские больные – "Волк-Человек", Сергей Соловьев и другие. С 10-го года в Москве издавался журнал *Психотерапия*, в котором появились переводные сочинения Фрейда, Юнга и Адлера. Там же напечатал статью А. Иоффе, товарищ Троцкого. В Вене Лев Давыдович сам заинтересовался психоанализом и стал посещать собрания фрейдистов. Троцкий и Фрейд не были знакомы, но они признавали друг друга и каждый уважал историческую миссию другого, хотя они вряд ли понимали в то время, куда лежат их пути.

После революции русские ученики Фрейда и Юнга вернулись в Россию, прославляя комбинацию марксизма и психоанализа. Сторонником этого гуманистического идеала был и Троцкий. Тем временем, будучи еще студентом Казанского университета, Александр Романович Лурья – впоследствии выдающийся советский психолог – серьезно изучал сочинения Фрейда, писал ему и скоро стал членом Московского Общества Психоанализа, секретарем которого служил до 27-го года. Президентом Общества был Моше Вульф, врач из

Одессы и друг Фрейда, который его любил и уважал. Таким образом, в первое десятилетие после 17-го Фрейд был до некоторой степени осведомлен о научной и политической ситуации в Советской России и не без основания мог думать, что фантазия его, связанная с желанием *лечить Россию* от погромного насилия, каким-то образом осуществляется.

Первый знак его разочарования находим в письме от 23-го февраля 27-го года известному психиатру Николаю Евграфовичу Осипову, жившему тогда в Праге. "Большевики, – пишет Фрейд, – сейчас убеждены, что психоанализ враждебен их системе. Но наша наука не может слушаться какой-либо партии, а нуждается в некоторой свободе [*Freiheitlichkeit*]". Спустя месяц, в марте того же года в Москве Лев Семенович Выгоцкий, друг Лурья и член Общества Психоанализа, выступил с лекцией на тему "Психология искусства в сочинениях Фрейда". По мнению Лурья, Выгоцкий был самым блестящим марксистом, поэтому без сомнения тогда еще у немногих надежда на синтез Маркса и учения Фрейда не совсем погасла. Однако в апреле 27-го и Лурья и Выгоцкий ушли из Общества Психоанализа, а в декабре президент Общества, верный друг Фрейда Моше Вульф эмигрировал. Он понял положение вещей каким-то чувством обреченности, или – по пророку Даниили – он растолковал написанное на стене.

С 1906 года имя Достоевского не раз стояло на повестке дня заседаний Венского Общества Психоанализа, частного кружка Фрейда. Время после первой революции (период "славянской угрозы", по венским газетам) совпадает со временем печатания немецкого издания сочинения Достоевского в 22-х томах. Это большое издание Фрейд достал в 1910 году, в то время когда к нему приехал лечиться Сергей Панкеев, "Волк-Человек", молодой миллионер из Одессы. Панкеев был под наблюдением у Фрейда четыре года, и вернулся в Россию накануне Войны.

Уже в 18-ом году появилось известное исследование Фрейда "О случае детского невроза", ставшее классикой психоаналитической литературы. В описании Фрейда, невроз "архаической" русской психики Панкеева мастерски и хитро вылечивает психиатр. Однако, отслужив временно в государстве Керенского и потом обеднев, Панкеев, страдавший уже возвратом болезни, приехал опять к Фрейду в 20-ом году. Именно в то время Фрейд написал письмо Стефану Цвейгу (19-ог октября 1920-го года), в котором он излагает свои воззрения на Достоевского (схему будущей статьи). Там же оказывается, что в представлении Фрейда Достоевский и Панкеев совсем слились в стереотипную русскую личность, доминантным свойством которой является двойственность (*Ambivalenz*). Через семь лет, именно тогда, когда Фрейд писал статью "Достоевский и отцеубийство", Панкеев вновь стал серьезно больным и грозил Фрейду застрелить его. Вот клинический фон взгляда Фрейда на Достоевского. Главное – склонность Фрейда относится к Достоевскому, как к нервно-больному. В то же время Достоевский, по аналогии с Панкеевым, отражает, по мнению Фрейда, шаткость и опасность русской личности и политическую неуравновешенность и старой и сталинской России. Вот основа статьи "Достоевский и отцеубийство", которая начинается нелепым сравнением Достоевского с Иваном Грозным! Однако отрицательное и клиническое отношение Фрейда к Достоевскому далеко не вся история.

В кружке Фрейда до войны обсуждали разные стороны Достоевского. В протоколах есть такие темы: мотивация революционеров в *Бесах* (ADOLF HAEUTLER, 1906); Достоевский, как самый великий *психолог* из всех новых писателей (PAUL FEDERN, 1907; между другими: MUSSET, JACOBSEN, WEDEKIND); предположительный диагноз болезни Достоевского: не эпилепсия, а истерия (WILHELM STEKEL, 1908); психологические проблемы *Преступления и наказания* (BERNHARD DATTNER, 1911); и двойственная любовь–ненависть соперников в повести *Вечный муж* (HANNS SACHS, 1914). Наконец, в 18-ом году сам Фрейд изложил типологию беллетристов-психологов, которых возглавлял Достоевский. В психологизме других сочинителей Фрейд распознал, например, выполнение их желаний, просьбу сочувствия, выставление себя напоказ, либо выдачу секретов наивным читателям (это – обыкновенный "реализм" последней моды). Достоевского, наоборот, Фрейд признал художником-психологом, который "ищет потаенное". Этим суждением он поставил Достоевского наравне с собой. Достоевский сознательно определил цель своего искусства: "анатомия всех русских отношений к начальству". Так же как Фрейд, он понимал "начальство" в широчайшем смысле — другой "я", семейство, общество, государтсво, религия и судьба. Мало кто так, как Фрейд, умел читать Достоевского и проникать в суть его многосторонней символики. Отрицательное отношение у Фрейда возникает спустя два года, под влиянием Панкеева.

В конце письма Стефану Цвейгу (20-го года), в котором Фрейд излагает мнение о Достоевском, самое любопытное замечание – следующее: "Достоевский не нуждается в психоанализе, потому что он сам доказывает его в каждом персонаже и в каждой строчке". Таким образом, фрейдисту, который критикует Достоевского, остается только указать на то, что само собой разумеется. Беда в том, что другим все это вряд ли очевидно.

Для Фрейда самое важное психологическое открытие, сделанное Достоевским, – эдипов комплекс, суть дела *Братьев Карамазовых*. Последний роман Достоевского, по мнению Фрейда, был верхом творческого совершенства, равняясь с *Царем Эдипом* и *Гамлетом*. Можно предположить, что отец психоанализа беспокоился из-за приоритета русского гения, в то время как он уважал его. В конце концов, кто здесь отец, кто – сын? Между прочим, не только двойственность аналиста но и идентичность его с русским субъектом бросаются в глаза уже в исследовании Фрейда "О случае детского невроза". Пускай психоаналисты объяснят это явление как знают. Клинический термин, кажется, "обратное перенесение" (*counter-transference*). А говоря про себя Фрейд упоминал о своих "эндопсихических мифах", значит что-то вроде "эпоса, творимого внутри" или просто "мечта об истоках племени". Без сомнения играла роль в мыслительном мире Фрейда не только Россия, но и Литва – истоки родов Достоевских и Фрейдов. Но эта проблема требует особого, обширного исследования, т.е. проблема Фрейда без отечества (*die Vaterlandslosigkeit*), с одной стороны, а с другой – сложная народность Достоевского.

Фрейд выдает свою характерную двойственность и в окончании статьи о Достоевском, где речь идет только о второстепенном рассказе Стефана Цвейга. Здесь Фрейд как бы теряет из виду русского субъекта, хлопоча с венским, еврейским "материалом", и таким образом погружается в домашние проблемы *своей* психики. В рецензии на эту статью ученик Фрейда Феодор Рейк уподобил эту "ошибку меры" средневековой картине страсти Христовой, в которой художник изобразил на первом плане епископа своего родного города. Потом сам Фрейд охотно признался в несовершенстве очерка о Достоевском.

Тем не менее статья Фрейда обращает внимание на две важные проблемы в творчестве Достоевского, а именно – отношение автора к читателю и его трактовку религии. Хотя Фрейд считал Достоевского "мазохистом в крупных делах" (т.е. стал верным гражданином Русской Империи, как думал Фрейд), но в мелочах, например в "отношении его к читателю", он был садистом. Жестокость таланта Достоевского, по мнению Фрейда, не относится к персонажем, а к публике. Эту мысль Фрейд не развивает в статье, но каждый читатель Достоевского вспомнит такие вездесущие приемы, как смутная ирония, мистификация, поведение без мотивировки, обрывистый сюжет, тупость (или наглость) рассказчика, и "мелочи, все мелочи" (словами авторского плана к *Преступлению и наказанию*). Манера Достоевского, пишет Фрейд Рейку, напоминает психоаналисту больных, которые выводят его из терпения во время консультаций. При этом на ум приходит дело Панкеева, русского больного, который стал наконец классическим случаем "анализа нескончаемого" (см. статью Фрейда 39-го года). Помнится, как я еще подростком в первый раз читал *Братьев Карамазовых*, а все тревожился за фабулу: что с ней *случалось*?[1]

Несмотря на раздробленность творческого мира Достоевского (с которым стоило бы сравнить *Die Traumdeutung* самого Фрейда), одну сторону его мировоззрения Фрейд высоко ценил:

> С таким великом умом, – пишет Фрейд, – Достоевскому было невозможно просмотреть даже одну интеллектуальную трудность, к которой ведет вера. (Seiner grosser Intellekt machte es ihm unmoeglich, irgendeine der Denkschwierigkeiten, zu denen die Glaeubigkeit fuehrt, zu uebersehen).

С точки зрения Фрейда, такой ум в борьбе с религией – высочайшая ценность. И в этой борьбе Фрейд признавал Достоевского соратником наравне с собой. Летом 27-го года, до того, как он дописал статью "Достоевский и отцеубийство", Фрейд написал и издал "Будущность одной иллюзии". В этом трактате говорится о проблеме, на которую Фрейд указывает в письме Марии Бонапарт от 5-го августа 27-го года. Это

> — старая проблема, о которой грандиозно пишет Достоевский в легенде о "Великом Инквизиторе", именно: может ли человечество пользоваться свободой или же будет ему больше пользы от высшего абсолютизма? Вот проблема, да. А решение откуда? Где мы найдем гарантию этого высшего абсолютизма?[2]

"Будущность одной иллюзии" берется за эту проблему, в форме диалога, примером которого служил "Инквизитор" Ивана Карамазова. Фрейд таким образом оказывает Достоевскому честь, разбирая посвоему не только все трудности, к которым ведет вера, но и опасность мира без илллюзий. На вопрос, является ли иллюзией сама наука, Фрейд отвечает отрицательно. "Иллюзией было бы думать", прибавляет Фрейд в заключение, "что где-нибудь в другом месте мы получим то, чего наука не даст".

Фрейд, как и Достоевский, ясно видел, как "и д е т" антихрист в виде лженауки. И тот и другой предвидели, хотя смутно, крайности насилия. В 30-ом году Фрейд заметил, что он совершенно понимает преследование буржуа в Советском Союзе (психологическое явление народной политики, похожее на антисемитизм на Западе), только его чуть-чуть беспокоит то, что сделают советы п о с л е уничтожения

---

1. См.: Susan C. Fischman, 'Sigmund Freud and the Case of the Underground Man', *Dostoevsky Studies*, VIII (1987), с. 209–18.
2. Max Schur, *Freud: Living and Dying* (Нью Йорк, 1972), с. 404.

буржуазии (*Das Unbehagen in der Kultur*, гл. V). Фрейд не был таким чутким предсказателем будущего Запада. Однако, как Достоевский, он великий скептик, аналист и герой нашего времени. Разумеется, Фрейд учился у Достоевского. А в настоящее время Достоевский и Фрейд скорее собеседники. Творчество одного усиливает творчество другого, по мере того как мы распознаем их личности. Их взаимное отношение – тема будущего исследования. Суть дела, что "Психология – палка о двух концах". Любимое словечко Достоевского процитировал Фрейд из *Братьев Карамазовых*.[3]

---

3. S. Freud, 'Das Fakultaetsgutachten im Prozess Halsmann', в кн. *Psychoanalytische Bewegung*, т. III/1 (1931), с. 32; *Gesammelte Werke*, т. XIV, с. 541-42.

9.

ОБ ЕЩЕ ОДНОМ ВОЗМОЖНОМ ПРОТОТИПЕ ПОДПОЛЬНОГО ЧЕЛОВЕКА (БЕЛИНСКИЙ И ДОСТОЕВСКИЙ)

Д. КОПЕЛИОВИЧ

В настоящей работе мы пытаемся найти один из прототипов, к которым, как нам кажется, можно возвести Подпольного человека Ф.М. Достоевского. Но прежде чем непосредственно приступить к нашей теме мы должны указать на ряд возникающих в связи с ней проблем.

Во-первых, наше предположение о родственности героя повести Достоевского русскому критику в высшей степени гипотетично. Ибо никаких совершенно явных признаков прямого сходства или, наоборот, пародии (как в случае с "Селом Степанчиковым и его обитателями") мы, пожалуй, не найдем. Если и можно говорить о пародии на Белинского в *Записках из подполья*, то она скрыта, завуалирована. А завуалирована она прежде всего потому, что существуют гораздо более явные прототипы, или предтечи, Подпольного человека, а также те, чьим пародийным двойником он стал. Что касается Белинского, то с ним дело обстоит сложнее. "Речевых" совпадений мало, а встречаясь с ними, мы не можем утверждать с абсолютной уверенностью, что имеем дело с фактом прямого использования Достоевским каких-либо высказанных вслух или на бумаге мыслей Белинского.

Да и о каких, собственно, мыслях Белинского идет речь? Прежде всего, понятно, о тех, что взяты из его статей. Но не только. Интересные вещи мы можем обнаружить и в письмах. И вот тут то и рождается трудность. Большая часть этих писем была издана много лет спустя после написания и опубликования *Записок из подполья*, едва ли не перед самой смертью Достоевского. Вывод простой: скорей всего в период работы над повестью Достоевский писем Белинского знать не мог. Кажется, тупик. На выход из него (частичный условный, конечно) указал И. Виноградов в своей статье "Диалог Белинского и Достоевского: философская алгебра и социальная арифметика". Сравнивая письма Белинского начала 40-х годов к В.П.

Боткину с богоборческими откровениями Ивана Карамазова, исследователь делает смелое предположение. Письма Белинского были недоступны Достоевскому в 60–е годы, говорит он. Но уж слишком красноречивые совпадения обнаруживаются. А почему бы не предположить, что

> эта скрытая логика, которою движется в этих письмах его мысль, и есть та самая логика, которую через несколько лет он обрушит и на Достоевского, "обращая" его. Ибо вряд ли он будет его [Достоевского - Д.К.] убеждать не та и не тем, как и чем [выделено автором - Д.К.] незадолго до того убедил самого себя.[1]

Есть еще аргументы в пользу нашего предположения. Первый (хотя и косвенный) находим в подстрочном примечании на первой странице *Записок из подполья*.

> Я хотел вывести перед лицом публики, повиднее обыкновенного, один из характеров протекшего недавнего времени. Это один из представителей еще доживающего поколения [выделено автором - Д.К.] (*ПСС*, V: 99).

Следовательно, не только антипод "новым людям" Чернышевского, жестоко полемизирующий с ними, будет нам представлен. Тогда кто же? Понятное дело, не следует совершенно отождествлять Подпольного человека с его созидателем, как то делали некоторые современники Достоевского. Всегда существует художественная дистанция – это раз. А кроме того, несомненный принцип построения образа в *Записках из подполья* – *reductio ad absurdom*, "сорок лет подполья". Но и разделять автора и героя непроходимой стеной, думается, неправильно. Достоевский отчасти использовал лермонтовский прием. Это прием остранения, который мы находим в Предисловии к "Журналу Печорина" и в примечании к *Запискам из подполья*: автор отделяется от героя, указывает на свою с ним нетождественность, но в результате своим нескрываемым интересом и явным пониманием натуры описываемого парадоксалиста лишь подчеркивает существенную близость его к себе, граничащую с двойничеством. В нем, как мы легко можем заметить, силен мотив "расчета с прошлым". А что такое прошлое Достоевского, которое он, по его же призванию, долгие годы не мог преодолеть в себе? Это, конечно, прежде всего Белинский. "... я страстно принял все учение его" (*ПСС*, XXI: 12). Желание разделаться с этим учением – с его атеизмом, рационализмом, социализмом – вот что выявляется в *Записках из подполья* при внимательном прочтении.[2]

---

1. И.И. Виноградов, *По живому следу. Духовные искания русской классики* (Москва, Советский писатель, 1987), с. 74.
2. Этот вывод может быть подтвержден еще и тем фактом, что работа над повестью начата задолго до появления романа Чернышевского, с полеми-

болезнь" (*ПСС*, V: 101). И еще: "Для человеческого обихода слишком было бы достаточно обыкновенного сознания, то есть в половину, в четверть меньше той порции, которая достается на долю развитого человека нашего несчастного девятнадцатого столетия..." (*ПСС*, V: 101).

Белинский:

> Зародыш всего прекрасного может скрываться в нашем организме, и, пока он не разовьется сознанием, все хорошие поступки будут плодом его животности, будут бессознательны. Только тот чувствует человечески, а не животно, кто понимает свое чувство и сознает его. У такого человека прекрасный организм есть средство, а не причина его совершенства, потому что причина совершенства должна заключаться в сознании и воле (*Б*, I: 295).

Достоевский:

> ... если, например, взять антитез нормального человека, то есть человека усиленно сознающего, вышедшего, конечно, не из лона природы, а из реторты (это уже почти мистицизм, господа, но я подозреваю и это), то этот ретортный человек до того иногда пасует перед своим антитезом, что сам себя, со всем своим усиленным сознанием, добросовестно считает за мышь, а не за человека. Пусто это и усиленно сознающая мышь, но все-таки мышь, а тут человек, а следственно..., и проч. (*ПСС*, V: 104).

В свете всего предыдущего поступок Подпольного человека с Лизой выглядит как отрицание, как антитезис к утверждению, что сознание есть причина и условие добрых наклонностей и поступков человека как человека *par excellence*.

— 2 —
Действительность в о о б щ е, отношение к ней

Для Белинского, условно говоря, существовали две действительности: одна в искусстве, другая в "живой жизни". Условно потому, что на самом деле, конечно, в своем истоке это была одна, о б щ а я действительность – правда жизни, или и с т и н а, которая всегда ценилась Белинским выше всего ("Одной правде он не изменял никогда" пишет Достоевский в *Журнальных заметках* 1863 г.; *ПСС*, XX: 75). Однако в письмах и статьях, касаясь проблем действительности, он имел в виду то одну, то другую ее форму – в зависимости от предмета разговора. Поэтому мы вынуждены разделить единую действительность на две тем более что и в отношении к "двум действительностям" Белинский был не одинаков в разное время. Он заявлял: "Действительна одна истина..." ("Русская литература в 1840 году"; *Б*, II: 701) – и требовал от искусства этой истины, какой бы она ни была: благостной или отталкивающей. Любое идеализирование жизни отвергалось им как фальш. Но вот тут-то и загвоздка. Провозглашаемое им безаппеляционно в 1839 году как несомненная истина, в 1840-м клеймилось как мерзкая ложь, хоть и искренне принятая раньше за правду. Развитие Белинского – от восторженного приятия действительности "живой жизни" (или мира) до полного отрицания этой действительности как в корне несправедливой. Следовательно, в искусстве он поначалу "требовал" изображения "безбрежного мира высокого и прекрасного" ("Литературные мечтания"; *Б*, I: 55) эффекта возвышения и расширения духа до "созерцания бесконечного", "примирения с действительностью" ("Менцель, критик Гете"; *Б*, I: 449), но потом – после внутреннего переворота – подавай ему действительность в искусстве во всей ее неприглядности, восстанавливающую против себя самой, зовущую на борбьу с ней, зарождающую сострадание к несчастным мира сего. Эта весьма приблизительная, пропускающая некоторые звенья эволюция показывает, с одной стороны, единую природу действительности, с другой же – ее делимость в зависимости от рассматриваемой нами сферы. Сначала – "общий обзор", то есть о действительности вообще, безотносительно к предмету обсуждения.

> Правда, наш век — враг мечты и мечтательности, но потому что он и великий век! Мечтательность в XIX веке так же смешна, пошла и притворна, как и сентиментальность. Действительность [выделено автором — Д.К.] — вот пароль и лозунг нашего века, действительность во всем — и в верованиях, и в науке, и в искусстве, и в жизни. Могучий, мужественный век, он не терпит ничего ложного, поддельного, слабого, расплывающегося, но любит одно мощное, крепкое, существенное. [...] Действительность [выделено автором — Д.К.] есть положительное жизни; призрачность — ее отрицание [выделено автором — Д.К.] (*Горе от ума*, соч. А.С. Грибоедова; *Б*, I: 465, 469, 471).

И кричащее "нет" Подпольного "хрустальному дворцу" Веры Павловны звучит и как ответ на "устойчивую" позицию Белинского:

> Вы верите в хрустальное здание, навеки нерушимое, то есть в такое, которому нельзя будет ни языка украдкой выставить, ни кукиша в кармане показать. Ну а я, может быть, потому-то и боюсь этого здания, что оно хрустальное и навеки нерушимое и что нельзя будет даже и украдкой языка ему выставить. [...] Может быть, вы опять смеетесь? Извольте смеяться; я все насмешки приму [...], я не успокоюсь на компромиссе, на беспрерывном периодическом нуле, потому только, что он существует по законам природы и существует действительно [выделено автором — Д.К.; *ПСС*, V: 120].

— 3 —
Действительность "живой жизни"

Действительность вообще тесно смыкается с действительностью

"живой жизни". "Слово «действительность» сделалось для меня равнозначно слову «Бог»... В это же время начались гонения на прекраснодушие во имя действительности" (из письма В.Г. Белинского к Ю.В. Станкевичу от 29 сент. – 8 окт. 1839 г.).[5] Это один полюс.

Но что затем? Через год с небольшим он пишет В.П. Боткину (10–11 дек. 1840 г.):

> ... мое гнусное примирение с гнусною действительностью. Боже мой, сколько отвратительных мерзостей сказал я печатно, со всею искренностью, со всем фанатизмом дикого убеждения. [...] После этого всего тяжелее мне вспомнить о *Горе от ума* [...], о котором говорил свысока, с пренебрежением, не догадываясь, что это благороднейшее гуманическое произведение, энергический (и притом еще первый) протест против гнусной расейской действительности... (*Б*, XI: 569–83).

Интересно отметить, что Белинский проклял свои взгляды, изложенные в статье о *Горе от ума*, но проклял лишь то, что касалось действительности "живой жизни", обменяв как бы и здесь Гете на Шиллера, покой на гуманизм, понимание же действительности в искусстве повернулось на 180°: *Горе от ума*, не удовлетворявшее принципу "действительность = гегелевской гармонии", замечательно пришлось к противоположному: "действительность = обличение зла".

И как вывод:

> Чорт знает, как подумаешь, какими *зигзагами* совершалось мое развитие, ценою каких ужасных заблуждений купил я истину, и какую горькую истину — что все на свете гнусно, а особенно вокруг нас... Ты помнишь мои первые письма из Питера, — ты писал ко мне, что они производили на тебя тяжелое впечатление, ибо в них слышался *скрежет зубов* и вопли нестерпимого страдания: от чего же я так ужасно страдал? — от действительности, которую называл разумною и за которую ратовал... Странное противоречие! [...] Все эти люди (кружок Огарева) не истекали кровью при виде гнусной действительности, или созерцая *свое ничтожество*.[6] [...] Что же делать при виде этой ужасной действительности? *Не любоваться же на нее, сложа руки, а действовать* елико возможно, чтобы другие потом лучше могли жить, если нам никак нельзя было жить. Как же действовать? Только два средства: кафедра и журнал — все остальное вздор (из письма к В.П. Боткину от 10-11 дек. 1840; *Б*, XI: 569-83).

Как же отвечает Подпольный на филиппики Белинского? Он, как мы видели в споре о действительности в о о б щ е, просто не принимал

5. В.Г. Белинский, *Полное собрание сочинений* (Москва, АН СССР, 1956), т. XI, с. 376-412. Далее ссылки на это издание даются в тексте (например *Б*, XI: 376).
6. П.В. Анненков пишет в *Литературных воспоминаниях* (Москва, ГИХЛ, 1960, с. 186): "Можно было подумать, что Белинский находит что-то облегчающее для себя в этих беспрестанных истязаниях своей репутации". "Черта какого самобичевания", по утверждению Анненкова, проявлялась в Белинском в пору разрешения духовного кризиса.

"положительный" подход. А здесь, нам кажется, в его ответе просвечивает пародия. Присмотримся.

> "Помилуйте, — закричат вам, — восставать нельзя: это дважды два четыре! Природа вас не спрашивается; ей дела нет до ваших желаний и до того, нравятся ль вам ее законы или не нравятся. Вы обязаны принимать ее так, как она есть, а следственно, и все ее результаты. Стена, значит, и есть стена... и т.д., и т.д." Господи Боже, да какое мне дело до законов природы и арифметики, когда мне почему-нибудь эти законы и дважды два четыре не нравятся? Разумеется, я не пробью такой стены лбом, если и в самом деле сил не будет пробить, но я и *не примирюсь* с ней потому только, что у меня каменная стена и у меня сил не хватило.
>
> Как будто такая каменная стена и вправду есть *успокоение* и вправду заключает в себя хоть какое-нибудь слово на мир, единственно только потому, что она дважды два четыре. О нелепость нелепостей! То ли дело все понимать, все сознавать, все невозможности и каменные стены: *не примиряться* ни с одной из этих невозможностей и каменных стен, если вам *мерзит примиряться*; дойти путем самых неизбежных логических комбинаций до самых отвратительных заключений на вечную тему о том, что даже и в каменной-то стене как будто чем-то *сам виноват*, хотя опять-таки до ясности очевидно, что вовсе не виноват, и вследствие этого, молча и бессильно и *скрежеща зубами*, сладострастно замереть в инерции, мечтая о том, что даже и злиться, выходит, тебе не на кого (*ПСС*, V: 105-06).

Итак, как будто бы Подпольный "кафедрой и журналом" действует по "рецепту" Белинского. Но как и отчего! Действительно, похоже на злую пародию. Во всяком случае более чем вероятно, что многие мысли из приведенных выше писем Белинский не раз высказывал в своем кругу, в том числе и Достоевскому.

То, что перед нами, – явное *reductio ad absurdum*. Подпольный здесь оппонент Белинского, но оппонент пародийный. Он тоже своего рода антигегельянец, но какой? Правильно пишет Р.Г. Назиров в статье "Об эстетической проблематике повести *Записки из подполья*": "... для него [Подпольного – Д.К.] все действительное неразумно, все неразумное действительно".[7] Абсурд. Так ли расчелся с действительностью Белинский?

— 4 —
Действительность в искусстве, романтизм и "литературность", разоблачение "всего высокого и прекрасного"

Мы рассмотрели отношение Белинского и Подпольного к дейст-

7. Р.Г. Назиров, 'Об эстетической проблематике повести *Записки из подполья*', в кн.: *Достоевский и его время* (Ленинград, Наука, 1971), с. 146. Далее ссылки на это издание даются в тексте (например *Н*, 146).

вительности в о о б щ е и к действительности "живой жизни". Теперь займемся "литературной" действительностью, или действительностью в искусстве. И связано это прежде всего с понятием "высокого и прекрасного", что в применении к искусству, современному Белинскому и Подпольному, немедленно напоминало о романтизме. С другой же стороны, "бегство во «все высокое и прекрасное» – это, выражаясь более простым языком, признание с а м о ц е н н о с т и искусства, эстетики, «искусства для искусства»".

Отношение Белинского к проблеме действительности в искусстве было, как мы уже отмечали, неодинаковым в различные периоды. Главным образом (повторим это положение) явственно различимы два полюса. Первый – до 1839–40 гг. – утверждение самоценности искусства, более или менее сочувственное отношение к романтизму, признание искусства миром "высокого и прекрасного", гармонией самой в себе ("безбрежный мир высокого и прекрасного"; *Б*, I: 65). Однако гармония искусства не есть идеализирование действительности, но глубокая истина бытия, и в этом реализм. Гармония заключает и красоту, и безобразие и светлое, и темное, но она именно потому и гармония, что примиряет обе стороны.

> Итак, вот другая сторона поэзии р е а л ь н а я [выделено автором — Д.К.], поэзия жизни, поэзия действительности, наконец истинная и настоящая поэзия нашего времени. Ее отличительный характер состоит в верности действительности; она не пересоздает жизнь, но воспроизводит, воссоздает ее [...]
>
> Мы требуем не идеала жизни, но самой жизни, как она есть. Дурна ли, хороша ли, но мы не хотим ее украшать, ибо думаем, что в поэтическом представлении она равно прекрасна в том и другом случае и потому именно, что истинна, и что где истина, там и поэзия ("О русской повести и повестях г. Гоголя"; *Б*, I: 108).
>
> Истинно художественное произведение возвышает и расширяет дух человека до созерцания бесконечного, примиряет его с действительностью, а не восстановляет против нее, — и укрепляет его на великодушную борьбу с невзгодами и бурями жизни ("Менцель, критик Гете"; *Б*, I: 445, 447-48, 449).

Главное здесь, как видим, то, что искусство изображает действительность и мирит нас с ней, но не судит ее.

После 1840 г. Белинский с яростью нападает на такой "бездеятельный и антисоциальный", теперь уже не реалистический подход к искусству:

> Прочь же от меня блаженство, если оно достояние мне одному из тысяч! [...] И после этого имеет ли право ч е л о в е к [выделено автором — Д.К.] забывается в искусстве, в знании! Я ожесточен против всех субстанциальных начал... (из письма к В.П. Боткину от 8 сент. 1841 г.; *Б*, XII: 65-73).

в статьях своих всячески позорит романтизм, иронизируя иногда по поводу "высокого и прекрасного". Та же картина в письмах.

Белинский атакует романтизм и "все высокое и прекрасное" (в его чистом варианте):

> Добрый и невинный романтизм [выделено автором — Д.К.]! как боялись тебя классические парики, каким буйным и неистовым почитали они тебя, сколько зла пророчили они от тебя, — тебя, бывшего в их глазах страшнее чумы, опаснее огня! А ты, добрый и невинный романтизм, ты был просто резвое, шаловливое дитя, проказливый школьник. [...] Так или сяк, познакомился ты и с Шиллером; но что понял ты в нем? — Ты понял и то по-своему, по-детски, деву неземную, да любовь идеальную, а вечного глагола разума, а божественной любви к человечеству ты и не предчувствовал в Шиллере [...]
>
> ... под "стихами" разумеем неземную деву, идеальную любовь, детское порывание к высокому и прекрасному, в которых нет никакого содержания, прекрасные, но чуждые мысли чувства, глубокие, но лишенные чувства и богатые словами мысли ("Русская литература в 1844 году"; *Б*, II: 667).
>
> Таланты были всегда, но прежде они украшали природу, идеализировали действительность [выделено автором — Д.К.], то есть изображали несуществующее, рассказывали о небывалом, а теперь они воспроизводят жизнь и действительность в их истине ("Взгляд на русскую литературу 1846 года"; *Б*, III: 649).
>
> Искусство есть воспроизведение действительности ("Взгляд на русскую литературу 1847 года"; *Б*, III: 791).

Наконец, мы приведем одно очень интересное заключение Белинского о его жизни, хотя и не из последних, но зато из тех, что выражают как будто сущность всего пути.

> Любимая (и разумная) мечта наша постоянно была — возвести до действительности [выделено автором — Д.К.] всю нашу жизнь, а следовательно наши взаимные отношения; и что же! мечта была мечтой и останется ею... (из письма к В.П. Боткину от 8 сент. 1841 г.; *Б*, XII: 65-73).

Кажется, что во взгляде на "действительность в искусстве" Подпольный соглашается с Белинским, ибо с такой ядовитой усмешкой язвит он "все высокое и прекрасное", что не оставляет от него камня на камне. Так, да не так. Справедливо пишет Р.Г. Назиров в статье ""Об эстетической проблематике повести «Записки из подполья»", что "романтизму «высокого и прекрасного», романтизму шиллеровского типа, наивному и непосредственному, приходит на смену романтизм безобразного" (*Н*, 148). Мы скажем больше: Подпольный и романтизм "высокого и прекрасного" превращает в отвратительный пасквиль, и мы это сейчас увидим. "Для подпольного человека важно оставаться на том или другом эстетическом полюсе, избегая столь презренной «золотой середины»" (*Н*, 148), – то есть, говоря иными словами, действительности. Итак, подпольный в своих мечтах и поступках не возводит жизнь до действительности, как Белинский, но наоборот – саму действительность пытается подтянуть до уровня мечты, жизнь превратить в изощренное, искусственное, утончившееся и выродившееся донельзя "высокое и прекрасное", но это не получается, и он разражается сарказмами и уничтожает свою мечту, поступая противоположно ей. Посмотрим пристальнее.

> Скажите мне вот что: отчего так бывало, что, как нарочно, в те самые, да, в те же самые минуты, в которые я наиболее способен был сознавать все тонкости "всего высокого и прекрасного", как говорил у нас когда-то [выделено автором — Д.К.], мне случалось уже не сознавать, а делать такие неприглядные деянья, такие, которые ... ну да, одним словом, которые хоть и все, пожалуй, делают, но которые, как нарочно, приходились у меня именно тогда, когда я наиболее сознавал, что их совсем бы не надо делать? Чем больше я сознавал о добре и о всем этом "прекрасном и высоком", тем глубже я и опускался в мою тину и тем способнее был совершенно завязнуть в ней. Но главная черта была в том, что все это как будто не случайно во мне было, а как будто ему и следовало так быть. [...] до того доходил, что ощущал какое-то тайное, ненормальное, подленькое наслажденьице возвращаться, бывало, в иную гадчайшую петербургскую ночь к себе в уголь и усиленно сознавать, что вот и сегодня сделал опять гадость, что сделанного опять-таки никак не воротишь, и внутренно, тайно, грызть, грызть себя за это зубами, пилить и сосать себя до того, что горечь обращался наконец в какую-то позорную, проклятую сладость и наконец — в решительное, серьезное наслаждение! Да, в наслаждение, в наслаждение. Я стою на том (*ПСС*, V: 102).[8]

Вот во что выливаются мечты о "высоком и прекрасном". И ведь Подпольный настойчиво указывает, что они-то, мечты, суть причина падения.

Подпольный рассуждает о "карьере" лентяя – это ведь положительное достоинство, не то что 'сознающая мышь':

> ... я был бы лентяй и обжора, но не простой, а, например, сочувствующий всему прекрасному и высокому. Как вам это нравится? Мне это

---

8. И.А Гончаров в "Заметках о личности Белинского" упоминает об одной любопытной черте критика: "Он [Белинский - Д.К.] однажды выразился даже так, что и художник сам должен окунуться в омут распущенности нравов, — и проговорил это довольно серьезным голосом, с важным выражением лица, с убеждением, как заповедь. Я уверен, что у Белинского в этом грубом парадоксе крылось то убеждение, что художник, не прикоснувшийся собственным опытом низких, грубых слабостей и падений, оставаясь в строгих пределах чистых нравов, не будет иметь многих красок на своей палитре для живописания всех людских страстей и страстишек" — Гончаров, *Очерки. Статьи. Письма. Воспоминания современников* (Москва, Правда, 1986), с. 283.

> давно мерещилось. Это "прекрасное и высокое" сильно-таки надавило мне затылок в мои сорок лет [почему? Не расчет ли с прошлым? — Д. К.]; но это в мои сорок лет, а тогда, — о, тогда было иначе! Я бы тотчас же отыскал себе и соответствующую деятельность, — а именно: пить за здоровье всего прекрасного и высокого. Я бы придирался ко всякому случаю, чтоб сначала пролить в своей бокал слезу, а потом выпить его за все прекрасное и высокое. Я бы все на свете обратил тогда в прекрасное и высокое; в гадчайшей, бесспорной дряни отыскал бы прекрасное и высокое (*ПСС*, V: 109, и т.д., и т.д.).

А результат: всеобщее уважение и всякий говорит: "Вот так плюс! вот так уж настоящее положительное!" (*ПСС*, V: 110). "А ведь как хотите, такие отзывы преприятно слышать в наш отрицательный век, господа" (*ПСС*, V: 110). Здесь два абсурда, два дна. Через "прекрасное и высокое" мы приходим к... п о л о ж и т е л ь н о м у. Не через "абличения" и отрицания (в "действительности" Подпольный пошлет в *Отечественные записки* "абличительную" повесть и, естественно, ничего не добьется). Подпольный явно дразнит. – Кого? Уж не "старую ли память", "надавившую затылок"? Уж не положительного ли критика, пришедшего к своей положительности через отрицание? А "мы" даже и в гадости отыщем "высокое и прекрасное", даже гадость в итоге превратим к "положительное".

> Но у меня был выход, все примирявший, это — спасаться во "все прекрасное и высокое", конечно, в мечтах. [...] Мечты особенно слаще и сильнее приходили ко мне после расвратика, приходили с раскаянием и слезами, с проклятиями и восторгами. Бывали мгновения такого п о л о ж и т е л ь н о г о [выделено автором - Д.К.] упоения, такого счастья, что даже малейшей насмешки внутри меня не ощущалось, ей-Богу. Была вера, надежда, любовь. То-то и есть, что я слепо верил тогда, что каким-то чудом, каким-нибудь внешним обстоятельством все это вдруг раздвинется, расширится; вдруг представится горизонт соответственной деятельности, благотворной, прекрасной и, главное, с о в с е м г о т о в о й [выделено автором - Д.К.] (какой именно — я никогда не знал, но, главное, — совсем готовой), и вот я выступлю вдруг на свет Божий, чуть ли не на белом коне и не в лавровом венке (*ПСС*, V: 132-33).

И – поворот на 180°, встреча с "живой" действительностью. "Но теперь не до думанья; теперь наступает действительность (действительность для Подпольного как будто отрицание его самого – опять пародический ход), – думал я и падал духом" (*ПСС*, V: 141). Действительность отрицательна, потому что обыденна, не литературна, не эстетична. А "положительное" Подпольного – "эстетическая действительность" – невообразимая смесь положительного и "высокого и прекрасного" (как раз таки то, для Белинского было "отрицательным" в смысле оппозиции к "действительности"). Сталкиваясь с настоящей (для Подпольного "отрицательной") действительностью, она обращается просто в ноль, по законам математики. И деятельность Подпольного, вступив в "живую жизнь", тут же прячется и превращается в ничто.

"А что, струсил, струсил действительности [выделено автором – Д.К.], струсил!" (*ПСС*, V: 141).

"Так вот оно, так вот оно наконец столкновенье-то с действительностью [...] Теперь ведь уж все погибло!" (*ПСС*, V: 148).

Таковы эстетические "выверты" Подпольного. Пародия на Белинского не явна, но часто, нам кажется, ощущаема.

— 5 —
Романтики и "положительные критики"

> Но романтические ленивцы, но вечно бездеятельные или глупо деятельные мечтатели думают об этом (о новой самостоятельной деятельности) иначе: небрежно, в сладкой задумчивости, опустив руки в пустые карманы, прогуливаются они по дороге жизни, глядя все вперед, туда, в туманную даль, и думают, что счастие гонится за ними, ищет их и вот — того и гляди — наконец найдет их и бросится в их объятия, чтоб никогда уже не расставаться с ними (*Б*, III: 6, и т.д., и т.д.).
>
> ... романтики вообще враги всего практического [...] Разлад с действительностью — болезнь этих людей. В дни кипучей, полной силами юности, когда надо жить, надо спешить жить, они, вместо этого, только рассуждают о жизни (*Б*, III: 8, 9).

Все это Белинский утверждал в своей статье "Русская литература в 1845 году".

Слушаем Подпольного:

> У нас, русских, вообще говоря, никогда не было, глупых надзвездных немецких и особенно французских романтиков, на которых ничего не действует, хотя земля под ними трещи, хотя погибай вся Франция на баррикадах, — они все то же, даже для приличия не изменятся, и все будут петь свои надзвездные песни, так сказать, по гроб своей жизни, потому что они дураки. У нас же, в русской земле, нет дураков; это известно; тем-то мы и отличаемся от прочих немецких земель. Следственно и надзвездных натур не водится у нас в чистом их состоянии. Это все наши "положительные" тогдашние публицисты и критики, охотясь тогда за Костанжоглами да за дядюшками Петрами Ивановичами и сдуру приняв их за наш идеал, навыдумывали на наших романтиков, сочтя их за таких же надзвездных, как в Германии или во Франции.[9]

9. Достоевский намеренно отделяет своего героя от "положительного" критика, относя последнего теперь по принципу *reductio ad absurdum* к "надзвездным глупцам" ("сдуру"). Что под этим критиком скрывается Белинский, будет видно из дальнейшего.

> Напротив, свойства нашего романтика совершенно и прямо противоположны надзвездно-европейскому, и ни одна европейская мерочка сюда не подходит. (Уж позвольте мне употреблять это слово: "романтик" — словечко старинное почтенное, заслуженное и всем знакомое). Свойства нашего романтика — это все понимать, в с е в и д е т ь и в и д е т ь ч а с т о н е с р а в н е н н о я с н е е, ч е м в и д я т с а м ы е п о л о ж и т е л ь н е й ш и е н а ш и у м ы [выделено автором — Д.К.]; ни с кем и ни с чем н е п р и м и р я т ь с я [выделено автором — Д.К.], но в то же время ничем и не брезгать; все обойти, всему уступить, со всеми поступить политично; постоянно не терять из виду полезную, практичскую цель (какие-нибудь там казенные квартирки, пансиончики, звездочки) — усматривать эту цель через все энтузиазмы и томики лирических стишков и в то же время "и прекрасное и высокое" по гроб своей жизни в себе сохранить нерушимо, да и себя уже кстати вполне сохранить так таки в хлопочках, как ювелирскую вещицу какую-нибудь, хотя бы, например, для пользы того же "прекрасного и высокого". Широкий человек на романтик и первейший плут из всех наших плутов, уверяю вас в том ... даже по опыту (*ПСС*, V: 126, 127).

Вот вам и романтики. Явный "выверт", явная стрела в "положительных" критиков, "положительнейших наших умов". Но кто скрывается за этим едким ярлыком? Расшифровать несложно: за Костанжоглами – с полуиронией, однако, – охотился Добролюбов (см. статью "Что такое обломовщина?"), но Петр Иванович Адуев – прерогатива Белинского. Именно он защищает "дядюшку" в своей второй статье "Взгляд на русскую литературу 1847 года". Петр Иванович, в трактовке Белинского, "...может быть, очень порядочный человек..."; он

> ... эгоист, холоден по натуре, неспособен к великодушным движениям, но вместе с этим он не только не зол, но п о л о ж и т е л ь н о [выделено автором - Д.К.] добр. Он честен, благороден, не лицемер, не притворщик, на него можно п о л о ж и т ь с я [выделено автором - Д.К.], он не обещает, чего не может или не хочет сделать, а что обещает, то непременно сделает. Словом, это в полном смысле порядочный человек, каких дай Бог чтоб было больше (*Б*, III: 816, 828).

Сомнений нет. "Дядюшка Петр Иванович" – идеал. Подпольный здесь прямо пустил стрелу в свое прошлое.

— 6 —

Роль фантастического в жизни человека

Ругая "Портрет" Н.В. Гоголя, главным образом вторую часть повести в статье "Объяснение на объяснение по поводу поэмы Гоголя *Мертвые души*" (1842), Белинский пишет: "Да помилуйте, такие детские фантасмагории могли пленять и ужасать людей только в невежественные средние века, а для нас они не занимательны и не страшны, просто смешны и скучны..." (*Б*, II: 336).

В другом месте он замечает:

> Но в *Двойнике* есть еще и другой существенный недостаток: это его фантастический колорит. Фантастическое в наше время может иметь место только в домах умалишенных, а не в литературе, и находиться в заведывании врачей, а не поэтов ("Взгляд на русскую литературу 1946 года"; *Б*, III: 674).

См. также разбор "Хозяйки" Ф.М. Достоевского в статье второй "Взгляд на русскую литературу 1846 года": главный недостаток повести, по мнению критика, причина ее неудачи – опять фантастичность (самое частое слово в разборе). Не менее резко высказывается Белинский в письмах (см. письма к К.С. Аксакову от 21 июня 1837 г. [*Б*, XI: 130-33]; и В.П. Боткину от 17 (февр. 1847 г.; *Б*, XII: 327-33).

Ответ Подпольного: даже если вы осыпете человека "... всеми земными благами..." (*ПСС*, V: 116), то он все равно

> рискнет даже пряниками и нарочно пожелает самого пагубного вздора, самой неэкономической бессмыслицы, единственно для того, чтобы ко всему этому положительному благоразумию примешать свой пагубный фантастический элемент. Именно свои фантастические мечты, свою пошлейшую глупость пожелает удержать за собой единственно для того, чтоб самому себе подтвердить (точно это так уж очень необходимо), что люди все еще люди, а не фортепьянные клавиши... (*ПСС*, V: 116-17).

— 7 —
"Книжность" и "живая жизнь"

Мы должны коснуться еще одной проблемы, непосредственно связанной с романтизмом и "литературностью". Это – "книжная" и "живая" жизнь.

Белинский:

> Дело было вот в чем: мы очень плохо поняли "действительность", а думали, что очень хорошо ее поняли. В самом деле, мы рассуждали о ней, для начала, очень недурно, даже изрядненько и пописывали, но ужасно н е д е й с т в и т е л ь н о [выдлено автором — Д.К.] осуществляли ее в действительности... (из письма к Н.В. Станкевичу от 29 сент.—8 окт. 1839 г.; *Б*, XI: 376-412).
>
> Мы люди без отечества — нет, хуже, чем без отечества: мы люди, которых отечество — призрак, — и не диво ли, что сами мы призраки, что наша дружба, наша любовь, наши стремления, наша действительность — призрак. [...]
>
> Видишь ли, в чем дело, душа моя: непосредтсвенно поняли мы, что в жизни для нас нет жизни, а так как, по своим натурам, без жизни мы не могли жить, то и ударили со всех ног в книгу и по книге стали жить

и любить, из жизни и любви сделали для себя занятие, работу, труд и заботу (из письма к В.П. Боткину от 8 сент. 1841 г.; *Б*, XII: 65-73).

Подпольный:

Но вдруг ни с того ни с сего наступает полоса скептизизма и равнодушия (у меня все было полосами), и вот я же сам смеюсь над моею нетерпимостью и брезгливостью, сам себя в р о м а н т и з м е [выделено автором — Д.К.] упрекаю. То и говорить ни с кем не хочу, а то до того дойду, что не только разговорюсь, но еще вздумаю с ними [с сослуживцами — Д.К.] сойтись по-приятельски. Вся брезгливость вдруг разом ни с того ни с сего исчезала. Кто знает, может быть, ее у меня никогда и не было, а была она напускная, из книжек? Я до сих пор этого вопроса еще не разрешил (*ПСС*, V: 125-26).

"Книжность" с "вывертом".

— Что-то вы ... точно как по книге, — сказала она [Лиза — Д.К.], и что-то как будто насмешливое вдруг опять послышалось в ее голосе (*ПСС*, V: 158).

Игра, игра увлекала меня; впрочем, не одна игра...

Я знал, что говорю туго, выделанно, даже книжно, одним словом, я иначе и не умел, как "точно по книжке". Но это не смущало меня; я ведь знал, предчувствовал, что меня поймут и что самая эта книжность может еще больше подспорить делу (*ПСС*, V: 162).

"«Живая жизнь» придавила меня до того, что даже дышать стало трудно" (*ПСС*, V: 176), – исследует себя Подпольный, уже оскорбив Лизу и объясняя свое поведение. Ср.: "Это «прекрасное и высокое» сильно-таки надавило мне затылок в мои сорок лет..." (*ПСС*, V: 109).

... мы все отвыкли от жизни [...] Оставьте нас одних, без книжки, и мы тотчас запутаемся, потеряемся, — не будем знать, куда примкнуть, чего придержаться; что любить и что ненавидеть, что уважать и что презирать? Мы даже и человеками — то быть тяготимся, — человеками с настоящим, с о б с т в е н н ы м [выделено автором — Д.К.] телом к кровью; стыдимся этого, за позор считаем и норовим быть какими-то *небывалыми общечеловеками*. Мы мертворожденные, да и рождаемся-то давно уж не от живых отцов, и это нам все более и более нравится. Во вкус входим. Скоро выдумаем рождаться как-нибудь от идеи (*ПСС*, V: 178-79).

Знал ли Достоевский письма Белинского (скорее всего – нет), слышал ли идеи, высказанные в них, от него самого, но во всяком случае (и это наше мнение) Достоевский п р о н и к в их суть и спародировал их в "подполье".

— 8 —
Любовь

Белинский:

Но разве любовь зависит от воли человека и покоряется ей? [...] Когда любовь с которой-нибудь стороны кончилась, вместе жить нельзя: ибо тот не понимает любви и ее требований и за любовь принимает грубую, животную чувственность, кто способен пользоваться ее правами от предмета, хотя бы и любимого, но уже нелюбящего. Такая "любовь" бывает только в браках, потому что брак есть обязательство, — и, может быть, оно так там и нужно; но в любви такие отношения — суть оскорбление и профанация не только любви, но и человеческого достоинства. Все такие случаи невозможны для человека н р а в с т в е н н о [выделено автором - Д.К.] развитого ("Сочинения Александра Пушкина", статья седьмая; *Б*, III: 455, 456).

Для меня баядерка и гетера лучше верной жены без любви [...] Что мне за дело, что абстрактным браком держится государство? (из письма к В.П. Боткину от 10-11 дек. 1840 г.; *Б*, XI: 569-83).

И настанет время — я горячо верю этому, настанет время [...], когда не будет бессмысленных форм и обрядов, не будет договоров и условий на чувство, не будет долга и обязанностей, и воля будет уступать не воле, а одной любви когда не будет мужей и жен, а будут любовники и скажет "я люблю другого", любовник ответит: "я не могу быть счастлив без тебя, я буду страдать всю жизнь, но ступай к тому, кого ты любишь", и не примет ее жертвы, если по великодушию она захочет остаться с ним, но, подобно Богу, скажет ей: хочу милости, а не жертвы... Женщина не будет рабою общества и мужчины, но, подобно мужчине, свободно будет предаваться своей склонности, не теряя доброго имени, этого чудовища — условного понятия (из письма к В.П. Боткину от 8 сент. 1841 г.; *Б*, XII: 55-73).

Заметим, между прочим, что в своих воспоминаниях о Белинском Достоевский, говоря об отрицании Белинским института семьи, в скобках добавляет, что тот был "... хорошим мужем и отцом" (*ПСС*, XI: 40).

Подпольный (Лизе):

Любовь — тайна Божия и от всех глаз чужих должна быть закрыта, что бы там ни произошло. Святее от этого, лучше. Друг друга больше уважают, а на уважении много основано. И коль раз уж была любовь, коль по любви венчались, зачем любви проходить! Неужто нельзя ее поддержать? Редко такой слуйай, что нельзя поддержать. Ну, а как муж человек добрый и честный удастся, так как тут любовь пройдет? Первая брачная любовь пройдет, правда, а там, придет любовь еше лучше. Там душой сойдутся, все дела свои сообща положут; тайны друг от друга не будет. А дети пойдут, так тут каждое, хоть и самое трудное время счастьем покажется; только бы любить да быть мужественным. [...] Да разве не все тут счастье, когда они трое, муж, жена и ребенок, вместе? За эти минуты много можно простить (*ПСС*, V: 158).

А кто это говорит? "Усиленно сознающая мышь", Подпольный, пришедший в дом разврата, которому представляется "... нелепая, отвратительная, как паук, идея разврата..." (*ПСС*, V: 152), "новый

Наполеон", который в мелком развратике находит "все высокое и прекрасное" и сам о себе говорит: "А ты, мол, сам зачем к нам [в публичный дом – Д.К.] зашел? Мораль, что ли, читать?" (*ПСС*, V: 173). Торжественность речи-проповеди снижается знанием о "наставнике" и отсюда, возможно, пародийной противоположностью идеям и личности Белинского.

Мы заканчиваем наше сопоставление. Ответим на вопрос: если предположить, что гипотеза о пародировании идей и отчасти личности Белинского, а также о полемике с ним в *Записках из подполья* верна, то какова природа этого художественного метода в произведении? Она сложна.

1. Подпольный как прямой оппонент Белинского, доводящий в своих рассуждениях его идеи до абсурда или же просто отрицающий их (пункты 1, 2, 6, 8);

2. Скрытое пародирование не только идей, но и формы их выражения. Как бы перевоплощение в Белинского и превращение его, в свою очередь, в "усиленно сознающую мышь", с доведением, соответственно, его идей опять-таки до абсурда (пункты 3, 4, 7);

3. Отделение себя от Белинского и косновенное, уничтожающие упоминание о его личности и деятельности, оглупление ее (пункты 3, 5).

FAITH AND REBELLION: THE TRAGIC POLES OF DOSTOEVSKY'S THEODICY

CLAUDIA MOSCOVICI TROYKA

Dostoevsky's awareness of human misery in a God-created world leads him to probe within man's soul in order to explore and justify the root of human suffering. As a Christian thinker, Dostoevsky believes that the tragedy of human suffering results from man's moral freedom rather than from a divinely-imposed fate. He envisions human beings as split between two antithetical forces: a spiritual side seeking moral self-perfection, and a physico-mental side striving for the gratification of "baser needs".

Paradoxically, for Dostoevsky true acceptance of the God-given human condition can only come from rebellion against a personal experience of suffering. It is only through this polar inner struggle of the physical and rational versus the spiritual – through making his own discoveries – that man can hope to come to terms with his divided nature and to establish contact with a more spiritual existence.[1]

Nevertheless, by depicting the difficulty of accepting the inexplicable suffering of innocents, Dostoevsky also gives voice to an unchristian view of tragedy: that of man rebelling against an apparently unjust fate. In *The Brothers Karamazov*,[2] Dostoevsky uses what Bakhtin describes as "a polyphony of voices", or the differing ideas expressed by contradictory personalities, to depict not only man's struggle with his destiny, but also the struggle with his inner contradictions.[3]

As Bakhtin conceives it, "A plurality of independent and unmerged voices and consciousness, a genuine polyphony of fully valid voices is in fact the chief

1. For a discussion, see Temira Pachmuss, *F.M. Dostoevsky: Dualism and Synthesis of the Human Soul* (Carbondale, Southern Illinois U.P., 1963).
2. F.M. Dostoevsky, *The Brothers Karamazov*, tr. by David Magarshack (New York, Penguin, 1982). Page references to this translation are cited in the text in parenthesis.
3. Mikhail Bakhtin, *Problems of Dostoevsky's Poetics*, tr. by Caryl Emerson (Minneapolis, Minnesota U.P., 1984).

characteristic of Dostoevsky's novels".[4] This multiplicity of voices occurs because Dostoevsky, being interested in tragic tensions, allows his characters to express convincingly ideas different from his own. As Bakhtin suggests,

> The character is treated as ideologically authoritative and independent; he is perceived as the author of a fully weighted ideological conception of his own, and not as the object of Dostoevsky's finalizing vision.[5]

Following Bakhtin's lead, I hope to illustrate through textual analysis that in *The Brothers Karamazov* Dostoevsky uses two types of "dialogic" interaction in order to depict the internal and external tensions of the tragedy of suffering. The first type is represented by the differing voices of individual characters, as compared to each other or to the author. This will be possible because, as Bakhtin notes, "Dostoevsky's world is profoundly personalized. He perceives and represents every thought as the position of a personality".[6] The second category of dialogism is found within the polar nature of each character, who himself struggles with opposing points of view.

Specifically, I plan to examine the views of the novel's main heroes – Dmitry, Ivan and Alyosha – and to explore both the types of tragic tensions they experience when confronted with ideas on suffering other than their own, and those they feel when faced with inner contradictions. I choose to approach Dostoevsky's text from the point of view of character analysis because, as noted by Bakhtin, the strong and autonomous characters attract criticism and interaction with their ideas.

Breger expounds on this idea by suggesting that the polyphony of voices within Dostoevskian characters is a perfect subject of psychological analysis:

> Polyphony and dialogue, free from the author's domination – this could serve as a definition of the ideal state of free association during a psychoanalytic session, a state in which one attempts to give free rein to all sides of oneself while keeping an observing ego apart, in alliance with the analyst.[7]

However, although my reading will have some psychological overtones, it would be more appropriately characterised as "prosaic", in the two senses in which Bakhtin employed the term: as an analysis of *everyday* or ordinary *novelistic* reality.[8]

---

4. *Ibid.*, p. 6.
5. *Ibid.*, p. 5.
6. *Ibid.*, p. 5.
7. Louis Breger, *The Author as Psychoanalyst* (New York, New York U.P., 1989), p. 9.
8. The term "prosaic" is used here in the sense attributed to Bakhtin by Gary Saul Morson and Caryl Emerson in *Mikhail Bakhtin: Creation of a Prosaics* (1990): "Prosaics encompasses two related, but distinct, concepts. First, as opposed to 'poetics', prosaics designates a theory of literature that privileges prose in general and the novel in particular over the poetic genres. Prosaics in the second sense is far broader than theory of literature: it is a form of thinking that presumes the importance of the everyday, the ordinary, the prosaic" (p. 17).

Generally speaking, in this juxtaposition of personalities, I present Dmitry as epitomising the sensualist view of life; Ivan the intellectual; and Alyosha the Christian. I will especially focus on the smaller components of this "dialogism" by describing the "polyphony of voices" within each personality. For example, Dmitry "the sensualist" strives for a Christian acceptance of suffering; Ivan "the rationalist" also wishes to find comfort in faith; while Alyosha "the Christian" experiences both sensual attractions and rational doubts.

One final point point I wish to mention concerns Dostoevsky's style. I would suggest that the fact that he uses the very flexible genre of the novel as a forum for a dialogue of ideas, or rather ideas voiced by differing personalities, enables Dostoevsky to achieve a unified yet heterogeneous work of art. The coordinated sequence of events required by any narrative (the plot) acts as a cohesive structure for the diverging ideas enacted by his characters. Thus the tensions in content, or in the ideas expressed, are appropriately paralleled by tensions in structure. As Leonid Grossman remarks, Dostoevsky successfully overcomes "the greatest difficulty that an artist can face [:] to create out of heterogeneous and profoundly disparate materials of varying worth a unified and integral artistic creation".[9]

Michael Holquist draws further insightful parallels between the form and content of Dostoevsky's text by arguing that the problems of defining the novel as a genre serve as a mirror for the ambiguities and dualities of the ideas presented in *The Brothers Karamazov*.[10] Holquist places both problems in a historical context by seeing Dostoevsky's search for the identity of his novel as a manifestation of the Russian people's search for a cultural identity:

> [The] generic impulse in the novel to problematize identity, on the one hand, and the national quest of the Russians for an identity of their own on the other, met and fused in Dostoevsky's work.[11]

With this background in mind, the author's success will not be evaluated in terms of the resolution of ideas, but on the contrary, in terms of the force of the tragic tensions which hold together his artistic whole.

DMITRY KARAMAZOV

From the beginning Dimitry Karamazov is introduced not solely as a "sensualist personality", but as a more complex, divided character. In his physical appearance alone we recognise the signs of an inner schism:

> People who saw something pensive and sullen in his eyes were startled by his sudden laugh, which bore witness to mirthful and light-hearted thoughts at the very time when his eyes were so gloomy (94–95).

---

9. Leonid Grossman, *Dostoevsky's Poetics* (1925), p. 165.
10. For a discussion, see Michael Holquist, *Dostoevsky and the Novel* (Princeton, Princeton U.P., 1977).
11. *Ibid.*, p. ix.

Alyosha's friend, Rakitin, captures the essence of Dmitry's passionate, obsessive sensuality when he describes his friend's initial, almost exclusively physical attraction to Grushenka:

> Grushenka?... since he abandoned his betrothed for her, he doesn't despise her... A man will fall in love with some beauty, with a woman's body, or even with a part of a woman's body ... and he'll abandon his own children for her, sell his father and mother, and his country, Russia, too (70).

Here Rakitin astutely perceives Dmitry's vulnerability to sensual temptation: a weakness to which he gives in impulsively, momentarily sacrificing his ethical codes of soldierly honour and his Christian faith.

Dmitry's higher, spiritual side continually strives to dominate these baser impulses, as evidenced by his genuine anguish when he contemplates not only his personal distress, but the much greater suffering of humanity: "There's a terrible amount of suffering for man on earth, a terrible lot of trouble" (95).

Regretting having attacked and humiliated a fellow officer in a fit of prideful passion, he places himself on the same level as the degraded man:

> Don't think I'm only a brute in an officer's uniform,... I hardly think of anything but of that degraded man... I think about that man because I am that man myself (95).

This not only evinces Dmitry's ability to sympathise, but also, more importantly, it shows his sense of Christian humility. He recognises the equal potential of all of humanity to sin and to suffer, whether or not this potential is acted upon. The importance of humility through identification with others will be elaborated further in analyses of Alyosha and Father Zosima, who provide more direct expositions of Dostoevskian theosophy.

While acknowledging his base sensuality, Dmitry simultaneously professes his veneration for God by saying,

> Though I may be following the devil, I am Thy son, O Lord, and I love Thee, and I feel the joy without which the world cannot stand (96).

In his desire for moral development, Dimitry recognises the self-division which leads him to embrace both the spiritual and the physical with equal fervour:

> I can't endure the thought that a man of lofty mind and heart begins with the ideal of the Madonna and ends with the ideal of Sodom. What's still more awful is that a man with the ideal of Sodom in his soul does not renounce the ideal of the Madonna, and his heart may be on fire with that ideal, genuinely on fire, just as in his days of youth and innocence (97).

Dmitry's anguish results from his awareness of his inherently contradictory nature, equally driven by "good" and "evil" impulses. What seems most unbearable to him is not so much the existence of a moral conflict, but its paradoxical nature: that the good and evil tendencies can simultaneously coexist, each appearing to justify and enhance the other. Being a simple man, Dmitry distrusts this ambiguity. Aspiring to be a Christian, he recognises it as morally impure.

In spite of himself, Dmitry's disunity becomes apparent in his behaviour towards Katerina Ivanovna, and in his actions towards his father. For example, when entrusted with three thousand roubles by Katerina Ivanovna, he allows his obsessive, selfish passion for Grushenka to pervert the sense of "soldierly honour" which he had exhibited earlier by momentarily helping her family. Infatuated with Grushenka, he irresponsibly squanders the money on food, drink and entertainment in Mokroe with his lover. However, later he regrets having violated his moral principles, and feels capable of doing just about anything to pay back the shameful debt, even robbing and killing his father: "... he had felt in his frenzy that it would be better to murder and rob someone than fail to pay [the] debt to Katya" (345). Ironically enough in this case, Dmitry's moral concept of right, which is part of his spiritual side, serves to reinforce his second, passionate side. This interrelation reveals once again how Dmitry's polar divisions, his spiritual and his natural selves, serve not only to oppose each other, but at times to amplify their antithesis. The very ambiguity of the moral tension makes its resolution even more difficult.

However, more often than not, these divergent elements clash, burdening Dmitry with a sense of anguish as he feels torn apart by their opposed forces. This agony is evidenced by the frequent pangs of conscience he suffers as a result of his uncontrollable passion:

> All this may have arisen indirectly and unconsciously from the secret stings of his conscience for the money of Katerina Ivanovna that he had dishonestly appropriated: "I've been a scoundrel to one of them, and I shall be a scoundrel again to the other directly,... Oh the shame of it!" (344).

Ironically, the fact that Dmitry identifies his moral flaws often prevents him from taking steps to correct them. His awareness of Christian moral imperatives makes him recognise the fact that by their very nature, these absolutes allow no impurities in either thought or deed. Thus when Dmitry thinks about violating his moral code, he already considers himself an irredeemable "scoundrel" in deed, who might as well go ahead and sin "honestly" rather than hypocritically restrain himself. Only once the "evil deed" is accomplished, and the mental temptation has momentarily waned, does Dmitry consider the possibility of redemption through the accomplishment of "good" deeds.

Thus, due to his polarised interpretation of Christian doctrine, complicated by his own conflicting tendencies, Dmitry continually vacillates between love for Grushenka and shame for having betrayed Katerina Ivanovna. On the one hand, the fact that he sees little distinction between evil thought and evil action impels him towards destructive deeds. On the other hand, the possibility for salvation offered to all Christians encourages his better impulses.

At times his brutal sensuality overcomes his sense of right, as, for example, when he goes to Mokroe for the second time to meet his lover:

> But all was confusion, confusion in Mitya's soul, and although many things were

> goading his heart, at that moment his whole being was yearning for her, his queen, to whom he was flying to look on her for the last time. One thing I can say for certain; his heart did not waver for one instant (385).

Once again, this moral "confusion" arises more from not being able to separate thought from deed, rather than from not being able to discern right from wrong

Despite his resolution to give up his moral responsibilites and follow his passion, Dmitry's relentless conscience continues to torment him: "... there was confusion in his soul, an agonising confusion: his resolution did not give him peace. There was so much behind that tortured him" (387).

Finally this internal strife reaches the level of despair as, on the way to Mokroe, Dmitry decides to commit suicide: ironically enough, after seeing Grushenka one last time. As he contemplates his lover, Dmitry's care-free sensuality momentarily displaces his spiritual agony: "... again the thought of her,... took more and more complete possession of his soul, chasing away the fearful images that had been haunting it" (387). Giving in to temptation is not only easier for Dmitry, it is also a palliative action which momentarily effaces his moral difficulties.

Nevertheless, Dostoevsky wishes to convince us that the experience of the inner tension between passion and conscience elevates Dmitry's former lust for Grushenka into a more complete lover:

> Never has this woman, who was such a faithful influence in his life, aroused such love in his breast, such new and unknown feeling, surprising even to himself, a feeling tender to devoutness, to self-effacement before her (387).

Thus, the author suggests that Dmitry needed to experience first the lowest type of love for Grushenka, and even to sacrifice his personal ethics for it, in order to suffer, to struggle against his baser impulses, and to come to experience true love.

As previously mentioned, Dmitry's confused morality displays itself in his behaviour towards his father as well. For example, when overcome by jealousy, the son runs to his father's house with the intention of stealing the old man's 3000 roubles. When impeded by Grigory, who has been like a father to him, Dmitry pitilessly knocks the servant unconscious with a heavy blow. Nonetheless, as his passion and conscience are interwoven, Dmitry experiences a heightened sense of culpability for having potentially killed the old man in his frenzy:

> Oh God! restore to life the man I knocked down at the fence!... I would restore the stolen money... No trace of that shame will remain except in my heart forever! But no, no; oh impossible cowardly dreams! Oh, damnation! (413).

His guilt for hurting the servant is confused and amplified by his guilt for having stolen Katerina Ivanovna's money.

Yet once again his compulsive sensuality benumbs his sense of guilt as his mind finds solace in contemplating a reunion with Grushenka:

> Yet a ray of bright hope shone to him in his darkness. He jumped up and ran back

> to the room – to her, to her, his queen forever! Was not one hour, one moment of her love worth all the rest of his life, even in agonies and disgrace? (413).

Yet as we have already noted, Dmitry's conscience does not capitulate easily to his passion. As he later confesses in the police inquisition, he is tormented by a dream in which his conscience takes human form and attempts to subdue the passionate part of his being:

> I often dream ... that someone is hunting me, someone I'm awfully afraid of ... tracking me ... and I ... hide in a degrading way, and ... he always knows where I am, but he pretends not to know ... on purpose, to prolong my agony, to enjoy my terror (444).

This dream not only reveals Dmitry's absolutist sense of morality, but it also reveals the paradoxical ambiguity of this code. Even though Dmitry's conscience pursues him relentlessly and even tyrannically, it "tracks him down" in a perverse fashion, by "pretend[ing] not to know" where he is in order to "prolong [his] agony and enjoy [his] terror".

Nevertheless, Dostoevsky wishes to persuade us that the experience of schismatic forms of suffering leads to moral growth. Suffering is depicted as both a fruitful and a necessary experience. For example, through the experience of his moral schism, Dmitry becomes aware not only of his own suffering, but more importantly, grows to imagine and sympathise with the suffering of others.

This newly established bond of selfless compassion surfaces in yet another recurring dream. Here our hero envisions himself driving in the winter through a village of impoverished people and feels particularly touched by an emaciated woman who is holding a crying baby in her arms. Overcome with sympathy, Dmitry rebels against such an apparently unjust world, a place in which innocent children must suffer, and demands a rational justification for such misery:

> ... he felt that a passion of pity, such as he had never known before, was rising in his heart, and he wanted to cry, that he wanted to do something for them all, so that the babe should weep no more (479).

Through this sympathetic grief and the resulting rebellion, Dmitry attains a profound level of humanity and begins to identify his own trying life with the greater human suffering.

In an exemplary fashion, Dostoevsky's and Alyosha's voices soften Dmitry's defiance towards suffering in a God-created world into a more reverent attitude. Dostoevsky chooses to guide the plot in a way that Dmitry, through his internal dichotomies and external dialogue with Alyosha, is influenced by the Christian perspective. The young man begins to accept God's world as it was created, no longer daring to question or hoping to comprehend God's ways.

Moreover, Dmitry realises that man, and not God, is responsible for most evil on earth, since God gave man the freedom to choose between good and evil, and man most often chooses evil over good: "Gentlemen, we're all cruel, we're all monsters, we all make men weep... " (481). Feeling the link of sympathy with the rest of humanity, Dmitry recognises himself as a sinner and wishes to undergo exemplary suffering in order to purify himself, and perhaps even to expiate the sins of other men:

> ... let it be settled now; of all I am the lowest reptile! I've sworn to amend every day of my life, beating my breast, and every day I've done the same filthy things. I accept the torment of accusation, and my public shame, I want to suffer and by suffering I shall be purified (481).

Under a Christian influence, Dmitry begins to see suffering not only as necessary for moral freedom, but also as a means of self-perfection through self-sacrificial acts of kindness. With this realisation Dmitry finds that a rejuvenated spiritual life opens up to him:

> Yes, life is full, there is life even underground. You wouldn't believe, Alexey, how I want to love now, what a thirst for existence and consciousness has sprung up in me within these peering cell walls... (560–61).

Suffering shows him the possibility of human redemption, thus allowing him to enjoy life with a cleaner and more hopeful conscience.

Dostoevsky wishes to persuade us that Dmitry experiences a more elevated existence only when he takes on the burden of expiatory suffering for patricide, even though he is innocent of the crime. Only when he welcomes this spiritual punishment, external to man's system of justice, does he begin to explore the depth of his own being and to attain a harmonious union of his divided self:

> And what is suffering? I am not afraid of it, even if it were beyond reckoning?... I was afraid of it before... I seem to have such strength in me now, that I think I could stand anything, any suffering, only to be able to repeat to myself every moment, "I exist." In thousands of agonies – I exist (560–61).

So far I have mostly discussed Dostoevsky's justification of suffering in terms of Dmitry's polarities. The question of whether or not this justification is completely persuasive – or even whether it needs to be – will be pursued in the conclusion of this article, where the moral resolutions experienced by all three brothers can be evaluated together.

IVAN KARAMAZOV

In a similar, though more cerebral fashion, Ivan Karamazov, "the intellectual personality", must also suffer in order to unify his polar nature: his almost naive spirituality with his faith-denying rationality. As a contemplative and rational being, Ivan rejects the notion of an absolute meaning in a world where the innocent must suffer. Nevertheless, although supposedly disbelieving, this young intellectual argues (with too much sophistry to be a believer and too much passion to be an unbeliever) that there could be no virtue without immortality, without God. After meeting Ivan, Father Zosima recognises the young man's mental agony as his rational doubt struggles with his spiritual need to believe in God:

> You were not altogether joking. That's true. The question is still fretting in your

> heart and not answered... Meanwhile, in your despair, you too divert yourself with magazine articles, with discussions in society, though you don't believe your own arguments, and with an aching heart mock them inwardly... That question you have not answered and it is your great grief, for it clamors for an answer (61).

Indeed, Ivan's chief preoccupation is with the problem of human suffering. He can neither bring himself to reject God and accept the consequences of the resulting moral vacuum, nor can he accept faith, which cannot be grasped or justified by reason. In examining the question of human suffering, Ivan constantly oscillates between need for belief and inclination towards disbelief; between "soul" and "reason".

Sometimes, like Dostoevsky, he sees suffering as necessary for mental, emotional and spiritual depth. Although embittered, he is speaking earnestly when he advises Katerina Ivanovna to sacrifice her happiness unconditionally for Dmitry' sake:

> Your life, Katerina Ivanovna, will henceforth be spent in painful brooding over your own feelings, your own heroism, and your own suffering; but in the end that suffering will be softened and will pass into sweet contemplation of the fulfillment of a bold and proud design... And the consciousness of it will at last be a source of complete satisfaction and will make you resigned to everything else (173).

The ironic vein of these words, uttered at a moment when Katerina Ivanovna rejects his love in favour of Dmitry, protect not only his wounded ego but also his attraction towards the Christian concept of expiatory suffering.

The lyrical facet of Ivan's personality is also reflected in his simple and tenacious love of life for life's sake, in spite of the fact that such an acceptance runs contrary to reason:

> I have a longing for life, and I go on living in spite of logic. Though I may not believe in the order of the universe, yet I love the little sticky leaves as they open in the spring. I love the blue sky, I love some people, whom one loves ... sometimes without knowing why... It's not a matter of intellect or logic, it's loving with one's inside, with one's guts (210–11).

This rejection of reason opens the possibility of faith. When he accepts life as it is, Ivan can also accept God as its creator:

> As for me, I've long resolved not to think whether man created God or God man... And therefore I tell you that I accept God out-right simply (215).

Nevertheless, it is important to note the hesitations present even in Ivan's most uncritical appreciation of life: even in these rare moments of "acceptance" he cannot bring himself to "believe in the order of the universe" or to think about God's nature in relation to man. For Ivan, every point of analysis leads to doubt and rebellion.

However, complete rebellion runs against reason as well. The existence of God cannot be rationally proved, but neither can it be rationally disproved. When he recognises that his limited human intelligence cannot possibly comprehend God's mind and will, Ivan allows his spirituality to overcome his rationality and comes close to experiencing genuine faith:

> I have come to the conclusion that ... I can't expect to understand about God... And so I accept God and am glad to; and what's more I accept His wisdom, His purpose – which are utterly beyond our ken; I believe in the eternal harmony in which they say we shall one day be blended (216).

However, as I have previously mentioned, Ivan's declarations of belief result more from a desire to appreciate a life freed from the impediment of reason, rather than from an intuitive belief.

Most often Ivan finds that he cannot accept God's world as it is, a world in which innocent children must suffer:

> Yet would you believe it, in the final result I don't accept this world of God's, and, although I know it exists, I don't accept it at all. It's not that I don't accept God, ... it's the world created by him that I cannot accept ... (216).

The core of Ivan's rebellion centres around this insoluble question of the suffering of children:

> I wanted to discuss the suffering of humanity in general, but perhaps we'd better confine ourselves to the suffering of children... If they, too, suffer terribly on earth, they do so, of course, for their fathers. They are punished for their fathers who have eaten the apple, but this is an argument from the other world, an argument that is incomprehensible to the human heart here on earth. No innocent must suffer for another, and such innocents too! (283).

Ivan finds himself incapable of having faith in a system of divine justice which is so different from human justice, where often the innocent are punished so that the guilty can be forgiven. The compensation for this apparent injustice, namely the promise of a posthumous spiritual happiness, does not satisfy him. As a rational being Ivan can neither deny the possibility of afterlife, nor can he believe in the certainty of its existence. The only life of which he can be sure is life on earth. Treating earthly life as a closed system, he expects it to conform to human values.

Most of all, Ivan rejects notions of heavenly compensations because he rejects utilitarian systems in which suffering is seen as a means for a later or greater good:

> And if the sufferings of children go to make up the sum of sufferings which is necessary for the purchase of truth, then I say beforehand that the whole truth is not worth such a price... I'd rather remain with my suffering unavenged and my indignation unappeased, *even if I were wrong* (283).

In other words, Ivan declares that no amount of good can compensate for the evil of a child's pain.

Starting with the premise that suffering is negative (which Dostoevsky does not), Ivan refuses to revere a god who, although omnipotent, allows the suffering of innocents. In his opinion, no reason, not even the argument that the existence of good and evil is necessary for human freedom, seems compelling enough to justify the suffering of children:

> They tell me that without it [freedom] man could not even have existed on earth, for he would have not known good and evil. But why must we know that confounded good and evil when it costs so much? Why, the whole world of knowledge isn't worth that child's tears to her "dear and kind God!" (283).

Ivan objects to the argument that creation needs to include evil in order to have some degree of freedom. He argues that if God is both omnipotent and benevolent, then he could have made human beings still finite, but both finitely good and free. Even if for some reason such a conception of the world were impossible, and evil were absolutely necessary, a benevolent God would still intervene to prevent certain manifestations of evil, and would not allow the suffering of a single child to pay for the happiness of the rest of his creation:

> Tell me frankly, I appeal to you – answer me: imagine that it is you yourself who are erecting the edifice of human destiny with the aim of making men happy in the end, but that it is absolutely necessary, and indeed quite inevitable, to torture to death only one tiny creature, the little girl who beat her breast with her little fist, and to found the edifice on her unavenged tears – would you consent to be the architect on those conditions? (287).

In Ivan's opinion, a God who would allow such suffering is either not benevolent or not omnipotent.

Nevertheless, since Ivan also needs to believe in an absolute meaning in order to sustain the very moral system which enables him to object to the suffering of children, he chooses to believe in an omnipotent, yet not absolutely benevolent God. The result is paradoxical: a human struggle for an absolute good in a systematised (created) chaos.

The Grand Inquisitor symbolises Ivan's intense mental agony in struggling with these insoluble problems of human suffering. When the Grand Inquisitor accuses Christ of having burdened man with more suffering than he can bear, Christ remains silent, at once acknowledging and respecting man's impossible burden. On the other hand, in advocating a life devoid of suffering governed by Miracle, Mystery and Authority (where moral values are not enforced, and where unmistakable proofs of the existence of a "superior power" leave no room for doubts but foster only blind obedience) the Grand Inquisitor deprives man of his imaginative and moral freedom:

> For fifteen centuries we have been wrestling with Thy freedom, but now it is ended and over for good. But let me tell Thee that they have perfect freedom, yet they have brought their freedom and laid it humbly at our feet (232).

According to the Grand Inquisitor, man would be happier if relieved of this "unbearable" freedom and consequently of the choice and responsibilities that come with it:

> And men rejoiced that they were again led like sheep, and that the terrible gift that had brought them such suffering, was, at last, lifted from their hearts (237).

Ivan realises that the alternative offered by the Grand Inquisitor could only lead to a debased existence where evil, being a much simpler choice for man than good, would be allowed to triumph in exchange for bestial submission:

> And so, convinced of this, he sees that he must follow the counsel of the wise spirit, the dread spirit of death and destruction, and yet deceive them all the way so that they may not notice where they are being led, that the poor blind creatures may at least on the way think themselves happy (242).

According to Ivan, either man accepts the tribulations caused by his intrinsic duality and the free choice that goes with it, or he resigns himself to a life of depraved and illusory happiness.

Ivan's suffering as he struggles with his inner division is also manifested by the manner in which he deals with his guilty conscience for his justifiable aversion for his father. His sense of his morality rebukes him both because he should "honour [his] father", and because of the implicit pride that his disdainful attitude reveals. Thus when Smerdyakov overtly accuses him of his father's murder, Ivan accepts the burden of his mental complicity, and like Dmitry, wishes to purify his conscience by confessing in court:

> .. perhaps I, too, was guilty; perhaps I really had a secret desire for my father's ... death, but I swear I was not as guilty as you think, and perhaps I did not urge you at all... But no matter, I will give evidence against myself tomorrow, at the trial. I'm determined to! I shall tell everything, everything (598).

Ivan hopes that this expiatory suffering will allay not not only his conscience, but also his doubt.

But even this resolution does not come for Ivan without its antithesis: without the devil, the embodiment of Ivan's reason carried to its logical extreme. Through the devil, for the first time Ivan explicitly rejects not only God's imperfect creation, but also questions the very existence of God himself:

> Does [God] exist of itself, or is it only an emanation of myself, a logical development of my ego which alone existed forever? (620).

However, Dostoevsky leads us to believe that only by thus reaching the impasse of rationality does Ivan require the moral strength to confess and to suffer for his rebellion.

The prophetic Alyosha recognises the spiritual nature of Ivan's self-sacrifice by describing it as:

> The anguish of deep determination. A deep conscience! God, in whom he disbelieved, and His truth were gaining mastery over his heart, which still refused to submit. Yes, since Smerdyakov is dead, no one will believe Ivan's evidence; but he will go and give it. God will conquer! Either he will rise up to the light of truth ... or he'll perish in hate, revenging himself on everyone, his having served the cause he does not believe in (622).

Characteristic of Dostoevsky, Alyosha does not provide us with definitive answers, but with the poles of two extremes – with an "either/or" for which we must find our own interpretations.

As Alyosha predicted, although Ivan confesses his criminal intentions and reveals Smerdyakov as his father's real murderer, his delirious testimony is dismissed. We never learn whether this human miscarriage of justice increases Ivan's faith in God (whom he had judged according to human concepts of justice), or whether, on the contrary, it provokes an even greater distaste for God's creation. Dostoevsky leaves the rebel with brain fever, which appears to be the physical consequence of rational inquiries and doubt. In addition, the author does not seem to leave the readers in a much more certain position. Although Dostoevsky guides us towards Christian perceptions, that guidance only serves to offer us a polar choice which mirrors his contradictory conceptions of man's moral freedom and of theodicy.

ALYOSHA

I would argue that Dostoevsky attempts to provide the Christian answer to the problem of theodicy through the faithful Alyosha. In the preface "To the Reader", Dostoevsky presents Alexey Karamazov as "the true hero" of his novel. He realises that the notion of Alyosha as the central hero of *The Brothers Karamazov* is somewhat problematic, especially given Alyosha's relatively static character to the tumultuous personalities of his brothers.

For this reason, Dostoevsky feels the need to defend his choice:

> What is so remarkable about Alexey Karamazov that [I] should have chosen him for [my] hero? He is remarkable so far as I am concerned, but I doubt very much whether I shall be able to prove it to my readers. The trouble is that though, in a way, he is a man of action, he is so only in a vague sort of way, in a way that is not quite clear (xiii).

Apparently, Dostoevsky wishes to persuade us that "action" is neither the only nor the main standard which marks the importance of his characters. Rather, we will shortly see that he measures the importance of his characters primarily in terms of their "naturally" Christian dispositions: in terms of their "personalities".

In his expositions of Ivan and Dmitry, Dostoevsky has shown us that he understands the polarities inherent in human nature and the problems which arise from them. But as we have seen from the rather discouraging fates he chose for these two heroes, he wishes to suggest that workable solutions and meaningful lives are not found through explorations with the body and mind alone. The "soul" must also be involved in man's active search for truth.

Through Alyosha's "Christian personality", Dostoevsky illustrates the proper stance towards the tragedy of suffering. That is not to say that Alyosha is a "monologic character". On the contrary, he too has "dialogic" elements. As we have seen, Dostoevsky aims to preserve the tragic tensions which result from irreconcilable oppositions of ideas, discovered both within oneself and through dialogues with others. Thus even the elder Zosima is presented as a reformed sinner, and the story of his "conversion" from "evil" to "goodness" is told.[12] Similarly, Alyosha exhibits the tensions inherent in his family, and in humanity in general. Although subdued and faithful, he is also plagued by sensual impulses and by rational doubts.

It is once again the clever scoundrel Rakitin who recognises Alyosha's duality:

> I've been watching you for a long time. You're a Karamazov yourself, a full-blown Karamazov – breed and natural selection do mean something then. A sensualist after your father and a saintly fool after your mother (90).

Later when Dmitry confesses his own concupiscence to Alyosha, the younger brother identifies with the older's perverse sensuality: "I did not blush at what you were telling me, nor at what you've done. I blushed because I'm the same as you" (125).

Indeed, when it comes to female beauty, Alyosha shows the discriminating taste of a sensualist. For example, he knows how to judge and appreciate Katerina's pale beauty:

> He thought her large glowing eyes were very beautiful and suited her pale, even yellowish pale, elongated face. But there was something about those eyes and even about the lines of her exquisite lips with which his brother might well have fallen passionately in love, but which perhaps one could not love long (169).

He is even attracted to Grushenka's female charm:

> There was something else about her, which he could not and would not know how to describe – but which he, too, must have been aware of unconsciously – that was again her softness, the delicacy of her movements, the cat-like noiselessness of those movements. And yet hers was a powerful and ample body... Her figure gave promise of becoming in form a Venus de Milo, but already in somewhat exaggerated proportions – one could see that (173–74).

Clearly, Alyosha not only has the sensual faculty to discern the noble quality of Katerina Ivanovna's beauty and to feel drawn to Grushenska's ripe sensuality, but he can also intuit the psychological qualities suggested by these women's physiognomies and predict their future development. One could argue that Alyosha is more profoundly a sensualist than any of the three brothers.

By his own admission, Dostoevsky deliberately endows his hero with such "earthy" qualities: both because without these sensual tensions spirituality would be too simple for Alyosha, and because the author prefers a spiritualism deeply rooted in everyday reality. Praising Alyosha as a realist, Dostoevsky emphasises his hero's "down-to-earth" nature:

> Some of my readers may imagine that my young man was a sickly, ecstatic, poorly

12. In *Starets Zosima in The Brothers Karamazov* (Stockholm, Almqvist & Wiksell International, 1975) Sven Linnér presents Father Zosima as the archetype of "wise old men who have left life's storms behind and found peace, but who can meet younger and more restless spirits with complete understanding" (p. 18). Although this is a good characterisation of Father Zosima's personality, it is somewhat "monologic" in nature since it neglects to consider the ever-present (potential) dualities of Dostoevskian characters.

> developed character... On the contrary,... Alyosha was a well-built, red-cheeked, clear-eyed boy of nineteen... I can't help feeling that, if anything, Alyosha was more of a realist than anyone. Oh, of course in the monastery he fully believed in miracles, but in my opinion ... [in] a realist faith does not arise from a miracle, but the miracle from faith (25–26).

This defense of Alyosha's personality acts as an additional means for Dostoevsky to voice his claim that faith should not be subordinated to the rules of logic.

As Father Zosima states, and as Ivan's struggles have illustrated, once faith is tested by reason it is lost, and nothing else can replace it:

> Following science, [men] wish to live a life based on justice by their reason alone, but without Christ as before, as they have already announcd that there is no crime, there is no sin (371).

Thus, the author suggests, once God's universe is judged by human rational standards, meaning is replaced by despair.

According to Dostoevsky and as articulated by Zosima, suffering too is part of God's mysterious design. Many forms of suffering, such as the suffering of the woman who has lost her child, remain inconsolable. Only faith in God and in immortality can alleviate our despair by reminding us of a perfect existence to come:

> "Behold", the elder advises this woman, "Rachel weeping for her children refused to be comforted for her children because they were not", and such is the lot bestowed upon you, mothers on earth... Be not comforted but weep, and every time you weep be sure to remember that your little son is one of the angels of the Lord... [And] in the end your weeping will turn into quiet joy, purifying the heart and saving it from sin (54).

By calling the child who died "a great saint", Father Zosima also brings up the Christian theme of expiatory suffering.

This doctrine maintains that since all men are sinful, some of them are chosen or choose to suffer in order to expiate the sins of others, just as Jesus Christ has done for the whole of humanity:

> For you must know, beloved, that each one of us is beyond all question responsible for all men and all things on earth... This realisation is the crown of a monk's way of life, and indeed, of every man on earth... It is only then that our hearts will be moved to a love that is infinite and universal and that knows no surfeit (190).

This quotation underlines the fact that personal responsibility is very important in Dostoevsky's theodicy.

Following the Kirkegaardian lead and anticipating the existentialists, Dostoevsky illustrates how every action or lack of action, or even thoughts and dispositions, brings a chain of events upon other human beings.[13] Ivan and Dmitry did not kill their father, but they approved of and even desired his

13. As the "father of modern existentialism" Kirkegaard formulates a philosophy which posits that because of the world's chaos, everything human beings do may affect other human beings.

murder. Thus, as they themselves realise, the two brothers are partially responsible for the crime.

Through the words of Father Zosima, Dostoevsky once again emphasises the importance of acquiring faith through the exercise of active and detached love. This love is detached not in the sense of being theoretical, but on the contrary, of being personally applicable to every human being:

> Strive to love your neighbours actively and indefatigably. And the nearer you come to achieving this love, the more convinced you will become of the existence of God and the immortality of the soul. This is certain (61).

Yet even the "saints" who are capable of such a perfect love should not pridefully consider themselves above all other human beings. Dostoevsky makes it clear that since all men are equally capable of sinning, no human being can be morally superior to another.

This humility, which involves an understanding of the discord between man's greatness and his fallibility, is of great importance to the Dostoevskian notion of faith. For example, Alyosha views self-abasement, which represents an extreme form of humility, as a valuable asset. For this reason he wishes Snegiryov to accept his money as a compensation for Dimitry's insult:

> What we must do now is to convince him that he is on the same level with all of us, in spite of the fact that he's taking money from us... And not only on the same level, but even on a higher level (252).

Hence humility, by making one aware of the similarity or even sameness of all human beings, provides a path towards sympathy and Christian "goodness".

Gary Cox explores the psychological dimension of the value placed on humility by seeing "victimisation" through a Freudian optic. He argues that esteem for the "victim" in Dostoevskian novels is a manifestation of "totemic vulnerability", where the member of a tribe or society which is most vulnerable is thought to have special or even magical qualities:

> If we look at the characters who people Dostoevsky's novels as a special population, as a tribe, we find that all of these [Freudian] statements apply to the victimized or vulnerable character.[14]

René Girard expounds on this interpretation by specifying that in modern societies the sacrificial victim is usually low-ranking and innocent.[15] These more technical readings support our prosaic analysis, which noted that the "exemplary" victim was a vulnerable member of society.

Let us now resume our discussion of Alyosha's dialogic development. Alyosha's faith is most severely put to the test when his revered elder dies an "unworthy" death. Like many other human beings, the religious men of Father

---

14. For a discussion, see Gary Cox, *Tyrant and Victim in Dostoevsky* (Columbus, OH, Slavica, 1983).
15. For a discussion, see René Girard, *Violence and the Sacred*, tr. by Patrick Gregory (Baltimore, Johns Hopkins U.P., 1961).

Zosima's monastery had expected that divine justice would correspond to human justice, and therefore that the elder would die like a saint:

> ... to expect putrefaction and the odour of corruption of the body of so great a saint was an utter absurdity... [They] had expected something quite different (387).

Conveniently interpreting the odour as a divine sign which marks not only Father Zosima's lack of saintliness, but also his state of corruption, they pettily rejoice that the man who seemed so elevated is really lower than themselves: "And this was followed by a flood of condemnations and even accusations against the newly-departed elder" (390).

Alyosha's sense of justice, heightened by his reverence for the elder, leads him to experience a crisis of faith:

> But, again, it was not miracles that he needed, but only "higher justice", which, according to his belief, had been violated, and it was this that dealt such a sudden and cruel blow to his heart (398).

However, what saves Alyosha from falling prey to total doubt like Ivan is not only his less tumultuous and less contemplative nature, but also his natural inclination towards active love, precisely what Dostoevsky considers the mechanism for salvation.

At this point the author reveals once again his Christian bias by shaping the plot in Alyosha's favour. For example, although Ivan proudly proclaims his love for children and bases his lack of faith on their suffering, he never actively demonstrates this love. On the contrary, when Lisa, still a child, appeals to him, he scorns her. On the other hand, Alyosha, without any declarations, shows that he deeply cares about people, and especially about children.

He befriends the proud and courageous Ilyusha and his family, the precocious yet kind-hearted Kolya, and all their circle of young friends. Fresh and childlike himself, the young monk becomes the children's spiritual leader. He is present at dying Ilyusha's bedside to provide comfort and love, and manifests his faith and love by finding redemption in Ilyusha's death:

> "Well", he tells the children, "and who has united us in this good and kind feeling which we shall remember and intend to remember all our lives? Who did if not Ilyusha, the good boy, the dear boy, dear to us for ever and ever! Don't let us, then, ever forget him, may his memory live in our hearts for ever and ever!" (912).

It seems that Dostoevsky himself shares the children's enthusiasm and exclaims along with them, "Hurrah for Karamazov!" (913).

CONCLUSION

Although this ending is at least superficially "happy", it is, as we initially posited, far from conclusive. Ivan is left with brain fever, the physical symptom of his rational struggles with insoluble questions about the human fate. Dmitry wishes to atone for his sins, but his impulsive nature does not inspire full confidence that he will adhere to his plans. He vows his love for Grushenka, a love which seems to be sincere, yet he never overcomes his love for Katerina, a woman who will always appeal to his soldierly sense of honour. We leave him still somewhat divided, both morally and emotionally. Finally, Alyosha's fate remains undivulged, even though, through a favourable characterisation and manipulation of the plot, Dostoevsky indicates that the young priest is on the right path. Thus, the novel's open-endedness results in part from the fact that the Karamazov saga remained unfinished. Dostoevsky planned to write two sequels, one of which would focus more exclusively upon his chosen hero, Alyosha.

However, this is at best only a partial answer. Breger makes the more illuminating argument that the polarities expressed by Dostoevsky through his various characters were present within the author himself:

> He would bring his inner actors on the stage of his life as he fell into one of his extreme situations. Once there, with emotions aroused and the scenario exposed to view, the writer-self would come on the scene and begin to control things by transforming the experience into literature.[16]

This psychological reading accounts for the unresolved dualities of Dostoevsky's characters in terms of the polarities of the author's own world view.

Referring to the work of Leonid Grossman, Bakhtin also notes the completed open-endedness of Dostoevsky's fictional and real world views:

> Grossman is inclined to explain this dialogism as a contradiction, never quite overcome, in Dostoevsky's world view. Two powerful forces – humanistic skepticism and faith – collided early in the consciousness, and they wage an uninterrupted struggle for predominance...[17]

Using some of Bakhtin's insight, I have analysed how these irreconcilable tensions serve both artistic and Christian aims: the artistic aim of depicting the tragedy of personality, and the religious purpose of depicting the paradox of suffering in a God-created world. In a sense the novel's and the author's lack of resolution despite Dostoevsky's Christian beliefs mirrors the paradoxes intrinsic in the problem of theodicy.

As both critics propose, without this unsilenced polyphony of voices Dostoevsky's characters would lose their force and autonomy. I have suggested that without struggling with diverging world-views, readers and characters alike would not come closer to understanding the simultaneous difficulty and appeal of accepting the fate of suffering. The critic Nicholas Berdyaev sensitively captures the tragic spirit of Dostoevsky's theodicy by saying:

> The tragedy of Dostoevsky, like all true tragedy, involves purification and release, those who are held by it in unescapable darkness, who accept only its misery, do not understand this. There is freeing of the spirit and joy to be had from reading Dostoevsky, the joy that one gets from suffering.[18]

---

16. Breger, *The Author as Psychoanalyst*, p. 11.
17. Mikhail Bakhtin, *Problems of Dostoevsky's Poetics* (Minneapolis, 1984), p. 17.
18. Nicholas Berdyaev, *Dostoievsky*, tr .by Donald Attwater (New York, 1974), p. 30.

11.

DOSTOEVSKIJ UND DIE LEHRTRADITION DER ORTHODOXEN KIRCHE (EIN NACHTRAG ZU DEN MILLENIUMFEIERN DER TAUFE DER RUŚ)

KONRAD ONASCH

Im Rahmen der zahlreichen Milleniumsfeiern der Taufe der Ruś hat auch eine kritische Würdigung des Werkes Dostoevskij's stattgefunden. Bekannt geworden sind mir die Ausführungen Ludolf Müllers (Tutzingen, Mai 1987), meine eigenen (Paris, Januar 1988) und die von Georges Nivat (Venedig und Rom, November 1988). Davon unabhängig und z.T. kontrovers möchte ich eine Übersicht der wichtigsten Probleme unter dem Thema "Dostoevskij und die Lehrtradition der orthodoxen Kirche" geben.[1]

Der Schlüsseltext für unsere Ausführungen findet sich im 16. Kapitel des *Tagebuches eines Schriftstellers* zum Jahre 1873 mit der Überschrift "Eine von den zeitgenössischen Verfälschungen" (*PSS*, XXI: 125–36 [134]). Dostoevskij weist darauf hin, daß er einer "russischen und gottesfürchtigen Familie" (*из семейства русского и благочестивого*) entstammt. Als Beweis hierfür nennt er regelmäßige Besuche der Moskauer Kathedrale, die Kenntnis des Evangeliums von frühester Kindheit an (*с первого детства*) und die Vermittlung der wichtigsten Episoden aus der russischen Geschichte Karamzins durch das allabendliche Vorlesen des Vaters. Abgesehen von der bekannten scharfen Kritik, die Dostoevskij damals, während seiner Petraševcen-Phase, an dieser Form der Frömmigkeit übte, ergibt eine kritische Betrachtung derselben eine ebenfalls zurückhaltende Bewertung. Da ist zunächst die Herkunft aus einer

1. Ludolf Müller, 'Die Begegnung und Auseinandersetzung von östlichem und westlichem Christentum im Leben und Werk Dostoevskijs, Tolstojs und Solov'evs', in *Tausend Jahre Christentum in Rußland. Zum Millennium der Taufe der Kiever Ruś*, Hrg. von Karl Christian Felmy *et al.*, Red. Wolfgang Heller (Göttingen, 1988), S. 201–14 (202–06); Georges Nivat, 'Il cristianesimo eterodosso non canonico die Dostoevskij', erscheint demnächst in den *Akten* des "Convegni 'Il Battesimo Delle Terre Russe – Bilancio DI Un Millennio", Roma e Venezia, 7–12 novembre 1988; Konrad Onasch, 'En quête d'une Orthodoxie alternative. Le Christ et L'Église dans l'œuvre de F.M. Dostoïevski', in *Mille ans de christianisme russe 988–1988. Actes du Colloque International de L'Université de Paris X–Nanterre 20–23 Janvier 1988* (Paris, 1989), S. 247–52.

russischen Familie. Der Dichter ist ohne Zweifel seinem geistigen Habitus nach ein orthodoxer Großrusse gewesen. Immerhin war sein Großvater noch ein unierter Priester in Podolien.[2] Die Dostoevskijs stammen bekanntlich aus Litauen, weshalb man allerdings Fedor Michailovič nicht zum litauischen Heiligen hochstilisieren sollte.[3] Nach seinen eigenen Aussagen hat Dostoevskij "von frühester Kindheit an" nicht das Evangelium selbst, sondern die *Hundertvier zum Gebrauch der Jugend zusammengestellten biblischen Historien des Alten und Neuen Testaments*, d.h. die Katechesen des deutschen protestantischen Theologen, Pädagogen und Aufklärers Johannes Hübner (1668–1731) als Lesefibel benutzt, ein Werk, das auch Saltykjov-Ščedrin und Leskov aus ihrer Kindheit kannten.[4] Auf der Ingenieursschule las Dostoevskij die *Stunden der Andacht* des leicht sentimental-aufgeklärten Schweizers Heinrich Zschokke (1771–1848). Über die Lektüre dieses Buches pflegte sich Fedor Michailovič auch mit seinem Seelsorger zu unterhalten.[5] Das *Neue Testament* hat Dostoevskij erst Mitte Januar 1850 in Tobolsk auf dem Wege in die Katorga von den Dekabristen erhalten.[6] Mit Marginalien versehen sollte es ihn, wie auch die Katechesen Hübners sein Leben lang begleiten. Schließlich noch einige Bemerkungen zu Karamzins bedeutenden historiographischem Werk. Es zeigt gegenüber den Lehren der orthodoxen Kirche, deren mehrhundertjährige Geschichte Karamzin wie kein anderer (und vor ihm nur Tatiščev) kannte, eine erstaunliche Unbekümmertheit.[7] Statt der zentralen kirchlichen Dogmen steht im Mittelpunkt seiner Darstellung und der Bewertung historischer Persönlichkeiten und Ereignisse das "человеколюбие". Wenn Karamzin z.B. die Vernichtung der "жидовствующие" mit deutlicher Mißbilligung verzeichnet,[8] dann sollte ihm Dostoevskij über ein Jahrhundert später in seiner Verurteilung der Inquisition und ihrer Autodafés folgen.[9]

Eine genaue Betrachtung des Textes von 1873 ergibt eine grundsätzliche und

---

2. K. Onasch, *Dostojewskij–Biographie* (Zürich, 1960), S. 125–36.
3. Zenta Maurina, *Dostojewskij. Menschengestalter und Gottsucher* (Memmingen, 1952).
4. K. Onasch, 'Dostoevskij's "Kinderglaube"', *Canadian-American Slavic Studies*, XII/3 (1978), S. 377–81.
5. A.I. Savel'ev, 'Vospominanija o F.M. Dostoevskom', in *F.M. Dostoevskij v vospominanijach sovremennikov* (Moskau, 1964), Bd. I, S. 97.
6. Geir Kjetsaa, *Dostoevsky and his New Testament* (Oslo, 1984).
7. Erich Brynner, *N.M. Karamzin. Eine kirchen- und frömmigkeitsgeschichtliche Studie* (Erlangen, 1974).
8. Ebenda, S. 184 f.
9. "Für mich gibt es nur ein sittliches Vorbild und Ideal, Christus. Ich frage: 'Hätte er Häretiker verbrannt, – nein. Also ist das Verbrennen von Häretikern eine unsittliche Handlung [*поступок безнравственный*]... Der Inquisitor ist alleine schon deshalb unsittlich, weil sich in seinem Herzen, in seinem Gewissen der Gedanke einnisten konnte, Menschen zu verbrennen sei notwendig [*что в сердце его, в совести его могла ужиться идея о необходимости сожигать людей*]'" — *Literaturnoe nasledstvo*, LXXXIII: 'Neizdannyi Dostoevskij. Zapisnye knižki i tetradi 1860–1881' (1971), S. 675.

über die Petraševcen-Phase hinausgehende kritische Einstellung des Dichters zu seiner Kirche, die sich als *Haltung einer laikalen Bildungsorthodoxie* zu erkennen gibt. Diese als unkanonisch, oder gar häretisch zu bezeichnen, würde das uns beschäftigende Problem in unzulässiger Weise simplifizieren. Wir können hier nicht auf die Geschichte des Verhältnisses der orthodoxen Kirche zu ihren Laien eingehen.[10] Im 19. Jahrhundert waren laikale Bewegungen eine gesamteuropäische Erscheinung. Der französische antiklerikale *laicisme* (Saint-Simon, Comte, Proudhon, Cabet u.a.) wie auch die gemäßigte bis konservative "*laicité*" (Chateaubriand, Lammenais u.a.) waren Dostoevskij bekannt und haben ihn lebenslang beschäftigt. Gemeinsamkeiten wie Unterschiede zeigen sich bei ihm zu bedeutenden russischen Laien wie Chomjakov, Kireevskij, Leskov, Tolstoj, Solov'ev u.a. Im Unterschied vor allem zu Tolstoj hat Dostoevskij durch alle Zweifel hindurch die Lehren seiner Kirche niemals ernsthaft und endgültig in Frage gestellt. Aber er hat sie in einer bemerkenswerten Poetisierung transformiert.

Wir möchten dieses in der Art und Weise aufzeigen, mit der Dostoevskij drei ausgewählte "essentials" der Kirchenlehre in seinem poetischen und nichtpoetischen Werk verarbeitet hat: 1) die Lehre von Christus (Christologie); 2) die Lehre von der Kirche (Ekklesiologie) und schließlich; 3) das Verständnis vom monastischen Leben.

- 1 -

Die göttliche Natur der Person Christi, wie sie das Dogma im Verhältnis zu seiner Menschlichkeit formuliert hat,[11] ist von Dostoevskij als einem gläubigen orthodoxen Christen niemals ernsthaft in Frage gestellt worden. Aus dem einsichtigen Grund, weil sie, die göttliche Natur, poetisch ineffektiv bleiben mußte. Daß sie nicht darstellbar sei, gehörte bereits zu den Axiomen der byzantinischen Bildertheologen. Wie für diese war auch für Dostoevskij vielmehr die Antwort auf die Frage reizvoll, was geschieht, wenn die göttliche in die menschliche Natur eingeht. Wir dürfen sagen, daß die Menschwerdung Christi, das "воплощение", für Dostoevskij von geradezu exklusiver Bedeutung gewesen ist. Zugleich eröffnet sich uns ein lebenslanger Prozeß, der in seiner gedanklichen und gestalterisch-schöpferischen Konsequenz und Geschlossenheit eindrucksvoll bleibt.

---

10. K. Onasch, 'Dostoevskij in der Tradition der russischen "Laientheologen"', *Dostoevsky Studies*, IV (1983), S. 113–24. Ferner: Ders., *Liturgie und Kunst der Ostkirche in Stichworten* (Leipzig, 1981; Wien–Köln–Graz 1981), Art. 'Laie', mit Lit.; *Wörterbuch des Christentums* (Gütersloh–Zürich, 1988), Art. 'Laie', 'Laienbewegung' (N. Mette), 'Laizismus' (I.W. Frank). S. auch Anm. 51.

11. Aus der Fülle der Literatur nenne ich hier die leserfreundlich geschriebene Darstellung von Jaroslav Pelikan, *The Christian Tradition: A History of the Development of Doctrine* (Chicago–London, 1972–74), Bd. I und II.

Auf deutliche Hinweise einer intensiven Beschäftigung mit diesem Thema stoßen wir kurz von der Katorga in der *Wirtin*.[12] Das "alter ego" des Dichters, Ordynov, schwankt "in unschöpferischen Minuten" zwischen dem Anspruch der Dichtung und dem einer historisch-wissenschaftlich verstandenen Kirchenlehre, einer Kirchengeschichte. Während ihn seine Leidenschaft zur "наука" menschenscheu und unpraktisch werden läßt, spürt er in sich die Kräfte der "Originalität, Wahrheit und Selbständigkeit" (*оригинальность, истина и самобытность*) schließlich den Sieg davontragen. Durch allen Mystizismus hindurch ist Dostoevskij/Ordynov überzeugt, "eine ganzheitliche, originale, selbständige Idee [*целая, оригинальная, самобытная идея*] zu verwirklichen, als ein Künstler in der Wissenschaft [*художник в науке*] ausersehen zu sein [*суждено*]" (*PSS*, I: 266, 318).[13] Nachdem Dostoevskij in der Katorga im *Neuen Testament* die Person Christi als Ideal und den Tscherkessen Alei als seine Verkörperung erlebt hat, kommt er im "символ веры" (Brief an Frau Fonvisina, Februar 1854; *PSS*, XXVIII: 176[457 ff.]), noch einmal und wie ich meine, in gedanklichem Anschluß an die *Wirtin* auf das ihn bedrängende Problem zu sprechen: Wiederum stehen sich zwei Gegensätze gegenüber; die durch Amplifikation menschlicher Tugenden vorstellbare Idealschönheit Christi und die "истина". Oder, mit den Worten aus der *Wirtin*, "das wunderbare lichte Bild einer zu neuer erleuchteter Form sich verkörpernden Idee" (*образ идеи, воплощенной в новую, просветленную форму*), [das, was Dostoevskij etwas später im johanneischen Begriff der "живая жизнь" verstand,] und die "истина", gegen die sich der Dichter selbst im Falle des Irrtums Christi und für ihn entscheiden würde. Nochmals, unter der Annahme einer gedanklichen Verbindung zwischen der *Wirtin* und dem "символ веры" steht auch der anderen nichts entgegen, daß *an dieser Stelle*[14] unter "истина" die "наука", die abstrakte

---

12. Vgl. R. Neuhäuser, '"The Landlady": A New Interpretation', *Canadian Slavonic Papers*, X/1 (1968), S. 42–67; R. Neuhäuser, *Das Frühwerk Dostoevskijs. Literarische Tradition und gesellschaftlicher Anspruch* (Heidelberg, 1979), S. 176–89.

13. Im Fiebertraum Ordynovs (I,2) spielt das 'воплощение' von 'körperlosen Ideen' ('он мыслил не бесплотными идеями') eine wichtige Rolle. Vgl. auch K. Onasch, 'Funktion und Motivation von "voploščenie" im Werk Dostoevskijs', in *Dostoevskij und die Literatur. Vorträge zum 100. Todestag des Dichters auf der 3. internationalen Tagung des Slavenkomitees in München 12.–14. Oktober 1981*, Hrg. von Hans Rothe (Köln–Wien, 1983), S. 173–87.

14. Derselbe Gedanke in den *Dämonen*, Bd. II, 1,7 (*PSS*, X: 198). Vgl. Joseph Frank, *Dostoevsky: The Years of Ordeal 1850–1859* (Princeton, 1983), S. 159–62. Zu "istina" und "pravda" vgl. wenn auch nicht erschöpfend, A. Boyce Gibson, *The Religion of Dostoevsky* (London, 1973), S. 22–25. Zur pointierten Ausage Dostoevskijs vgl. Art. 'Istina' im *Polnyj Pravoslavnyj Enciklopedičeskij Slovar'* (1913; London, Variorum Reprints, 1971), Bd. I, S. 978. Danach ist der Gegensatz der *istina* die Lüge, die in der Leugnung Gottes (*отрицание бога*) besteht. "Die Hinwendung zu Christus ist deshalb istina, die Abwendung Lüge, Irrtum und Sünde' (*Стремление к Христу есть поэтому истина, отклонение-ложь, заблуждение и грех*). Wenn Dostoevskij sich möglicherweise mit der Eingangsdefinition (istina: im subjektivem Verständnis: die

historische fixierte Kirchenlehre von Dostoevskij gemeint worden ist. Ihr steht die lebendige Wahrheit der Schönheit Christi gegenüber. Oder um eine Formulierung Wolfgang Kaysers zu gebrauchen: "Die Wahrheit des Schönen hat einen anderen Logos als die Wahrheit eines Satzes oder einer Lehre".[15]

Nach dem in der *Wirtin* sich ankündigenden und im "символ веры" erfolgten Durchbruch einer Entscheidungskrise zwischen "Dichtung und Wahrheit" läßt sich die weitere Entwicklung dieses Ansatzes deutlich verfolgen. Die gedankliche Verarbeitung geschah in den *Winterlichen Anmerkungen zu Sommereindrücken* (*Zimnie zametki o letnich vpečatlenijach*) von Februar/März 1863 (*PSS*, V: 46–98), den "Aufzeichungen an der Bahre" ("Maša ležit na stole") vom 16. April 1864,[16] und den Notizen zum Thema "Sozialismus und Christentum" ("Socializm i christianstvo") vom Herbst 1864.[17] Kurz gefaßt ergibt sich folgendes Bild. In "Aufzeichungen an der Bahre" heißt es u.a.: "Erstaunlich ist die synthetische Natur Christi. Handelt es sich doch um die göttliche Natur, d.h. Christus ist ein Reflex Gottes auf Erden" (*Синтетическая натура Христа, изумительна. Ведь это натура бога, значит Христос есть отражение бога на земле*).[18] Aus den oben genannten Gründen stehen nicht die christologischen Hoheitsprädikate der dogmatischen Christologie im Mittelpunkt seiner Erwägungen, sondern "die Epiphanie Christi als *Ideal des Menschen im Fleisch*" (*появление Христа, как идеала человека во*

Gesamtheit von widerspruchslosen Vorstellungen objektiv: das Verhältnis von Gedanklichem und tatsächlichem [*соотношение между мыслимым и действительным*]) einverstanden erklärt hätte, ist der Gegensatz zwischen ihm und der zweiten Formulierung kaum zu überbieten. Dostoevskij steht hier in großer Nähe zu Chomjakov und Kireevskij. Zur Problematik des Ganzen vgl. Joachim Matthes, *Religion und Gesellschaft. Einführung in die Religionssoziologie* (Hamburg, 1969), Bd. I, S. 34–35: "Die Klerikerkultur mit ihrer systemhaft-institutionalistischen Orientierung vermag mangels geschichtlicher Dimensioniertheit ihres Denkens die Entwicklung der Laienkultur nicht mehr als Moment der Christentumsgeschichte, sondern nur noch als fortschreitenden Abfall von ihm zu erfassen. Insbesondere aber versteht sie die historisierende Relativierung ihrer selbst durch die Laienkultur nicht mehr und rubriziert die Laienkultur, ihre Motive und Stile, als säkularistisch. Die Stigmatisierung alles Säkularen ist ein Erzeugnis des Monopolanspruchs der institutionalistischen Klerikerkultur auf Repräsentation des Christlichen, während die Laienkultur bis in die moderne europäische Geschichte hinein in vielfältigen historisch-gesellschaftlichen Formen einen mühevollen und oft genug verzweifelten Kampf um ihren Platz in der Christentumsgeschichte führt...". Man kann diesen Dualismus mit Jurij M. Lotman – *Kunst als Sprache, Untersuchungen zum Zeichencharakter von Literatur und Kunst*, hg. von Klaus Städtke (Leipzig, 1981) – auch als unbarmherzigen Kampf der Systeme um das Informationsmonopol begreifen. Ein Kampf, in dessen Verlauf die semantischen Struktur eines hierarchisierten Kulturtypus' durch eine syntaktische ersetzt wurde.

15. *Die Wahrheit der Dichter* (Hamburg, 1959), S. 55.
16. *Literaturnoe nasledstvo*, LXXXIII (1971), S. 173–75.
17. Ebenda, S. 246–48.
18. Ebenda, S. 174.

плоти).[19] Im Gegensatz zu einem gewissen Ästhetizismus im "символ веры" folgt aus dieser Epiphanie das, was man mit einem Karsamstagshymnus die *krasota dobrotoju*, die "Schönheit aus sittlicher Güte"[20] bezeichnen darf. Indem die menschliche Komponente der "synthetischen Natur Christi" den konkreten Menschen zum "Gesetz des Humanismus" (*закон гуманизма*)[21] verpflichtet, heißt es in den *Winterlichen Anmerkungen*:

> ... das aus dem freien Willen [*самовольное*] kommende, vollkommen bewußte und durch niemandem und nichts erzwungene Opfer seiner selbst [*самопожертвование*] zum Nutzen aller ist meiner Meinung nach das Zeichen der höchsten Entwicklung einer Persönlichkeit [*признак высочайшего развития личности*], ihrer höchsten Möglichkeiten, ihrer letztmöglichen Selbstüberwindung [*высочайшего самообладания*], des höchsten Maßes an Freiheit des persönlichen Willens [*высочайшей свободы собственной воли*] (*PSS*, V: 79).

Ein bedeutsamer Text, auf den wir alsbald zu sprechen kommen werden. Diese Gedanken werden weiter verfolgt und vertieft im Brief Dostoevskij's an seine Nichte Sofja Ivanova vom 1. Januar 1868, wobei der Dichter selbst sagt, er habe mit dem Roman (gemeint ist *Der Idiot*) ein altes Lieblingsthema wieder aufgenommen (*PSS*, XXVIII: 249–53{251}). Der Entwurf einer "positiv schönen Persönlichkeit" (*положительно прекрасное лицо*) hat zur Voraussetzung das, im Johannes-Evangelium verkündigte, einzige Wunder Christi, das "allein in der Inkarnation [*воплощение*], allein im Erscheinen des Schönen [*появление прекрасного*] stattfand".[22]

Verfolgen wir an diesem Gedankenkanon seine analoge Umsetzung in das schöpferisch-dichterische Werk, dann ergibt sich folgender Einblick: Zwischen dem Erscheinen der *Winterlichen Anmerkungen* Februar/März 1863, den Notizen "Aufzeichnungen an der Bahre" am 16. April 1864 sowie den Notizen zum Thema "Sozialismus und Christentum" im Herbst 1864 beginnen im März desselben Jahres die *Aufzeichnungen aus dem Untergrund* (*Zapiski iz podpol'ja*) zu erscheinen. Sie reflektieren deutlich auf die in den *Winterlichen Anmerkungen* fixierten Gedanken und nehmen vieles vorweg, was in "Aufzeichnungen an der Bahre" und "Sozialismus und Christentum" zu lesen steht. Was das letztere anbetrifft, vor allem die tiefe, in den "Untergrundaufzeichnungen" sich äußernde Skepsis hinsichtlich der Realisierung des Christentums in dieser Zeit. In den *Aufzeichnungen aus dem Untergrund* konkretisiert sich, entsprechend dem paradoxalen Gesamtentwurf, die "Epiphanie Christi als Ideal des Menschen im Fleisch", in der Prostituierten Liza. Der leberkranke Solipizist verfehlt in ihr die "живая жизнь", als deren Personfikation Liza proklamiert wird (*PSS*, V: 176). Genauso verliert in der Epoche der Zivilisation und des Überganges der

---

19. Ebenda, S. 173.
20. 'Krasnyj dobrotoju pače vsěchr čelověkr jako bezračnr javlajętsję, estestvo urkasivyj vsěch', *Velikij sbornik* (Praha, 1950), S. 794.
21. *Literaturnoe nasledstvo*, LXXXIII (1971), S. 173.
22. Zu "воплощение" vgl. Anm. 14.

Mensch die "Quellen des lebendigen Lebens" (*теряет источник живой жизни*), Christus, wie es in "Sozialismus und Christentum" heißt.[23] Im Gegensatz zu dieser "via negationis" gelangt Rodion Raskolnikov in *Verbrechen und Strafe* "per viam affirmationis" in der Person der Prostituierten Sonja zur "vollständigen Wiedergeburt zu einem neuen Leben" [*полного воскресения в новую жизнь*]. Mit Rodion beginnt die "Geschichte der allmählichen Erneuerung eines Men-schen" (*история постепенного обновления человека*; *PSS*, VI: 421). Die erste Darstellung einer "synthetischen Persönlichkeit" im Sinne der Texte der 60er Jahre gelang Dostoevskij in der Gestalt des "князь Христос" Myškin im Roman *Der Idiot*. Warum aber war der Dichter nach Vollendung des Romanes mit diesem "положительно прекрасное лицо" "bis zum Ekel überdrüssig"? (*PSS*, XXVIII/2: 310).[24] Es gibt dafür m.E. eine überzeugende Erklärung: Diese Gestalt entsprach nicht den Vorstellungen von der "Freiheit des persönlichen Willens" im Selbstopfer der Persönlichkeit, weil Myškin wegen seiner Krankheit diesen freien Willen gar nicht entfalten konnte. Kontraproduktiv, "per viam affirmationis", baut Dostoevskij nun eine Figur auf, die den gedanklichen Maximen der 60er Jahre voll entspricht: Aleša Karamazov.[25] "Aus der Entwicklungsfülle seines Ichs" (*из полноты развития своего Я*), wie es in "Aufzeichnungen an der Bahre" hieß,[26] und nicht aus der Perspektive eines Kranken Utopisten wird Aleša zur Realinkarnation der "krasota dobrotoju". Damit ist die Leistung der Gestalt Myškin's keineswegs desavouiert, sie erhält nur im Œuvre Dostoevskij's ihren gebührenden Platz. Wie intensiv übrigens Dostoevskij dem Ideal der "krasota dobrotoju" verpflichtet gewesen ist, ersieht man aus der Krise, in die er beim Betrachten des "Toten Christus auf der Bahre" von Holbein d.J. im Basler Museum am 12. August 1867 geriet.[27] Im Westen durchaus bekannt, gibt dagegen die orthodoxe Kirche auf Grund der Lehre von der Aphtharsie des Leibes Christi und der "krasota dobrotoju" den toten Christus immer auch als den schönen Christus wieder. Die Transformation dieser Kirchenlehre ins Ästhetisch-Poetische kann man gerade in Roman *Der Idiot* deutlich verfolgen. Im "Memento. Für das ganze Leben" vom 24. Dezember 1877[28] spricht der Dichter von einem Buch über Jesus Christus, das er schreiben will, um zu zeigen, daß er

> das Wunder der Geschichte ist, und die Erscheinung eines derartigen Ideals in der

---

23. *Literaturnoe nasledstvo*, LXXXIII (1971), S. 248.
24. Brief an Majkov von 21. Juli / 2. August 1868.
25. Zur Wandlung Myškin/Aleša s. Victor Terras, *A Karamazov Companion. Commentary on the Genesis, Language, and Style of Dostoevsky's Novel* (Madison, 1981), Reg.: Karamazov, Aleksei Fiodorovich. Das Material zusammengestellt bei Onasch, *Dostoewskij-Biographie*, S. 109–25. Ders., *Der verschwiegene Christus. Versuch über die Poetisierung des Christentums in der Dichtung F.M. Dostoewskijs* (Berlin, 1976), S. 179–82.
26. *Literaturnoe nasledstvo*, LXXXIII (1971), S. 173.
27. Onasch, *Dostoewskij-Biographie*, S. 110.
28. Vgl. Igor Smolitsch, *Geschichte der russischen Kirche 1700–1917* (Leiden, 1964).

> Menschheit, in dieser schmutzigen und niederträchtigen Menschheit, ist ein noch größeres Wunder. Ich möchte ferner beweisen, daß von diesem sittlichen Bilde Christi die ganze Menschheit wie ein Baum von seinen Wurzeln gelebt hat und noch hunderte von Jahre leben wird.

Daß dieser Plan in dem von uns aufgezeigten gedanklichen Zusammenhang steht, kann kein Zweifel sein. Das "Poem vom Großinqisitor" läßt die Konturen dieses Romans erahnen.

– 2 –

Die orthodoxe Kirche versteht sich als hierarchisch gegliederte und heilsvermittelnde Institution und zugleich als Leib Christi. Vom ersten Teil dieser Lehre ist bei Dostoevskij nur in bestimmter Weise, vom zweiten in einer ebenso bestimmten Metaphorik die Rede. Aus der kirchlichen Hierarchie begegnet uns im Kap. 8 "Bei Tichon" in den Teufeln der Archierej Tichon. Er dürfte kaum dem Realtypus eines "vladyka-despotes" des 19. Jahrhunderts entsprechen. Vielmehr haben wir es mit einem Idealtypus zu tun, den sich der Laie Dostoevskij von einem Archierej nach dem Vorbild Tichon von Zadonsk gemacht hat.[29] Es ist bezeichnend, daß Tichon Stavrogin nicht die üblichen Epitimien auferlegt, sondern ihn zu einem "отшельник и схимник" schicken will, zu einem Starken-Beichtvater, zu dem der orthodoxe Gläubige "aus der höchsten Freiheit seines eigenen Willens" (*из высочайшей свободы собственной воли*) geht, wie es in den *Winterlichen Anmerkungen* hieß, im Gegensatz zur regelmäßigen Beicht*pflicht* im entsprechenden Institut der Kirche. Zur unteren Stufe der kirchlichen Hierarchie gehört der Priester am Sterbelager Marmeladov's in *Verbrechen und Strafe*. Er tut nur seine Pflicht, aber gerade darin erscheint er in einer gewissen Hilflosigkeit. Marmeladov stirbt in den Armen Sonja's, der Tochter und Prostituierten, der eigentlichen "anima candida religiosa" des Romangeschehens mit den Zügen einer russischen *Юродивая*. Sie ist es, die Rodion ohne einen Beichtvater und noch vor dem Untersuchungsrichter mit Hilfe einer typisch Dostoevskij'schen Interpretation der Lazarusgeschichte aus Joh. 11 zum Geständnis seines Verbrechens führt.

Es liegt in der inneren Logik der hier skizzierten Ideenentwicklung, wenn Dostoevskij auch die Lehre von der Kirche als dem Leibe Christi in Verbindung mit seiner zentralen Vorstellung von Christus als dem "Ideal des Menschen im Fleisch" entsprechend poetisierte. Im Juni 1878 auf der Fahrt nach Optina Pustyn' entwickelt er gegenüber Vladimir Solov'ev den Gedanken vom "чрезвоплощение" der "истина" und des Lebens Christi in Staat und Gesellschaft, von der "Vergeistigung" (*обдухотворение*) des sittlichen Niveaus der Kirche in ihnen. Dem Ideal des "положительно прекрасное лицо" entspricht die Kirche als "positives gesellschaftliches Ideal" (*положительный обществен-*

29. Terras, *A Karamazov Companion*, Reg.: Tikhon of Zadonsk.

ный идеал).[30] In dem *Brüdern Karamazov* wird der Starec Zosima von der "völligen Gestaltwandlung aus der Gesellschaft in die eine ökumenische und geistlich gebietende Kirche" (*полное преображение из общества ... во едину вселенскую и владычествующую церковь*; *PSS*, XIV: 61) sprechen.

Dostoevskij läßt seinen Starec die Verwirklichung dieses Ideals in ferner Zukunft sein, die aber möglicherweise kurz bevorsteht. Denn es ist fraglich, ob Dostoevskij mit den anderen Vertretern der russischen "laicité" eine solche Leistung der Kirche seiner Epoche zugetraut hat. Er entwirft vielmehr die Vision einer alternativen Kirche. Um diese Vision ins dichterische Werk umzusetzen, verwendet der Dichter einen Figurenkomplex, der ihn seit "Netočka Nezvanova" und dem "Kleinen Helden" beschäftigt hat, die Gestalt des heranwachsenden, jungen Menschen, des "подросток". Im gleichnamigen Roman von 1875 als individuelle Erscheinung durchgespielt, als Begleiter des "князь Христос" Myškin unübersehbar, wird der Typus des "подросток" in den *Brüdern Karamazov* von entscheidender Bedeutung. Am 21. Juli 1878 schreibt Dostoevskij an Grigor'ev über die russische Jugend seiner Zeit: "Sie sucht die pravda mit der Kühnheit des russischen Herzens und Verstandes, sie hat nur ihre Führer verloren" (*PSS*, XXX: 41). Einen solchen "фуководитель" hat Dostoevskij in der Gestalt des Aleša Karamazov gefunden. Nach den Pochorony für Iljušečka versammelt Aleša in deutlicher Anspielung an das Felswort aus Matth. 16, 18 in seiner "речь и камня" die neue, verjüngte Kirche um sich, die aus der alten auferstehen wird, wie Iljušečka aus dem Grabe. Und so wie Petrus in Rom der erste Märtyrer seiner Kirche gewesen ist, sollte Aleša nach einem mündlichen Romanentwurf[31] auf der Suche nach der pravda (wie im Brief an Grigor'ev) als Revolutionär hingerichtet und Märtyrer für seine Ideale der Menschenliebe geworden sein. In der Schilderung der Versammlung der "jungen Kirche" um Aleša im Epilog sind laikale Tendenzen mit Händen zu greifen. Es wird nicht nur eine noch harmlose Kritik an der Durchführung der Epistellesung und des Cheruvim-Gesanges geübt. Sie erstreckt sich auch auf die damals reiche Okladausstattung der Ikone. Es heißt dort: "Viele Ikonen waren überhaupt ohne jeden Oklad [*без окладов*], aber in solchen Kirchen betet man irgendwie besser [*но в таких церквах как-то лучше молишься*]" (*PSS*, XV: 192).[32]

Indessen: Dostoevskij bleibt bei diesen Dingen nicht stehen. Wie die Laien

---

30. Onasch, *Dostoewskij-Biographie*, S. 115–16.
31. Ebenda, S. 125.
32. Jostein Børtnes, *Visions of Glory. Studies in Early Russian Hagiography*, English trans. by Jostein Børtnes and Paul L. Nielsen (Oslo, 1988), S. 280: "Aleša ... represents the regenerative force in this drama. In the last chapter we meet him as he is about to found a new order among the schoolmates of the dead Iljušečka, a society of the future... In *The Brothers Karamazov*, Dostoevsky has burst the conventions of the realistic novel. In his effort to express a vision of the *new society* he has revived codes that may be traced back to old Russian hagiography and early Christian passion literature. By means of these codes he created his own version of the *mythical novel*".

aller Zeiten stellt auch er eine Frage an seine Kirche, die sie in ihrem Selbstverständnis treffen mußte: Die Frage nach ihrer Identität mit Christus: im "Poem von Großinqisitor".[33] Dieses Poem stellt, fast schon im Sinne moderner Religionssoziologie, eine tiefgreifende laikale Kritik dar an der hierarchisch-autoritären Vertikalstruktur der "духовная власть" wie jeder anderen "власть" die die sittliche Schönheit der Menschen zerstört, mit dem Wunsch ihrer Überwindung durch eine partnerschaftlich-dialogische Horizontalstruktur[34] "per viam negationis" durch den schweigenden Christus dargestellt. Als sich die russische Kirche nach 900 Jahren Christentum in Rußland zum ersten Mal einem solchen Dialog mit ihren Laien stellte in den "Petersburger religionsphilosophischen Versammlungen" von 1902–03,[35] gehörte Dostoevskij zu den heimlichen Initiatoren dieser bemerkenswerten Veranstaltung.

In seinen Notizen der Jahre 1876–77 hat Dostoevskij eine bemerkenswerte Definition von Orthodoxie gegeben:

> Ich definiere Orthodoxie nicht als mystischen Glauben, sondern als Menschenliebe und darüber bin ich froh [*Я праволсавие определяю не мистической верой, а человеколюби{ем}и этому радуюсь*] ... das Element des Glaubens besteht im lebendigen Leben [*в живой жизни*], ist innere Würde [*честь*], das Gewissen [*совесть*], Menschenliebe [*человеколюбие*] und als Quelle von allem [*источник всего*], Christus. Haben Sie etwas besseres als Christus?[36]

Und 1880–81 findet sich die Notiz: "Daß Christus geirrt habe, wäre zu beweisen. Aber dieses brennende Gefühl sagt mir: besser, ich bleibe beim Irrtum, bei Christus [*лучше я останусь с ошибкой, с Христом*]".[37] Womit sich der Gedankenkreis mit dem "символ веры" von 1854 schließt.

– 3 –

Die Schilderung des kionobitischen russischen Mönchtums in den *Brüdern Karamazov* geschieht vor dem leuchtenden Hintergrund des nichtinstitutionalisierten Starcentums.[38] Die nach dem Vorbild des Tichon von Zadonsk

33. Vgl.: Fjodor M. Dostojewskij, *Der Großinquisitor*, Übersetzt von Marliese Ackermann, hrg. und erläutert von Ludolf Müller (München, 1985).
34. Unabhängig von einander und aus anderer Sicht hat Louis Allain in seinem Aufsatz: 'Poétique et politique chez Dostoevskij', *Revue des Études slaves*, LIII/2 (1981), S. 169–77 auf die *société verticale* mit ihrem monarchischen Prinzip aufmerksam gemacht, und die *société horizontale* mit ihrem nicht nur anarchischen Prinzip, sondern auch als "sa variante positive, quasi utopique, de société-église, d'égalité effective contre tous les hommes", und schließlich die *société des personnages*, "elle s'ouvre sur l'infini, sur l'éternel".
35. Jutta Scherrer, *Die Petersburger Religiös-Philosophische Vereinigungen* (Berlin–Wiesbaden, 1973).
36. *Literaturnoe nasledstvo*, LXXXIII (1971), S. 563, 565.
37. Ebenda, S. 676.
38. Igor Smolitsch, *Leben und Lehre der Starzen* (Köln–Olten, 1952); Tomas Spidlik, *Les Grands mystiques russes* (Paris, 1979). Vgl. die Bemerkung bei Jacques Catteau, *La Création littéraire chez Dostoïevski* (Paris, 1978) S. 483: "... que l'âge d'or ne devienne

entworfene Gestalt Zosima's (der in seiner Kindheit ebenfalls die biblischen Historien Hübners gekannt hat) bildet zusammen mit Aleša's alternativer Kirche das ideale Modell eines alternativen Mönchtums, besser einer alternativen d.h. in der Welt praktizierten Askese. Ganz im Sinne der Notizen von 1876–77 begibt sich Aleša nicht als Mystiker oder Schwärmer unter den Gehorsam des Starcen, sondern in einem Akt, der "vollkommene Freiheit, d.h. der Freiheit von sich selbst [*совершенная свобода, то есть свобода от себя*]" bedeutet (*PSS*, XIV: 26). Aus dieser Grundeinstellung ergibt sich auch Aleša's Verständnis vom Wunder als Realist im Glauben, der sich im Ausfall des Wunders der Unverweslichkeit am Leichnam Zosimas bewähren muß. Wenn es I,1,5 heißt, daß ein solcher Realist "schon glaubt, wenn er nur zu glauben wünscht [*что желал уверовать и, может быть, уже веровал*]" (*PSS*, XIV: 25), dann demonstriert das Dostoevskij in einer für ihn typischen metaphorischen Interpretation des Johannes-Evangeliums, einer Interpretation die ausgesprochen laikal ist. Im Kap. "Kana in Galiläa" (III,7,4) vollzieht sich das Wunder nicht am Leichnam Zosimas, sondern an Aleša, der, neugeboren, den "Wein neuer, großer Freude [*вино радости новой, великой*]" genießt, seine Hochzeit mit der ihn nie mehr verlassenden Idee der Menschenliebe feiert[39] und deshalb das Kloster verläßt. So wie es in *Verbrechen und Strafe* bei der Verlesung von Joh. 11 durch Sonja nicht auf die Faktizität des Wunders der Auferweckung des Lazarus ankommt, sondern auf die des "lebenden Leichnams" Rodion Raskolnikov, d.h. seine sittliche Erneuerung. In diesem Sinne ist auch das Motto der *Brüder Karamazov* aus Joh. 12, 24 zu verstehen. Im übrigen: das einzige Wunder Christi für Dostoevskij ist seine "Epiphanie als Ideal des Menschen im Fleisch".[40]

---

qu'une variante de l'autre idéal exprimé par Dostoevskij et ses starcy: l'instauration d'une véritable Êglise fraternelle sur terre". Zu Zosima s. die eindringende Arbeit von Sven Linnér, *Starets Zosima in The Brothers Karamazov. A Study in the Mimesis of Virtue* (Stockholm, 1981). Zum Ausfall des Wunders der Unverweslichkeit s. S. 174–77, 194 ff., eine der besten, mir bekannt gewordenen Interpretationen.

39. Vgl. auch Terras (Anm. 32), S. 274, der auf den Zusammenhang zwischen Joh. 2,1–10 un der Hochzeit des Lammes in Offenb. 19,9 hinweist, "Nuptial symbolism was widespread in eighteenth-century pietism and is prominent in Tikhon of Zadonsk".

40. Ich habe mich bemüht, Dostoevskij durch Dostoevskij zu interpretieren. Gedankliche Beziehungen zu westlichen laikalen Vertretern und Kritikern der Kirche und ihrer Lehre wie Rousseau, Voltaire, Renan, Feuerbach, aber auch Theologen wie Herder, Strauß u.a. konnten im Rahmen dieses Vortrages nicht mehr aufgezeigt werden, vgl. meinen Anm. 14 erwähnten Aufsatz, sowie Reg. unter den betreffenden Namen in den Beiträgen der anderen Autoren.
    Für die *Brüder Karamazov* vgl. Terras (Anm. 32), Reg. In diesem Zusammenhang sollte auf zwei ältere Arbeiten hingewiesen werden: Ludolf Müller, 'Der Einfluß des liberalen Protestantismus auf die russische Laientheologie des 19. Jahrhunderts', in *Kirche im Osten*, 3. Bd. (Stuttgart, 1960) und Martin Doerne, *Gott und Mensch in Dostojewskijs Werk* (Göttingen, 1962).

Ich darf diese, den Problemreichtum unseres Themas keineswegs erschöpfende Übersicht zusammenfassen:

1) Die christlichen Inhalte im Werk Dostoevskijs reflektieren die laikale Frömmigkeit der zeitgenössischen Bildungsorthodoxie und nur sehr indirekt die offizielle Lehre der orthodoxen Kirche. Der Christus Dostoevskij's ist eine sehr persönliche Gestalt des Dichters und nicht ohne weiteres mit dem Christus der Kirchenlehre zu identifizieren.[41] Statt der Kirche als institutionalisierter Heilanstalt bietet Dostoevskij – unerhört aktuell im 20. Jahrhundert! – die universale, entkonfessionalisierte Gemeinschaft einer am Ideal Christi sich orientierenden Menschenliebe an.
2) Wie Dostoevskij seine religiösen Gestalten in diesem Zusammenhang verstanden wissen wollte, hat er in einem Brief an Konstantin Pobedonoscev vom 24. August / 5. September 1879 deutlich gemacht (*PSS*, XXX: 122). Danach sollen sie ihre Antwort an den Leser nicht direkt (*не прямой*), nicht Punkt für Punkt (*не по пунктам*), sondern eher indirekt (*лишь косвенной*) geben, d.h. nach Art eines künstlerischen Gemäldes (*в художественной картине*).[42] Daraus folgt
3) Wie jede Dichtung von Bedeutung und gerade religiösen, christlichen Inhalten besitzt auch die Dostoevskijs einen persuasiven und keinen lehrhaften Charakter. Anders gesagt: Je weniger sich in seinen Romanen dogmatische Determinanden bemerkbar machen, um so überzeugender sind ihre Inhalte. Denn die "истина" der Dichtung hat eine andere Struktur als die der Lehre.

---

41. Vgl. Louis Allain, *Dostoïevski et Dieu. La morsure du divin* (Lille, 1982) S.101: "Il existe une sorte de mystère personnel entre Dostoïevski et le Christ qui n'est sans doute pas exempt d'une certaine ambiguïté. Nul n'entre jamais, au demeurant, tel quel dans l'univers de Fiodor Mikhaïlovitch: le Christ n'a pas échappé à cette règle et il est lui-même devenu un personnage de Dostoïevski à mesure que Dostoïevski. Fiodor Mikhaïlovitch aurait pu dire 'mon Christ', comme il a dit 'mon Nétchaïev'... En un sens le Christ devient Dostoïevski à mesure que Dostoïevski s'identifie au Christ". Schon Romano Guardini, *Religiöse Gestalten in Dostoevskijs Werk* (München, 1947), S. 241 über Myškin: "Dieser Mensch, an welchem die heilige Wirklichkeit ... deutlich wird – wie steht er zu Gott? Wie zu sich selbst? Zu den Menschen?... Hier fühlt man etwas Rätselhaftes".
42. Wenn auch nicht in einer Reihe von Einzelheiten, so doch im Gesamtentwurf befinde ich mich im Gegensatz zu Reinhard Lauth, 'Ich habe die Wahrheit gesehen', in *Die Philosophie Dostojewskijs. In systematischer Darstellung* (München, 1950). Über Wert und Bedeutung dieser Arbeit innerhalb der Dostoevskij–Forschung braucht hier kein Wort verloren werden.

12.

"ТЕАТР" ДОСТОЕВСКОГО И РАЗМЫШЛЕНИЯ ПАВЛА ФЛОРЕНСКОГО О РУССКОЙ ИКОНЕ

ГАЛИНА ХАЛАЦИНЬСКА-ВЕРТЕЛЯК

Проблема сходства и также значимых разниц между двумя явлениями культуры не касается здесь возможных в художественной действительности Достоевского "цитат" происходяших из мира иконы в таком ее синтетическом понимании, какое фиксируется сейчас, главным образом благодаря интерпретации отца Павла Флоренского. Все наше внимание концентрируется на попытке найти внутренние параметры (феномена православной иконы и "театра" автора *Идиота*),[1] определяющие, если использовать тут меткое выражение Селезнева, – общий обоим явлениям – генотип мышления. Здесь, уточним, интуитивное мышление, или, как скажет Флоренский, "мышления сердцем", когда чрезмерно расширяются возможности человеческого познания.

Надеемся, что такая исследовательская позиция раскроет параллели между самым глубоким содержанием антропологии "театра" Достоевского и смысловым контекстом места человека-личности в теологии русского православия.

Имманентная энергия сюжетных текстов автора *Бесов* переходит каждый раз границы эпического сформирования, благодаря театральной потенции, которая определяется в функции импульса находящегося у основ произведения Достоевского. Поэтому идея партнерства в ее самом широком понимании, то есть как включающая идею соучастия-коммунии в форме предпочитаемой представителями Великой театральной реформы[2] – не столько конкретизируется

1. Ю. Селезнев, *В мире Достоевского* (Москва, 1980).
2. "Театр" Достоевского понимается здесь как идея потенция лежащая у основ произведения автора *Бесов* и определяющая его эстетическую сущность. Это модель театра выработанная Великой театральной реформой опровергающая концепцию реалистического мещанского театра II половины XIX века, современного Достоевскому и - в основных принципах художественного мышления - разходящегося с творчеством русского писателя. Факт этот в

вербально, сколько обнаруживается в намеренном послании этой этико-театральной действительности. Кроме явных здесь соотношений "актер-зритель", учитывающих замену обоих статусов и раскрывающихся самой сюжетной реализацией эпизодов-спектаклей, существенным тут оказываются другие категории организующие "театральную" сферу значений.

Идея субъектности с центральным в ней контекстом созидателя-аниматора и одновременно наблюдаемое за происходящим, а также – с контекстом Зрителя вне текста раскрывает смысл и цель функционирования этого "театрального" послания. Спектакли реализующиеся в тексте романов Достоевского, и идущие на убыль, на самоисчезновение скрывают – противоположную своей иссякающей энергии – целеустремленную, динамическую силу. Она в целом направлена на достижение предела того Театрального Космоса, в шарообразном хронотопе которого Зрителя (внетекстовый) – после катарсистского сотрясения и с позиции интеллектуальной дистанции – объединит в один универсальный смысловой масштаб все разъединенные друг от друга значения: фрагментарные и кратковременные. Так понимаемое возрождение Зрителя и театра Достоевского открывает наиболее фундаментальную функцию иконы: восстановление Целого, тотальности и общности мира.

Как говорит Владимир Панас – восстановление (мира) до его "падения в семиотику", назначенного первородным грехом, грехом дифференциации, который совершили первые родители в рае, является до сих пор тотальностью не знающей деления.[3]

Неоппозиционное единство иконы кодирует однако потенциальную двойственность этого Целостного и как таковое содержит – в глубоко скрытой потенции – аспект различия добра и зла появившийся после первого падения.

По принципу оборотной аналогии икона ассоциируется здесь с теми экзистенциальными театральными ценностями в мире Достоев-

---

определенной степени выясняет отсутствие сценических произведений в творчестве русского классика. Одновременно романы Достоевского наблюдаемые с перспективы достижений. Реформы открывают, прежде всего, имманентную ориентацию на внетекстового Зрителя, который, после катарсистского сотрясения, должен подняться на следующую, открытую ступень духовного развития Личности. См. хотя бы: В.Е. Мейерхольд, *Статьи, письма, речи, беседы* (Москва, 1918); J. Copeau, *Naga scena* (Варшава, 1975); S. Eisenstein, *Nieobojętna przyroda* (Варшава, 1975); К. Рудницкий, *Режиссер Мейерхольд* (Ленинград, 1973); H. Chałacińska-Wiertelak, *Dramaturgia Leonida Andrejewa* (Познань, 1980).

3. W. Panas, 'Postowie', в кн.: P. Florenski, *Konostas i inne szkice*, przeł. Z. Podgórzec (Варшава, 1984).

ского, которые – в обратных соотношениях между реализацией и интенцией – сходятся с функцией внутреннего императива иконы. В ее процессуальном открытии на каждого, кто предпринимает усилие преодолеть перейти самого себя.[4]

Как вытекает из исследований отца Павла в процесе возношения (восхождения) в вертикальной структуре иконы верующий никогда не достигает ее верхней границы духовного совершенствования. Одновременно – не достигая – интенсивно ее приближает самым фактом устремления. Таким образом чем сильнее переживание поднимающегося перед иконой с падения, тем более удаляется – отсутствующая в самом процессе, даже интенционально, и никогда не готова, чтобы манифестировать себя вербально – нижняя граница иконы. Существующая однако как память о падении, память о начале семиотической дифференциации.

Художественный мир Достоевского вербально реализирует умноженные результаты этого исходного события. Актуализирующая эту художественную действительность память о категориях принадлежащих "театральному" миру Достоевского – как, например, "игра", "маска", перманентная установка на умноженного "партнера" и такого же "зрителя", "кулисы" – увеличивает значения в таком темпе и рассеивает их в так их многих направлениях, что процесс их наслаивания и размежевания кажется не подлежащим управлению.[5] Вот полифоническое – диалогическое слово – как будто надтреснутое, раздвоенное, значит опровергнутое в своей изначальной сущности – противоположное пресемиотическому слову-факту ("да будет свет и стало светло") уже в момент изречения значит слишком многое. Итак, созидательная сила слова Достоевского не в состоянии преодолеть балласта собственных значений. Неимоверная легкость с которой произносится слово героями ("театра") Достоевского ассоциируется с концепцией "маленького сопротивления" Юрия Лотмана,[6] однако с той существенной разницей, что по отношению к результату сказочной легкости, эффект достигнутый словом в мире автора *Братьев Карамазовых*, это эффект навыверт. Вот Ставрогин (самозванец, по предложению Верховенского) при отсутствии малейшего жеста, а лишь с помощью самого молчащего слова – действия – профанированного "золотого слова" – умерщвляет Матрешу. Заложенная у самого начала слова идея гармонии в театрализованном мире *Бесов* опровергается маской мнимого не – знания. На чертаке,

4. Florenski, *Цит. произ.*
5. См.: H. Chałacińska-Wiertelak, *Idea teatru w powieściach Dostojewskiego* (Познань, 1988).
6. J. Lotman, *Semantyka kultury*, przeł. J. Faryno (Варшава, 1977).

то есть за кулисами, в догадке поглядываемыми виновником, осуществляется анти-идея слова-действия не высказанного, но совершившегося. В последнем акте этой невольной смерти...

Такой статус слова – события определяется стихийным характером "театра" реализующегося в минусовой форме произведения Достоевского. Одновременно слово здесь как открытое по своей сущности (вспомним хотя бы бахтинское "слово с лазейкой", "слово с оглядкой", а также – то которое имманентно направляется к отождествлению со словом)[7] – наиболее глубокой внутренней намеренностью перекликается с другой перспективой интересующего нас тут вида искусства.

Из-за этих ассоциаций возникает здесь вопрос о духовном бытии в "театре" Достоевского. Внутренний императив познания, попытка объяснить тайну Личности связан с предельной установкой на оценку партнера, проявляющегося в акте эманации субъекта. Имманентная структура этого веления – по своей сущности экспансивная – является зародышем и временно-простраственным "топосом" всего действия в театральной действительности русского писателя.

В практической реализации этот "театр" определяется принципом метонимии.[8] В этом "фрагменте" временно-пространственного течения "театр" 8-ого является независимым целым, в смысле механизма самосоздавания и самоинтерпретирующего кода. Одновременно, – определяя себя как "часть вместо целого", – этот роман-театр благодаря системе внушений, недомолвок, частичности явления игры – приоткрывает просвет на тот контекст, в который он погружен. Выступая в функции фрагмента, который открывается на большее Целе, театральная действительность заключенная в тексте романа ведет к интерпретации этого великого феномена, который в практической реализации не мог возникнуть. Внетекстовый Зритель (присутствие которого кодируется в тексте) с той внешней дистанции может это целое воссоздать и, одновременно, через контакт с театром, который разыгрывается в синусовой форме романа – перейти самого себя...

Так понимаемый внетекстовый Зритель имеет шанс создать в своем духовном мире такую ситуацию, чтобы осуществляющаяся в отрицательной кондиции театральная условность могла переродиться в высшие ценности. Иначе говоря – совершить то, чего не в состоянии осуществить зритель, присутствующий в театрально-

7. См.: P. Ricoeur, *Egzystencja i hermeneutyka*, oprac. S. Cichowicz (Варшава, 1975); M. Bachtin, *Problemy poetyki Dostojewskiego*, tłum. N. Modzelewska (Варшава, 1970).

8. Ю. Тынянов, *Пушкин и его современники* (Москва, 1969).

эпической действительности Достоевского; так как этот зритель не может создать для себя определенной дистанции. Преодолеть балласт избыточных слов, лавины событий, которые не приближают цели, видимость раскрытия, которое по сути создает камуфляж, видимость достижения, являющегося поражением (хотя всегда с просветом к спасению). Очистить от лжи личность, вернуть ей поруганную святость. Вот как на языке словесной художественной реализации Достоевского – в ее неосуществимом "здесь и теперь" – выражается основа мышления Флоренского об искусстве. Икона – как его глубочайшее проявление – имеет целью "снимать занавес", с явлений сего мира, а задача человека после грехопадения – видеть создателя "лицом к лицу". Такой постулат, перекодированный в категории внетекстового Зрителя в сублимирующемся Театральном Космосе Достоевского, явится как главная цель эпико-театральной двойственности писателя. Увидеть себя в тебе, в забытой идее партнерства являющегося единством, вместе вспомнить Целое, Истину.

Концепция памяти и напоминания как онтологической категории в платонском смысле позволяет Флоренскому понимать художника, пишущего икону как "проявляющего запись". Достоевский (созидатель, режиссер?) в эпике раскрывает стихию духовной действительности, трагического действия, процессуального события. События понимаемого также онтологически, и – в намерении – обладающего ценностью чуда: чтобы в одно мгновение, в момент максимального сосредоточения всех сил, достичь после катартического состояния одушевленного покоя, искупления, причастия. Заметим, что рассматриваемое с такой перспективы самое "театральное" произведение Достоевского *Идиот* может быть передвинуто в направлении великого оптимизма. Возвращение юродивого к пре-состоянию (время-пространство Швейцарии) определяемое такими атрибутами как столб, вершина горы, вековечные сосны,[9] становится в опозиции к театрализованной действительности произведения, обозначенной комментарием к первой встрече Мышкина с Рогожиным ("если б они оба знали о себе, что их сейчас делает достойным внимания..."). Идея субъектности, или категория виртуального режиссера, определилась бы в эпико-театральном мире Достоевского как своеобразное средство для воссуществования скрытых явлений.[10]

---

9. См.: H. Chałacińska-Wiertelak, 'Wokół sporu o księcia Myszkina', *Slavia Orientalis*, № 3 (1972).

10. С точки зрения эстетики произведения функцию этого средства могла бы приблизить позиция Блока — посредника в его пьесе *Балаганчик*, а высокая степень художественной сознательности, вписанной в произведение, как следует ожидать, выяснила бы проблему места самого Достоевского в его эпико-театральном мире. См.: И. Родина, *А. Блок и русский театр начала XX*

Напрашивающиеся ассоциации с иконой приводят здесь к размышлениям Борхеса, для которого категория воспроизведения встречи (с самим собой бывшим или будущим) является онтологическим качеством художественной действительности, а может быть, и внехудожественной. Концепция человека, умеющего испечь хлеб, вывести виноградную лозу, написать картину, создать *Дон Кихота*, явится как смысл вполне осуществленный, засвидетельствованный естественным умением воспроизведения элементарных жестов, – хотелось бы сказать, умением раскрывать изначальные феномены. Ибо время автора *Книги песка* – это такое будущее время, которое содержит в себе неосознание пресостояния. Граница здесь уже перешагнута и явится только в догадке как отвергаемая память о разрыве, о делениях, о такой неосуществимой в разделенном мире тоске, как мучительная надежда Достоевского: "свести концы с концами". Эта разделяющая граница приобретает ценность связывающей линии и объединяющей в теологической интерпретатации иконы, без остатка ориентированной на переход из сферы в сферу, повышение, облагораживание. Эта "разделенная тождественность" в художественном мире Достоевского по-видимому возможна для преодоления, благодаря имманентному "самопереходу" художественной формы. Как утверждают некоторые концепции эстетики произведения искусства,[11] художественная форма может быть примером самотрансценденции (произведения) во имя высшей ценности. Самотрансценденция как будто дает основание разрушению жанра, и даже рода искусства, то есть превышению онтологического статуса произведения его смыслом. Многоаспектная видовая тождественность художественных текстов Достоевского составляет прямо провоцирующий материал для таких ищущих методологий. Хотя художественная форма автора *Бесов* своим внутренним развитием переходит в сторону ценностей, лежащих вне ее, структура романа не только не подверглась отрицанию – но наоборот – обогатилась. Это происходит благодаря взаимному проникновению и такому же генерированию двух разных структур: эпической и театральной, в одном типе художественного мышления. Уже внутри текста Достоевского мы имеем дело с перекодировкой статической записи – в запись более динамическую, посредством преобразования слова в событие, значит – в воплощение. Этот аспект – даже в перевернутой, отрицающей сущности понятия – приводит дальше идею перехода, перехождения, сублимирования. Идея "театр" Достоев-

---

века (Москва, 1975); H. Chałacińska-Wiertelak, 'Fenomen teatru Błoku', *Zeszyty Naukowe Uniwersytetu Gdańskiego*, № 14 (1985).

11. J. Brach-Czaina, *Etos nowej sztuki* (Варшава, 1984).

ского, не будучи в состоянии осуществиться "здесь и теперь" в смысле окончательной цели – достижения Целого, – трансцендентирует к внетекстовому Адресату. Углубленный внутрь внешним проявлением, – который здесь является только предлогом для возникновения духовного контекста – этот театр отсылает, так сказать, к "поэтике иконы". В ней, как в эссенции православной мысли, словесными средствами сформированное художественное выражение не только превышается, но и имманентно разрушается в пользу трансцендентного смысла. Как пишет Павел Флоренский,

> [...] все то в наружности, что не является одной лишь наружностью, выталкивается [...] изливающейся сквозь слой материальной коры энергию образа Бога,

в результате чего мы общаемся с Праобразом. Поэтому невозможно в иконе отделить Наружность – здесь всегда превращенную в Воображение – от образа, то есть Праобраза, Трансценденции, Тайны. Невозможно, ибо идея, лежащая у основы создания иконы, имеет духовную сущность и вся ее энергия нацелена на Воображение духовного существа Бога; человека наделенного Божественным началом. Заметим, наделенного не только возможностью совершенствования своей личности, что само собой разумеется, но также – даром проецировать эту эмпирическую личность в трансцендентное измерение.[12]

Утаенные внутри структурные совпадения, как например, колористика, или фронтальное обращение героев лицом (к адресату), о чем попутно упоминает Дюла Кираи, как и высказанная Новосельским мысль о христианской литургии, которая будучи трансформацией античного театра, является разновидностью "святого цирка", или та, что композиционная организация многофигурных сцен в иконе основана на опытах театра – провоцирует к выдвижению обоснованного тезиса. А именно, что человек в "театре" Достоевского – в своем намеренном осуществлении – является "живой иконой".[13]

---

12. Следует сослаться здесь на признание выдающегося художника и знатока иконы Ежи Новосельского, который считает, что Достоевский глубоко понимал икону. Как "светский теолог православия" интуитивно "вошел" писатель так глубоко в восточный тип христианства, что без этой интуиции оно стало бы мертвой религией. См.: Z. Podgórzec, *Rozmowy z Jerzym Nowosielskim* (Варшава, 1985).
13. Gy. Kiraly, 'Интеллектуальная и психологическая ситуация человека XIX века (Шекспир, Достоевский и Толстой — проблемы трагедии и романа', в его кн.: *Elte Orosz Tanaszek* (Будапешт), Pf. 107, H-1364; P. Evdokimov, *Prawosławie*, przeł. J. Klinger (Варшава, 1986); Podgórzec, *Цит. произ.*

SECTION IV

Dostoevsky's Novels
Structure/ Composition/ Genre

13.

"ПОЭМА" В ПОНИМАНИИ И ТВОРЧЕСТВЕ Ф.М. ДОСТОЕВСКОГО (К ПОСТАНОВКЕ ПРОБЛЕМЫ)

АЛЕКСАНДР СКАЗА

Слово "поэма" в восприятии и употреблении Ф.М. Достоевского многозначно: это и категория процесса художественного творчества; это и категория поэтики и эстетики; особенно сложное значение получает слово "поэма" как обозначение жанра.

Многозначность слова "поэма" сказалась и на литературоведческом изучении значения и функции "поэмы" в творчестве Ф.М. Достоевского. Современное достоевсковедение дало на указанную проблему различные ответы. Остановимся лишь на некоторых.

Один из основоположников изучения поэтики Достоевского Л.П. Гроссман рассматривает проблему "поэмы" у Достоевского в своей известной работе "Достоевский – художник"[1] прежде всего в связи с проблематикой жанра Достоевского. Развивая тезис о "сложной и цельной форме нового романа" Достоевского,[2] Гроссман иллюстрирует свой тезис разбором довольно одностороннего и парциального выбора тех мест из больших романов Достоевского, которые подтверждают его суждение, согласно которому, — "в любом романе Достоевского мы найдем [...] принципы оформления целого на основе контраста падения человека и его духовной красоты".[3] Гроссман обращает в указанном контексте внимание на такие "поэтические" места в романах Достоевского, какими являются, например, монолог Мармеладова в распивочной из второй главы первой части романа *Преступление и наказание*, и монолог Ивана, охватывающий три главы из "Книги пятой. Pro и contra" романа *Братья Карамазовы* ("Братья знакомятся", "Бунт" и поэма Ивана Карамазова "Великий

1. Л.П. Гроссман, 'Достоевский — художник', в сб. *Творчество Достоевского* (Москва, 1959), с. 330-39.
2. *Там же*, с. 330.
3. *Там же*, с. 332.

инквизитор").[4] Гроссман приходит к заключению: "сложная внутренняя структура творений Достоевского. Это – сочетание эпоса с поэзией и драмой, или философская поэма в оправе из физиологических очерков".[5] Свою мысль Л. Гроссман дополняет утверждением:

> Вот почему сам Достоевский любил обозначать свой жанр под заголовком Гоголя к *Мертвым душам* — поэма. Эта формула сложилась к началу 60-х годов. Свое второе большое произведение *Двойник* он снабжает при его переиздании в 1866 г. под заголовком *Петербургская поэма* [...].[6]

В связи с обозначением "роман–поэма" упоминает Л. Гроссман еще замысел историко-философской повести "Император", план "Жития великого грешника" и роман *Подросток*. С определением "внутренней структуры творений Достоевского" в работе Гроссмана, а и с значением, которое он придает термину "внутренняя структура", мы в статье не будем спорить. Для нас важны указание на особую роль "поэмы" в творчестве Достоевского и довольно широкий диапазон трактовки этой проблемы в исследовании Гроссмана. Кроме жанрового значения и функции "поэмы" в творчестве Достоевского Гроссман обсуждает и различие двух стадий творческого процесса художника, ссылаясь при этом на слова Достоевского из записных книжек к роману *Подросток*: "Поэма готова и создалась прежде всего, как и всегда должно быть у романиста",[7] – а и романную и общелитературную традицию, связывающую творчество Достоевского с русской и мировой литературой.

В ином, более узком аспекте рассматривает значение и функцию "поэмы" в творчестве Достоевского В.Я. Кирпотин. В статье "Мир и лицо в творчестве Достоевского"[8] он опровергает толкование Л. Гроссманом слова "поэма" как обозначения жанра и категорически заявляет, что Достоевский "воспользовался словом «поэма» не для обозначения жанра, а этапа в своем творческом процессе",[9] при этом Кирпотин ссылается на Л.М. Розенблюм и ее статью "Творческая лаборатория Достоевского-романиста".[10] Ограничение проблематики "поэмы" в творчестве Достоевского на бином "замысел-поэма и ее воплощение в произведении", на сопоставление "дела поэта" и "дела художника" (из письма Достоевского А. Майкову в мае 1869 г.;

4. *Там же*, с. 331-35.
5. *Там же*, с. 336.
6. *Там же*.
7. *Там же*.
8. В.Я. Кирпотин, 'Мир и лицо в творчестве Достоевского', в кн.: В.Я. Кирпотин, *Достоевский художник* (Москва, 1972), с. 123-98.
9. *Там же*, с. 141.
10. См. Л.М. Розенблюм, 'Творческая лаборатория Достоевского-романиста', *Литературное наследство*, LXXVII (1965), с. 7-56.

(*ПСС*, XXVIII/1: 39) и на толкование значения "поэмы" у Достоевского как "идеи" и "темы"[11] обедняет сложную проблематику значения и функции "поэмы" в творчестве Достоевского, но с другой стороны это ограничение указывает на должную осторожность при рассмотрении такой проблематики, какой является проблема "поэмы" в жанровом значении и функции.

Наиболее обстоятельно проблематика "поэмы" в творчестве Достоевского исследована В.Н. Захаровым в его книге *Система жанров Достоевского* (1985). Захаров учитывает всю многозначность слова "поэма" в понимании и употреблении Достоевского и приходит к заключению, что

> в [...] сложных жанровых и нежанровых значениях у Достоевского слово "поема": это и категория творческого процесса, замысел романа: это и категория поэтики (эстетическое выражение идеала и художественной идеи произведения); это и жанровая форма иных типов'.[12]

На наш взгляд наиболее продуктивными являются следующие положения Захарова:

1. Исходное значение слова "поэма" у Достоевского — жанр эпического произведения, причем не только в стихах, но и в прозе; вслед за Гоголем он часто называл "поэмами" прозаические произведения — свои и чужие, но кроме того, придавал этому слову индивидуальные, уже не жанровые значения.
2. "Поэма" как замысел романа и "поэма" как жанр — разные категории, но они совпадают у Достоевского в особом эстетическом отношении к действительности, в попытке разгадать жизнь поэзией.
3. "Поэма" как замысел не всегда превращалась у Достоевского в роман, иногда оставалась в своем изначальном качестве — становилась жанром прозаического произведения.
4. "Поэма" у Достоевского была не только жанром, но и предметом художественного изображения в его романах.
5. Подчас "поэма" меняла жанровую "сущность" содержания — становилась жанровой формой романов, повестей, рассказов, других произведений.[13]

Разумеется, что все эти положения Захарова не являются одинаково продуктивными и приемлемыми. Мы считаем, что нуждается в дополнительном уточнении прежде всего то его положение, согласно которому "поэма" в творчестве Достоевского "иногда становилась жанром прозаического произведения". Захаров, правда, в этом контексте добавляет: "Соотнесенная с авторским идеалом, поэма приобретела или патетическое, или пародическое значение".[14]

---

11. Кирпотин, *Цит. произв.*, с. 145.
12. В.Н. Захаров, *Система жанров Достоевского. Типология и поэтика* (Ленинград, 1985), с. 34.
13. *Там же*, с. 29-33.
14. *Там же*, с. 32.

"Поэмами" с "патетическим" значением считает Захаров "двух глубоких поэм" "Великий инквизитор" и "Геологический переворот" Ивана Карамазова, а "пародией на жанр", по его мнению, является, например, "бедная поэмка" писателя Кармазинова "Merci" в романе *Бесы.*[15] Но если мы не понимаем жанр только как содержательную, или формуальную категорию, а смотрим на жанр как на художественную модель, то надо добавить, что "поэма" в системе жанров Достоевского никогда не приобрела значение "первичного жанра", какими являются в творчестве Достоевского роман, повесть и рассказ; "поэме" в творчестве Достоевского всегда свойственно значение "вторичного жанра", т.е. жанра, который появляется в качестве жанра только как составная часть более обширного целого — романа. "Поэма" как составная часть романа является в творчестве Достоевского прежде всего предметом изображения "чужой речи", "чужого слова" (М. Бахтин), в конце концов "чужого жанра". Наглядным примером художественного изображения "чужого слова" является монолог Ивана Карамазова в "Книге пятой. Pro и contra" романа *Братья Карамазовы*, и как часть этого монолога, и поэма "Великий инквизитор", в сущности единственный у Достоевского опыт реставрации прошлого.[16]

"Поэма" в творчестве Достоевского имеет прежде всего значение и функцию *жанрового определителя*, и как таковая становиться категорией творческого процесса, и категорией поэтики и эстетики. – В 70-х годах размышления Достоевского о "поэме" интенсифицируются наряды с его размышлениями о значении и роли литературы-поэзии и поэта-творца. В творческих рукописях из второго периода работы над сюжетом романа *Подросток* (сентябрь–ноябрь 1874 г.) мы находим, например, запись (14 октября):

> В ходе романа держать *непременно* два правила. — *1-е правило.* Избегнуть ту ошибку в *Идиоте* и в *Бесах*, что второстепенные происшествия (многие) изображались в виде недосказанном, намечном, романическом, тянулись через долгое пространство, в действии и сценах, но без малейших объяснений, в угадках и намеках, вместо того чтобы *прямо объяснить истину.* [...] *2-е правило* в том, что герой — подросток. А остальное все второстепенность [...]. Поэма в подростоке и в идее его или, лучше сказать, — подростке единственно как в носителе и изобретателе *своей идеи.*[17]

Особый интерес представляют в этом контексте "введение и послесловие" Ивана Карамазова к поэме "Великий инквизитор" и "Пушкинская речь" Достоевского. "Введение и послесловие" Ивана

15. *Там же*, с. 32-33.
16. Гроссман, *Цит. произв.*, с. 334.
17. *Литературное наследство*, LXXVII (1965), с. 211-12.

Карамазова к поэме "Великий инквизитор" представляют собою своего рода "самосознание и самокритику жанра", они являются и выражением того, что М. Бахтин назвал "памятью жанра". Не случайно в "введении и послесловии" к поэме названы Данте, *Notre Dame de Paris* Виктора Гюго, средневековые миракли, русский апокриф *Хождение Богородицы по мукам*, стихи Жуковского, Тютчева (с образом Христа "в рабском виде цар[я] небесного", – образом повторенным Достоевским в речи о Пушкине), стихи Шиллера, образ из Фауста. Речь на празднестве Пушкина – плод двадцатилетних размышлений писателя над великим русским поэтом (набросок этой речи мы находим уже в статьях 1861 г. в журнале *Время*), а вместе с тем – и итог его размышления о поэте – творце высокохудожественного стиля, песнопевце великой темы, создателе новой интеллектуальной героики. Размышления о Пушкине как поэте-пророке и его поэмах *Цыганы* и *Евгений Онегин* активизируют размышления Достоевского о соотношении национального и общечеловеческого в русской литературе и культуре, в связи с этим и размышления об идеале "всечеловека", и идеале вообще, об универсальности Слова.

В итоге мы могли бы сказать, что размышления Ф.М. Достоевского о "поэме", особенно в период работы над романами *Подросток* и *Братья Карамазовы*, активизируют в творчестве Достоевского тенденции к преодолению *гротескной формы* романа (*Идиот*, *Бесы*) и освоению *трагической формы* романа. Трагическая форма романа, в отличие от гротескной формы, дает возможность для художественного изображения идеала и абсолюта, возможность для художественного освоения универсального – в смысле вывода Достоевского о "восстановлении погибшего человека" как "основной мысли всего искусства девятнадцатого столетия" (вывода, сформулированного в предисловии к *Собору Парижской Богоматери* Гюго, 1862; *ПСС*, XX: 28–29), и его замысла романа-поэмы (*Житие великого грешника*, *Братья Карамазовы*), которая, "хоть в концу века", выразила бы XIX век и его идеалы "так же полно и вековечно", как выразила "Божественная комедия" – "верования и идеалы" католического средневековья (*ПСС*, XX: 29).

14.

UTOPISCHES – ANTIUTOPISCHES: FEDOR DOSTOEVSKIJS "SON SMEŠNOGO ČELOVEKA"

MICHAEL WEGNER

Im Aprilheft des *Dnevnik pisatelja za 1877 god* veröffentlicht Dostoevskij unter dem Titel "Son smešnogo čeloveka" einem knappgefaßten Prosatext, den er mit dem Untertitel "Phantastische Erzählung" (*фантастический рассказ*) versieht. Es dürfte heute kaum einen Dostoevskijforscher von Rang geben, der nicht die Ansicht vertreten würde, beim "Son smešnogo čeloveka" handele es sich um ein Werk, dem innerhalb des Gesamtoeuvres von Dostoevskij eine Schlüsselbedeutung zukäme. Grossman, Komarovič, Friedlender, Pruckov, Bachtin, Jackson und andere – sie alle sprechen übereinstimmend davon, daß diese philosophisch-phantastische Novelle – die Bezeichnung des Werkes als Novelle scheint uns am ehesten ihren genremäßigen Besonderheiten zu entsprechen – einen besonderen Platz im schriftstellerischen Gesamtwerk Dostoevskijs einnimt. "Son smešnogo čeloveka" macht einerseits sinnfällig was die innere Kontinuität, die Fortführung von Ideen, Themen und Motiven im dichterischen Schaffen Dostoevskijs ausmacht, und die Novelle verdeutlicht andererseits, welche bedeutsamen inneren Wandlungen in der geistigen Entwicklung Dostoevskijs vom Anhänger des utopischen Sozialismus in der 40er Jahren bis zum dichterischen Propheten des "Goldenen Zeitalters" in seinem letzten Lebensjahrzehnt stattgefunden haben. So interessiert uns denn auch Dostoevskijs Novelle "Son smešnogo čeloveka in vorliegendem Falle zuallererst unter dem Gesichtspunkt, daß in ihr Dostoevskijs antibürgerliche sozialethische Utopie von der Erneuerung des Menschen und der Menschheit ihre umfassendsten ideellkünstlerische Gestaltung erfahren hat.

Freilich wird dabei zu beachten sein, daß Dostoevskijs utopisches Zukunftsbild in "Son smešnogo čeloveka" nicht das gesamte Sinnpotential dieser Novelle ausschöpft. Zu Recht macht M. Bachtin auf zwei Momente aufmerksam, die für Dostoevskijs Novelle charakteristisch sind. Er verweist auf die einzigartige Universalität und den ungewöhnlichen philosophischen Lakonismus des Werkes.[1]

1. Michail Bachtin, *Problemy poetiki Dostoevskogo* (Moskau, 1963), S. 199.

Tatsächlich handelt es sich bei Dostoevskijs Novelle um ein Werk, das fast in enzyklopädischer Vollständigkeit – wenn auch in nuce – die thematisch-motivische Vielfalt vereinigt, die für das gesamte epische Oeuvre des Romanciers stehen könnte. Und dies in größtmöglicher gedanklicher Gedrängtheit, die kaum in einem anderen literarischen Werk Dostoevskijs anzutreffen ist. Da ist zuallererst das Motiv des "Goldenen Zeitalters", das sich so häufig in den reifen Prosawerken Dostoevskijs findet und von dem Georg Lukács meint, es wäre der "wirklich echte Kern, der wahre Goldgehalt der Dostoevskijschen Utopien"[2] und damit der Springpunkt für das komplexe Verständnis der geistigen Botschaft Dostoevskijs. Da ist die Gestalt des "lächerlichen Menschen", der ambivalente Typ des Dostojewskischen "Untergrundmenschen", des Klugen, sonderlinghaften Skeptikers und Zynikers, des wahrheitssuchenden Außenseiters der Gesellschaft, dem immer etwas Lächerliches anhaftet, einer Figur, die im Gestaltenensemble Dostoevskijs höchst charakteristisch ist (Fürst Myškin, Raskolnikov, Stavrogin, Versilov, Ivan Karamazov). Da ist das Selbstmordmotiv, das mit der Überzeugung begründet wird, "daß überall auf der Welt alles ganz egal sei", daß es ganz egal wäre, "ob die Welt existierte oder nicht",[3] eine der zahlreichen, weltanschaulich motivierten Selbstmordvarianten, die die Kirillov-Gestalt aus *Besy* am konsequentesten praktiziert. Da ist der Traum, in dem das Individuum der Wahrheit teilhaftig wird, der für Dostoevskijsche Gestalten so charakteristische "Krisentraum", mit dessen Hilfe sich der Mensch wandelt und erneuert, der Traum, der dem Individuum in faszinierender Vision ein neues, erneuertes, erstrebenswertes Leben offenbart, der Traum, der allerdings – so Dostoevskij – nicht vom Verstand, nicht vom Kopf, sondern vom Willen, vom Herzen gelenkt wird, womit auch gesagt ist, daß Wahrheit nur erschaut werden kann, da sie aus lebendiger Anschauung und nicht aus abstrakter Erkenntnis hervorgeht. Da ist die Thematik des leidenden Kindes, des gedemütigten Mädchens, die sich in sehr vielen Werken Dostoevskijs findet (von *Netočka Nezvanova*, 1849 bis *Brat'ja Karamazovy*, 1880) und worin das soziale Mitgefühl Dostoevskijs seinen unverwechselbaren Ausdruck findet. Schließlich konfrontiert uns die Dostoevskijsche Novelle mit dem für das Werk unseres Autors so typischen Arme-Leute-Milieu, dem sozialen Elend, der "kleinen Leute", den Erscheinungen der Trunksucht, des Kartenspiels, den Skandalen, den winzigen, trüben Behausungen, in denen der "lächerliche Mensch" seine schlaflosen Nächte verbringt, über die "letzten Fragen" der Gattung Mensch grübelt und in seinem Traum die gesamte Menschheitsgeschichte durchlebt, vom märchenhaften "Goldenen Zeitalter" des ursprünglichen Kommunismus bis zur apokalyptischen bürgerlichen Endzeit.

Dieser seltsame Traum bildet das Kernstück der uns interessierenden

2. Georg Lukács, *Der russische Realismus in der Weltliteratur* (Berlin, 1952), S. 147.
3. Fjodor M. Dostojewski, 'Der Traum eines lächerlichen Menschen', in *Kleine Prosa* (Leipzig, 1976), S. 314.

Dostoevskijschen Novelle. Wir dürfen in aller Kürze an ihn erinnern. Der Held der Novelle, der "lächerliche Mensch", der sich leicht zynisch als moderner russischer Fortschrittler und garstiger Petersburger, als Prahler (*хвастун*) und Lügner (*лжец*) apostrophiert, gerät im Traum – nachdem er seinem Leben ein Ende bereitet hat und wiedererstanden ist – nach einem Flug durch den Weltraum auf einen fernen Planeten. Dort wohnen "Kinder der Sonne",[4] "unschuldige", schöne, harmonische, naturverbundene Menschen, die weder Böses noch Leiden kennen. Die Begegnung des "lächerlichen Menschen" mit dieser Sozietät, die das "Goldene Zeitalter" der Menschheit verkörpert, eines Menschen, der aus einer höherentwickelten, aber widerspruchsvolleren Gesellschaft kommt, bewirkt den Verlust der ursprünglichen Unschuld dieser Menschengemeinschaft. "Ich weiß, daß ich die Ursache des Sündenfalls war", bekennt der "lächerliche Mensch". "Wie eine garstige Trichine, wie ein Pestatom das Reich infiziert, so infizierte auch ich diese vor meiner Ankunft so glückliche, sündlose Erde".[5] Obwohl der "lächerliche Mensch" die ursprüngliche sittliche Reinheit und soziale Harmonie der Menschen auf dem anderen Planeten zerstört hatte, bewahrt er jedoch in seinem Herzen das Ideal dieser verlorengegangenen Werte.

> Denn ich habe die Wahrheit gesehen; ich habe sie gesehen und weiß, daß die Menschen schön und glücklich sein können, ohne daß sie darum die Fähigkeit, auf der Erde zu leben, verloren zu haben brauchen. Ich will und kann nicht glauben, daß das Böse der normale Zustand der Menschen sei.[6]

Vom Traum aufgewacht und in die soziale Wirklichkeit seiner Tage wieder zurückgekehrt, widmet der "lächerliche Mensch" sein weiteres Leben der Verkündigung der von ihm im Traum erschauten Wahrheit, allen denjenigen zum Trotz, die seinen Traum als eine Phantasmagorie, als eine Halluzination diffamieren. Seine resümierenden Worte lauten:

> Ein Traum? Was ist denn ein Traum? Ist nicht unser Leben ein Traum? Ja, ich will noch mehr sagen: angenommen, daß sich das nie verwirklichen wird und das Paradies unmöglich ist (das sehe ich ja auch schon selbst ein!) – nun, so werde ich trotzdem meine Lehre verkündigen. Aber dabei wäre es doch so einfach: an einem einzigen Tag, in einer einzigen Stunde könnte alles mit einemmal in Ordnung kommen! Die Hauptsache ist: liebe die anderen wie dich selbst, das ist die Hauptsache, das ist alles, weiter ist nichts mehr nötig; dann wirst du sofort wissen, was du zu tun hast.[7]

Das Bild des "Goldenen Zeitalters", das Dostoevskij im Traum des "lächerlichen Menschen" entwarf, ist eine sozialethische Utopie großen historischen Zuschnitts. Unschwer erkennt man, daß dieser utopische Entwurf einer universalen geschichtsphilosophischen Konzeption folgt, die Dostoevskij hinsichtlich weltgeschichtlicher Abläufe vertrat. In dem erstmalig 1980 erschienenen

---

4. Ebenda, S. 325.
5. Ebenda, S. 330.
6. Ebenda, S. 337.
7. Ebenda, S. 335.

Artikel "Socializm i christianstvo", der aus den frühen sechziger Jahren stammen dürfte, hat Dostoevskij seine Vorstellungen über den Verlauf der Menschheitsgeschichte wie folgt dargelegt:

> Der ursprüngliche Zustand der Gesellschaft war patriarchalisch. Der mittlere, der Übergangszustand, ist die Zivilisation, Das Christentum ist die dritte und letzte Stufe des Menschen, doch hier endet die Entwicklung, es wird das Ideal erreicht, rein logisch schon allein deshalb, weil es in der Natur mathematisch alles stimmt, folglich kann es auch hier keine Ironie und keinen Spott geben – es gibt das *künftige Leben*.[8]

So wie die Bewohner des fernen Planeten, die der "lächerliche Mensch" besucht, so durchlebte die Menschheit in ferner Vergangenheit ihr "Goldenes Zeitalter", eine Phase ihrer Entwicklung ohne Not und Mangel, ohne Leiden und Laster. Das Paradies aus der Kindheitsepoche der Menschheit ging – historisch gesehen – unwiederbringlich verloren, und es wurde notwendigerweise von einer anderen Epoche ersetzt, von der Epoche der Zivilisation, der Epoche des anwachsenden Selbstbewußtseins der Menschheit, die im Zeichen widerstreitender Interessen sowie sozialer Kämpfe und Disharmonien steht. Diese Epoche des allgemeinen Chaos, der tragischen Vereinzelung des Individuums, der Irrungen des Menschen muß die Menschheit erst leidgeprüft durchschreiten, um dann, so meinte Dostoevskij, in eine Allmenschlichkeit, in eine neue Weltharmonie einzutreten. Die Menschen haben einmal glücklich und harmonisch gelebt, und so kann es auch wieder werden – dieser Gedanke Dostoevskijs gehört fraglos zur literarischen Botschaft seiner phantastischen Novelle.

Wie ging Dostoevskij im "Son smešnogo čeloveka" mit dem antiken Mythos vom "Goldenen Zeitalter" um? Erwünschte, ersehnte harmonische Menschheitszustände, die in der Zukunft verwicklicht werden sollten, verlegte er bewußt in die ferne Vergangenheit. Was in der Novelle geschah, war, um mit Michail Bachtin zu sprechen, eine "historische Inversion", über die dieser in seinen chronotopischen Studien ausführlich geschrieben hat.[9] Der antike Mythos diente Dostoevskij dazu, um soziale und moralische Verhältnisse, die im Grunde ein Zukunftsziel, ein Sein-Sollendes, ein noch zu verwirklichendes Zukunftsideal verkörpern, als Etwas darzustellen, das in früheren Epochen der Menschheitsgeschichte bereits vorhanden war. Die mythische Korrespondenz zwischen Urzeit und Zukunftszeit, die sich durch diese eigenartige Umstellung der historischen Zeit ergibt, konstituierte eine literarische Utopie, die den Blick in die Zukunft weitete und zugleich die dargestellte Vergangenheit auf Kosten der Zukunft erreichte.

Bemerkenswert an Dostoevskijs sozialutopischem Entwurf ist, daß seine

---

8. Fjodor Dostojewski, 'Eine verfängliche Frage', in *Aufsätze, Feuilletons* (Berlin, 1988), S. 648.
9. Michail Bachtin, *Untersuchungen zur Poetik und Theorie des Romans* (Berlin–Weimar, 1986), S. 334–35.

literarische Utopie vorchristlich-mythologischen Charakter trägt. Treffend bemerkt Michail Bachtin, im "Son smešnogo čeloveka" dominiere der antike und nicht der christliche Glaube.[10] In der Tat unterscheidet sich diese Utopie wesentlich von anderen utopischen oder utopiehaltigen Texten Dostoevskijs, die mit der Christus-Gestalt verknüpft sind oder biblische Motive enthalten. Offenbar haben wir es in Dostoevskijs Werk mit zwei Varianten einer utopischen Schau von künftigen Lebensverhältnissen und einem "schönen Menschen" zu tun. In einem Falle – und das wäre für den "Son smešnogo čeloveka" zutreffend – sind es künstlerische Ideen, die irdisch-heidnischen Ursprungs sind, auf Gott verzichten und die Liebe gottähnlicher Menschen zueinander sowie ihre Vereinigung mit dem Kosmos verkünden. Mitunter evozieren diese Ideen sogar atheistische Gedanken, wenn sie, wie etwa im Falle von Dostoevskijs phantastischer Novelle, die Vorstellung nähren, es gäbe im Weltall außer der Erde noch andere bewohnte Planeten. Der zeitgenössischen christlichen Dogmatik zufolge lief ein solcher Gedanke auf eine häretische Position hinaus. Im All könnten doch keine anderen Sozietäten existieren, da die Erlösung der Welt durch Christus ein einmaliger Vorgang wäre und damit nur an die Menschheit auf unserem Planeten gebunden sei. Im anderen Falle finden sich bei Dostoevskij – namentlich in seinen späten Romanen – soziale und ethische Utopien, die ebenfalls im Irdischen angesiedelt sind, doch vom Autor ausgesprochen christlich motiviert werden. Erst beide Varianten zusammengenommen ergeben das vollständige Bild vom "Goldenen Zeitalter" im dichterischen Werk Dostoevskijs, das in seiner epischen Welt so beständig vorkommt. Beide unterschiedlichen, aber letztlich zusammengehörenden Varianten utopischen Denkens sind zu beachten, wenn es darum geht, das utopische Gedankenpotential im Werk Dostoevskijs aufzuschließen.

Daß uns in Dostoevskijs Bild vom "Goldenen Zeitalter" weltanschaulich verschieden motivierte Varianten utopischer Vorwegnahmen der Zukunft entgegentreten, dürfte sicher mit den geistig-literarischen und anderen Quellen zusammenhängen, auf die Dostoevskij bei seinen utopischen Entwürfen zurückgriff (antike Denker, Utopisten des 18. Jahrhunderts, George Sand u. a.). Wesentlicher scheint uns jedoch ein anderer Umstand zu sein, der gebührend berücksichtigt werden muß, um überhaupt einen Zugang zu literarischen Texten Dostoevskijs zu gewinnen. Gemeint ist die poetische Eigenart des Dostoevskijschen Erzählens, in dem der Dialog eine genrebestimmende Bedeutung erhält. Dostoevskijs späte Prosa ist dialogisch, sie hat eine ausgesprochen dialogische Struktur. Wie Michail Bachtin überzeugend nachgewiesen hat, liegt gerade hier eine bedeutende innovatorische Leistung Dostoevskijs. Aus einer neuen dialogischen Anlage des Erzählvorgangs, in dem die Ideen – die eigentliche Grundlage der dialogischen Prosa Dostoevskijs – in einen "großen Dialog"[11] zueinander treten, erwachsen neuartige epische Strukturen mit einem Optimum an geistigen

---

10. Bachtin, *Problemy poetiki Dostoevskogo*, S. 200.
11. Ebenda, S. 85.

Standpunkten, die der Autor-Erzähler im Prozeß der epischen Gestaltung setzt. Innerhalb der vielstimmigen epischen Welt vollzieht sich ein permanenter Dialog, der sowohl zwischen den literarischen Figuren als auch zwischen dem Autor und den zentralen Figuren seiner Werke in gleichberechtigter Weise vor sich geht, ein Dialog, der keinen Abschluß findet und so literarische Strukturen konstituiert, die ein offenes Ganzes darstellen. Die Dialogizität Dostoevskijs, die selbstverständlich auch den literarischen Text von "Son smešnogo čeloveka" strukturiert, fördert die semantische Ambivalenz vorgetragener Worte und Reden der agierenden literarischen Figuren. Unter diesem Aspekt wird es eher verständlich, weshalb gerade wichtige Sinnpotentiale Dostoevskijscher Werke häufig eine unterschiedliche Interpretation erfahren. So auch das Utopische in "Son smešnogo čeloveka", das mitunter kontrovers diskutiert wird. Diese Diskussion verdient aus prinzipiellen Erwägungen unsere Aufmerksamkeit.

Immer wieder werden Ansichten geäußert, Dostoevskijs Novelle "Son smešnogo čeloveka" sei keine Utopie, überhaupt enthielten Dostoevskijs Werke keine Utopien, sondern nur Antiutopien, die jede Möglichkeit bejahenswerter sozialer Zukunftsentwürfe infrage stellen beziehungsweise negieren. Es war wohl zuerst der Philosoph Nikolaj Berdjaev, der Anfang der zwanziger Jahre hinsichtlich Dostoevskijs Novelle meinte, man hätte es hier mit einer Antiutopie zu tun; Dostoevskij mache paradiesische Verhältnisse verächtlich, führe sie doch eigentlich *ad absurdum*; in jedem Falle sei die Einstellung des Autors zum "Goldenen Zeitalter" höchst problematisch, dort wo sich Dostoevskij diesem Motive zuwende, entstünden Antiutopien. Überall bei Dostoevskij, schreibt Berdjaev, "vernichtet die Utopie des sozialen Glückes und der sozialen Vollkommenheit die Freiheit des Menschen, verlangt sie die Einschränkung der Freiheit".[12]

Das Antiutopische in Dostoevskijs "Son smešnogo čeloveka", auf das Berdjaev aufmerksam macht, ist gründlicher Überlegungen wert. Zunächst ist daran zu erinnern, daß die Novelle Dostoevskijs so angelegt ist, daß der Autor das irdische Paradies auf dem fernen Planeten mit einer tristen zeitgenössischen Wirklichkeit kontrastiert. Der Darstellung der ursprünglichen Harmonie des sozialen Daseins folgt in der Novelle der Verlust von ursprünglichen harmonischen Lebensformen. Realiter haben wir es bei "Son smešnogo čeloveka" mit einer zweigliedrigen Utopie zu tun: Der ursprünglichen Existenz einer harmonischen Sozietät folgt nach ihrem Sündenfall der Zerfall der harmonischen Menschengemeinschaft, womit sinnfällig gemacht wird, daß die glücklichen Tage der Menschheitsgeschichte unweigerlich vorbei sind. Ist aber daraus der Schluß zulässig, daß "Son smešnogo čeloveka" insgesamt eher einer Antiutopie entspricht, die sich auf der Überzeugung Dostoevskijs gründet, die Menschheit hätte keine historische Perspektive, das Individuum hätte für immer seinen Anspruch auf Harmonie und Glück auf ein Leben im Guten verwirkt und die

---

12. Nikolaj Berdjajew, *Die Weltanschauung Dostojewskis* (München, 1925), S. 124.

Restitution verlorengegangener Humanität wäre eine sinnentleerte Illusion?

Daß Dostoevskijs philosophisch-phantastische Novelle unter dem Aspekt diskutiert werden kann, ob sie eine Utopie oder eine Antiutopie darstellt, hat sicherlich auch mit der Erzählerposition zu tun, die man in diesem Werk vorfindet. Dostoevskij baut die Position des Erzählers in seiner Novelle so auf, daß der Sinn des Geäußerten innerhalb des Erzählerberichtes des "lächerlichen Menschen" durchaus ambivalent verstanden werden kann. Zeigt sich hier, so könnte man fragen, ein semantischer Relativismus, der eine eindeutige Interpretation Dostoevskijscher Aussagen in literarischen Texten schlechthin unmöglich macht? Wohl nicht, denn jüngste Forschungen zum Textaufbau in Dostoevskijs Erzählungen, die zum Beispiel Wolf Schmid vorgenommen hat,[13] weisen gerade darauf hin, daß es bei Dostoevskij eine deutlich ausgeprägte Hierarchie in den jeweils vertretenen Bedeutungspositionen gibt, die es ermöglichen, eine Wertung der eingenommenen Standpunkte vorzunehmen. Im konkreten Falle des fiktiven Erzählers in "Son smešnogo čeloveka" dominiert bei aller Skepsis, ja Unglauben des Helden gegenüber dem historischen und zivilisatorischen Fortschritt doch die Zuversicht an die mögliche Restitution des "Goldenen Zeitalters" in der Zukunft.

> Die Wahrheit, denn ich habe sie gesehen: ich habe sie mit meinen Augen gesehen; ich habe ihre ganze Herrlichkeit gesehen! ... ich habe sie gesehen und weiß, daß die Menschen schön und glücklich sein können, ohne daß sie darum die Fähigkeit, auf der Erde zu leben, verloren zu haben brauchen... Aber wie das Paradies herzustellen sei, das weiß ich nicht, weil ich nicht verstehe, es mit Worten auszudrücken.[14]

Es ist richtig, Dostoevskijs Projektionen des Künftigen geraten auf der Erzählebene des "lächerlichen Menschen" oft ins Ironische und Parodistische, fortschrittsgläubige Auffassungen werden verächtlich gemacht und die Schilderung des Menschheitszustandes nach dem Sündenfall evoziert den Gedanken an den unvermeidlichen Untergang des Menschheitsgeschlechts. Mitzubedenken ist hier unbedingt die permanente Polemik Dostoevskijs mit den Zukunftsvorstellungen der utopischen Sozialisten, insbesondere mit Nikolaj Černšyevskij, den Dostoevskij mit dem Bild des "Kristallpalastes" zu treffen glaubt, der für ihn das Symbol einer bewußt gemachten, kollektivistischen Zukunft verkörpert. Und doch wäre es einseitig, sähe man die dominierende Bedeutungsposition allein in dieser ironischen Schicht des literarischen Textes der Dostoevskijschen Novelle. Die Darstellung des "Goldenen Zeitalters" in der Traumvision des "lächerlichen Menschen" wird nie zu einer Parodie oder zu einer Karikatur auf ein "irdisches Paradies", etwa im Sinne eines erwünschten Endzustandes der Menschheitsgeschichte. Gerade das unterscheidet Dostoevskij ganz erheblich von den bekannten Antiutopien unseres Jahrhunderts, so zum Beispiel von Aldous Huxleys

---

13. Vgl.: Wolf Schmid, *Der Textaufbau in den Erzählungen Dostoevskijs* (Amsterdam, 1986).
14. Dostojewskij, 'Der Traum eines lächerlichen Menschen', S. 334-35.

Schöne neue Welt (1932). Bei aller Skepsis in Hinblick auf den weiteren Verlauf der Menschheitsgeschichte, die Dostoevskij in seinen apokalyptischen Visionen oft genug auch pessimistisch beurteilte, war für ihn der antike Mythos vom "Goldenen Zeitalter" eine zentrale Idee einer praktischen Meisterung des künftigen Lebens, eine mobilisierende, aktivierende Idee, die es verdiente, voll ins Bewußtsein gehoben zu werden. Sie und die tätige Kraft der Liebe, deren Verkündigung sich der "lächerliche Mensch" verschreibt, könnte irgendwann einmal die Wiedergeburt einer harmonischen, glücklichen Menschheit bewirken – in diese Richtung zielte die geistige Botschaft Dostoevskijs.

Bei der Diskussion über Utopisches oder Antiutopisches in der Novelle Dostoevskijs wird schließlich zu beachten sein, daß sich der Sinn des Dargestellten in der Kommunikationsrelation Werk – Leser verändert. Dies geschieht in dem Maße mit welchen gesetzten Bedeutungspositionen im Werk sich jeweils der Leser identifiziert. Das utopische Sinnpotential des Dostoevskijschen Werkes rezipieren wir heute mit den sozialen und moralischen Erfahrungen des auslaufenden zwanzigsten Jahrhunderts. Namentlich bei dem dialogischen Erzählverfahren Dostoevskijs kann dies dazu führen, daß Utopisches im literarischen Text durchaus als Antiutopisches aufgenommen wird, ohne daß sich der Gesamtsinn des Dargestellten völlig ins Gegenteil verkehrt. So stellen sich gerade am Beispiel der Novelle Dostoevskijs interessante theoretische Probleme. Sie sind für die anhaltenden internationalen Utopiedebatten relevant, in denen sich die Stimmen mehren, daß nur noch Antiutopisches seine Daseinsberechtigung in der Literatur habe. Im Hinblick auf die erörterte Frage nach dem Utopischen oder Antiutopischen im "Son smešnogo čeloveka" fällt unsere Antwort so aus, daß die Novelle unmittelbar an der Schwelle zur Antiutopie steht. Dostoevskij schöpfte die Möglichkeiten des Utopischen in der Novelle voll aus. Die Ironie in der Weltsicht des Ich-Erzählers bringt die Darbietung des Utopischen – des "Goldenen Zeitalters" – bis an den Punkt, von dem an die erzählte Situation beginnt, in der Perzeption, Bewertung und Sprache in ihr Gegenteil umzuschlagen. So stellt sich Dostoevskijs philosophisch–phantastische Novelle "Son smešnogo čeloveka" in der langen Geschichte des utopischen Genres als ein markantes Werk des Übergangs dar. In dieser genremäßigen Eingenart dürfte Dostoevskijs Werk für den Disput über literarische Utopien von erheblichem Interesse sein.

Dem ganzheitlich-menschheitsrepräsentativen Anspruch, mit dem Dostoevskij seine sozialethische Utopie im "Son smešnogo čeloveka" versah, gab er niemals mehr auf. Zwar kehrte er in den wenigen noch verbliebenen Jahren seines Lebens zu einer Darstellung ganzheitlicher sozialer Utopien nicht mehr zurück, doch war der vom "lächerlichen Menschen" erfahrene Traum eines "Goldenen Zeitalters" der allgemeinmenschlichen, brüderlichen und sündenlosen Liebe seinen letzten literarischen Arbeiten immer gegenwärtig; dem letzten Roman *Brat'ja Karamazovy* ebenso wie der "Reč o Puškine", die

Dostoevskij wenige Monate vor seinem Tode in der Moskauer Gesellschaft der Freunde der russischen Literatur vortrug. Gerade diese Rede ist vielleicht der konzentrierteste publizistische Ausdruck von Dostoevskijs Utopie einer "sittlichen russischen Lösung" der Menschheitsprobleme, die er als Dichter am prägnantesten in "Son smešnogo čeloveka" veranschaulicht hatte. In der Rede über Puschkin verkündete Dostoevskij unter Berufung auf den Begründer der russischen Nationalliteratur die "allmenschliche Sendung" Rußlands. Der utopische Kern dieser "allmenschlichen Sendung" ist sozialethisch und sittlich.

> Danach zu streben, endgültig Versöhnung in die europäischen Widersprüche zu bringen, in seiner russischen, allmenschlichen und alleinenden Seele mit brüderlicher Liebe alle unsere Brüder zu umfangen, und schließlich vielleicht auch das letzte Wort der großen allgemeinen Harmonie, der endlichen brüderlichen Eintracht aller Stämme nach dem evangelischen Gesetz Christi zu sprechen![15]

– in diesem Appell gipfelt Dostoevskijs Utopie von der Bestimmung des russischen Menschen, von der er selbst meinte, sie könnte ein neues Wort für die Humanitätsauffassungen der Menschheit bedeuten. Es blieb nicht ungehört. So etwa von Thomas Mann. Der "Schnee"–Traum Hans Castorps im *Zauberberg*–Roman enthält deutliche Parallelen zu Dostoevskijs Novelle "Son smešnogo čeloveka", die Thomas Mann aufmerksam gelesen hatte,[16] und in "Versuch über Schiller" (1955) kommt Thomas Mann ausführlich auf Dostoevskijs Utopie der russischen Berufung zur Menschheitsrepräsentanz zu sprechen, zu der er treffend bemerkt, als Idee sei sie Dostoevskij Rückgriff auf Friedrich Schiller (Gedichtfragment "Deutsche Größe") verpflichtet. So dokumentierte der utopische Gedanke selbst seine weltumspannende Universalität.

---

15. Fjodor M. Dostojewski, *Über Literatur* (Leipzig, 1971), S. 242.
16. Vgl. M. Wegner, 'Thomas Manns *Zauberberg* und die russische Literatur', in *Erbe und Verpflichtung. Zur internationalen Wirkung der russischen und sowjetischen Literatur im 19. und 20. Jahrhunderts* (Jena, 1985), S. 94.

15.

ТРЕУГОЛЬНИК МУЖСКОЙ ЗАВИСИМОСТИ И ТРЕУГОЛЬНИК СПАСЕНИЯ В *ПРЕСТУПЛЕНИИ И НАКАЗАНИИ* ДОСТОЕВСКОГО: К ТЕОРИИ МОДЕРНИСТСКОЙ ФОРМЫ[1]

ГАРИ КОКС[2]

Этот доклад постарается доказать, что творчество Достоевского отчасти характеризуется пред-модернистской эстетикой. Отчасти. Первое и главное впечатление читателя Достоевского – впечатление реализма. Я бы сказал, что плодная противоположность существует у Достоевского между традиционным реализмом и этими предчувствиями модернизма. К тому же, эти модернистские элементы лежат под реалистической поверхностью. Они подпольные, можно сказать, и они относятся к реалистической поверхности его романов таким же образом, как подсознательная жизнь ума относится к сознательной поверхности на новой пред-психоаналитической карте ума, намеченной Достоевским. В реалистическом плане, романы Достоевского *кажутся* хаотичными. *Преступление и наказание*, например, кажется на уровне реалистического сюжета множеством подсюжетов, кружащихся вокруг главного сюжета, который почти забывается в течение большей части романа. С структурной точки зрения можно оправдать такой хаос тем, что целью романа является наблюдение сознания Раскольникова, и структурный хаос сюжета отражает хаос в котором Раскольников углубляется.

Во всяком случае, к середине романа убийство практически стало подсюжетом, скрытым под поверхностью ума Раскольникова, и поднимается на поверхность только тогда, когда события, другие лица, или случайности напоминают его ему, и нам. События на поверх-

---

1. Во время конференции, печаталась книга с содержанием этого доклада. См. *'Crime and Punishment' : A Mind to Murder* (Boston, Twayne, 1990).
2. Я этот доклад перевел с английского в течение конференции, и хочу благодарить своих коллег Ирину Кириллову, Richard Pope, и Caryl Emerson. Все-таки, если остаются кое-какие неблагополучные моменты, они являются не ихними а авторскими.

ности романа занимают главное место, и структура романа состоит из чередующихся сцен из различных вторичных сюжетов и из как будто бы случайных событий жизни Сенной. Раскольников остается в центре, но мы озабочены его отношениями с семьей и друзьями, и это прикрывает, и в то же самое время подчеркивает наш подпольный интерес к вопросу, признает ли он свое преступление или нет. Эти чередующиеся события поставлены друг против друга, не принципально тем, чтобы продвигать сюжет вперед на реалистическом плане, а чтобы проводить читателя через ряд вопросов и образов, близких от центральных идеалогических идей романа. Это можно называть абстрактной или тематической структурой, и она отличается от реалистической, драматической структуры. Тематическая структура является отраслью углубления романа в сознании Раскольникова. Белинский сказал, что искусство является мышлением в образах, и хотя не точно это имел он в виду, все таки его определение дает довольно хорошее описание того что осуществляется в этом романе. Это произведение представляет тематические отношения в художественной форме.

За уровнем событий на реалистическом плане, *Преступление и наказание* является сетью отношений между идеями и образами, и в этом его можно считать абстрактным. Хотя в произведениях Достоевского, читатель никогда не теряет ощущения реалистической структуры, все таки повышенный интерес к потоку сознания Раскольникова дает абстрактной структуре крупное место. Вот почему, несмотря на реализм поверхности у Достоевского, его можно считать настоящим предшественником модернистской техники романа в двадцатом веке.

"Пространственная форма" может служить метафорой такой литературной структуры, говорит Джосеф Фрэнк в статье "Пространственная форма в современной литературе". Он говорит, что современный роман "просит своих читателей отложить на время процесс специфической ссылки до того, что весь узор внутренних ссылок может быть принят как цельность".[3] Надо отметить, что он говорит здесь не о картинных элементах пространства или о физических отношениях. Он говорит о пространственной форме в противопоставлении с временной или последовательной формой. Говоря о пространственной форме он имеет в виду то что я только что назвал абстрактной или тематической структурой. Во вторых, надо отметить, что он не считает, что только модернистская литература

3. Joseph Frank, 'Spatial Form in Modern Literature', в кн.*The Widening Gyre* (New Brunswick, Rutgers U.P., 1963, с. 3–62), с. 13–14.

имеет такие элементы. Всякий роман имеет и временную и пространственную форму. Но пространственная форма имеет больше веса в современной прозе, тогда как временная последовательность имеет больше веса при традиционном реализме. Хотя он не говорит о Достоевском в этом отношении (и это довольно странно при том, что он в принципе специалист по Достоевскому) все-таки можно употреблять этот термин в отношении к произведениях Достоевского, как сделал Джеймс Куртис. Куртис говорит,

> Gestalt *Преступления и наказания* состоит из двух углов противоположных отношений и двух узлов лиц, их воплощающих. Светский полюс ... подчеркивает материальное ..., тогда как религиозный полюс подчеркивает духовное.[4]

Центральным в употреблении абстрактной структуры (т.е. пространственной формы) у Достоевского является прием, который я называю рифмой ситуаций. Термин не мой, к сожалению. Его первый высказал Дж.М. Мейер, и другие ученые, как Куртис и Ральф Мэтлау, описывали то же самое другими терминами.[5] Рифмой ситуации является повторение парадигм на разных уровнях структуры в течение всего романа. Эти парадигмы могут быть типы отношений, системы поведения или отношения между людьми, физические жесты или положения, образы, структуры языка, параллельные идеи, или они могут пересекать границы чтобы соединить эти разные уровни. Одним известным примером является раздвоение лиц. Эти парадигмы создают эхо в течение всего романа. Они есть ситуации которые рифмуются, которые следуют той же системе. Рифм ситуации представляет собой систему эха как основной структурный прием у Достоевского.

Я хочу проиллюстрировать этот прием обсуждением одного из главных рифмующихся парадигм в романе *Преступление и наказание*, а именно треугольное отношение лиц. Есть два важных треугольника лиц, эхо которых раздается во всем романе. Треугольник мужской зависимости включает в себя старую, контролирующую женщину, мужчину, иногда моложе, стесненного ею в чем-нибудь, и молодую женщину брачного возраста.[6] Следуют конкретные случаи:

---

4. James Curtis, 'Spatial Form as the Intrinsic Genre of Dostoevsky's Novels', *Modern Fiction Studies*, XVIII/2 (лето 1972), (с. 139–55) с. 140.
5. J.M. Meier, 'Situation Rhyme in a Novel of Dostoevsky', в кн. *Dutch Contributions to the IVth International Congress of Slavists* (The Hague, Mouton, 1958, с. 115-29), с. 116–17; Ralph Matlaw, 'Recurrent Imagery in Dostoevsky', *Harvard Slavic Studies*, III (1957), (с. 201–25) с. 210–13; и Curtis, *Цит. произв.*, с. 141–42.
6. Curtis, *Цит. произв.*, с. 146–47; W.D. Snodgrass, 'Crime for Punishment: The Tenor of Part One', *Hudson Review*, XIII (1960), (с. 211–27) с. 219.

Контролирующая женщина	Зависимый мужчина	Молодая женщина
Г-жа Раскольникова	Раскольников	Дуня
Катерина Ивановна	Мармеладов	Соня
Марфа Петровна	Свидригайлов	Дуня
Хозяйка Раскольникова	Раскольников	покойная дочь/невеста
[та же] "Пашенька"	Разумихин	Настасья (?)
Алена Ивановна	Раскольников	Лизавета
Г-жа Раскольникова	Разумихин	Дуня
Г-жа Ресслих	Свидригайлов	утопленница
мать невесты Свидригайлова	он же	она же

Я не первый ученый, который говорит об этой парадигме. И Куртис и В.Д. Снодграсс заметили ее, но не обсуждали в таком большом объеме. Классическим примером этой парадигмы является, конечно, отношение сына с матерью представленное в начале романа семьей Раскольникова. Но эхо везде раздается. Раскольников должен трем старшим женщинам, хозяйке, процентщице, и матери (в последнем случае долг нравственный, но все-таки есть передача денег) и он дает денег еще четвертой, Катерине Ивановне, хотя не должен. В ранних главах романа нет сильных мужчин. Мужчины слабые грешники, которые должны унижаться перед доминирующими женщинами. По словам Мармеладова, это мужчины "которым некуда идти". Это явно в случае самого Мармеладова, но даже Свидригайлов стоит в экономической зависимости от Марфы Петровны и намекает на то что его можно считать жертвой. Положение мужской зависимости вводит Раскольникова в бешенство – видите его поведение, при получении письма от матери. Ему необходимо освободиться, как-нибудь. Он выбирает путь убийства.

В основе, это парадигма сына с матерью, и в этом она явно отражает пред-юношеский этап психосексуального развития. Половой характер молодой женщины в треугольнике очень важен – или она сексуально активна (Соня, Лизавета) или для нее устраивают брак. Эта парадигма предполагает психосексуальное развитие юноши, хотя нездорового сорта. В романе убийство и сексуальность символически равны, и именно это надо ожидать, если убийство является для Раскольникова *rite de passage* на положение взрослого мужчины. Треугольник мужской зависимости характеризирует положение Раскольникова в начале романа, это юношеский этап который ему надо оставить в прошлом.

Другая, может быть даже более важная треугольная парадигма является треугольником спасения. Три стороны его включают в себя агрессивного мужчину, женский объект его агрессии, и спасительного мужчину.[7] Обратите внимание на эти случаи:

Женщина / жертва	*Агрессор / мужчина*	*Спаситель / мужчина*
Дуня	Свидригайлов	Лужин
Дуня	Лужин	Раскольников/Разумихин
Пьяная на улице	Хотящий с ней вязаться	Раскольников и др.
Соня[8]	Ее мужчины/клиенты[9]	Раскольников
лошадь во сне	Миколка мальчик	Раскольников
Алена, Лизавета	Раскольников	Кох, Пестряков, и др.[10]
Хозяйка Раскольникова	"Поручик Порох"	Раскольников
Соня (на похоронах)	Лужин	Раскольников и др.

В измененной форме, можно говорить об этой парадигме когда Раскольников старается спасать Мармладовых, и когда Свидригайлов, самый неожиданный претендент на такую роль, помогает им, и другим, в конце романа.

Выглядит как будто мы имеем дело с романом о спасении, в частности от сексуального притеснения. Интересно что главные мужские лица выступают в обоих мужских ролях. Даже Лебезятников, нелепый нигилист, который помогает Раскольникову спасать Соню от сплетней Лужина на похоронах, раньше бил Катерину Ивановну и искал связь с Соней. Парадигма работает на многих уровнях, от тех близких от центрального сюжета и смысла, к тем в подсюжетах, к тем во вставных повествованиях. Достоевский насыщает роман темой спасения от сексуальной опрессии.

Почему? Идея такого спасения показывает некоторые важные свойства ума Раскольникова. Он беснуется от сексуальной опрессии – заметьте его реакцию на Свидригайлова, Лужина и на "Лотарио" четвертой главы первой части (которого он называет Свидригайловым). Это чувство – одно из его мотиваций к убийству. Он хочет пользоваться своим значением как особенный человек (и может быть украденными деньгами) чтобы помогать униженным и оскорбленным. Он особенно яростно относится к агрессии в ложной форме спасения (Лужин) и к относящемуся к ней явлению спасения от эгоистичных мотиваций (хотя может быть здесь его волнует то, что его спасательную деятельность можно видеть в том же самом свете). Он

7. Curtis, *Цит. произв.*, с. 146–47.

8. Здесь можно говорить и о всех проститутках в романе, например, о девках Луизы Ивановны, или даже о будущей Полечке, при нехорошем результате событий. В роли спасителя выступает, хотя только на плане своей фантазии, Раскольников сам, конечно. Намек есть о том, что в агрессивной роли выступают среди остальных Заметов, Зосимов, и даже, верь-не-верь, Разумихин (см. II:3).

9. Или в этическом смысле Мармеладов.

10. Без успеха, конечно.

очень любит для себя роль спасителя (с Дуней, с Соней, с Мармеладовыми) но не может терпеть для себя роли спасенного (письмо от матери, милостыня ему после случайного нахлестывания). С одной стороны можно считать его наказанием то, что он должен принимать женскую роль спасенной жертвы, и что он должен принимать эту роль от кроткой, униженной Сони, ставшей в конце концов и спасителем и образцом в этом – эта инверсия является и сексуальной и этической.

Такие треугольники являются одной частью большой системы, которую я называю, в моей книге *Тиран и жертва в творчестве Достоевского*, парадигмой тирана и жертвы, и она центральная ось для всех произведений Достоевского. Она включает в себя двух противоположных типов, агрессора и его жертву. Отношение между ними создает неравенство власти в романе, иерархию верховенства, или лестницу чинов, как ее называет Эрик Эгеберг.[11] В произведениях Достоевского, почти в любом, эта лестница инвертируется, и слабый человек достигает верховенство. Ибо жертва у Достоевского владеет тем, что антропологи называют полонежским словом "мана", то есть тайная духовная власть, характеристика некоторых святых предметов и особ.[12] У Достоевского этой властью владеет слабый человек, больной или умирающий, проститутка или изнасилованная женщина, нищета, мужчина с женскими качествами, пьяница, униженный/оскорбленный, побитое дите, или полусумасброд. Эта жертва управляет человеческой чувствительностью, и в конце концов агрессор, Лотарио и убийца должны подвергаться ею или ее духовной власти.[13]

Что случается когда создается третья сторона этой структуры – спаситель жертвы от тирана? Спаситель у Достоевского находит себя в странном положении, так как он должен иметь достаточно власти чтобы эффективно соревноваться с тираном, и он мог бы пользоваться этой властью чтобы сам стать тираном, на самом деле это может быть ему очень соблазнительно. Обычно он сам обладает некоторыми агрессивными инстинктами, сознательно или нет. С другой стороны, его милосердие к жертве так сильно привлекает его, что он иногда реагирует подражанием.

Так что спаситель у Достоевского – человек переполненный противоположностями, который стоит между крайными типами на

11. Erik Egeberg, 'Село Степанчиково и современная психология' Доклад, прочитанный на той же конференции.
12. Sigmund Freud, *Totem and Taboo* (London, Hogarth Press, 1962), c. 100–39.
13. Gary Cox, *Tyrant and Victim in Dostoevsky* (Columbus, OH, Slavica, 1984), c. 76.

концах оси, и он может принимать или ту или иную роль в парадигме. Его поведение может чередоваться между агрессивным и кротким, или он может содержать в себе постоянное равновесие между противоположными элементами. Он может, как Раскольников, оставаться довольно несознательным по отношению к переменам в себе, или может быть, как Свидригайлов, быть чутко сознательным и сладострастно наслаждаться каждой новой переменой своей чувствительности.

Самый важный символ системы тирана и жертвы в творчестве Достоевского является поклон. Обычно тиран клонится жертве, и так поклон часто представляет собой главное *peripeteia* произведения, момент когда жертва достигает символическую или настоящую власть над тираном (см., например, роман *Братья Карамазовы*). К тому же, поклон имеет и эстетическую и нравственную стороны, эстетическую так как символизирует главное *peripeteia* и этическую так как подвергание агрессора к жертве является началом духовного перерождения для Достоевского.[14]

Нет тайны о значении поклонов в *Преступлении и наказании*. Они художественное и символическое сердце произведений. Достоевский явно говорит, устами Раскольникова и Сони, что поклоны представляют собой указание на страдальца и уважение к нему. Когда Раскольников клонится Соне, это поклон тирана жертве, и когда она клонится ему она намекает на то что он стал жертвой. Ее поклон знак того, что он переступил границу и стал особенным человеком, жертвой, владеющей маной страдания. Конечно это крайне ироничеcкий факт, так как не эту границу хотел переступить Раскольников.

Давайте сейчас вернемся к нашим треугольникам. Какое отношение между треугольником мужской зависимости и треугольником спасения? Контролирующая женщина отсутствует у второго, агрессивный мужчина у первого. Треугольник мужской зависимости отражает пред-юношеский уровень психосексуального развития, а с другой стороны агрессия и спасение являются действиями взрослых мужчин, и эта парадигма становится более важной к середине и концу романа. Убийство переместило Раскольникова из первого треугольника во второй, но не в качестве спасителя, как он хотел, а в качестве жертвы.

Посмотрим еще раз на треугольник, "Алена Ивановна – Раскольников – Лизавета". Раскольников выбивается из этой невыносимой

14. Cox, 'Tyrant and Victim', c. 86–101.

ему парадигмы путем ее разрушения. Он губит остальных ее двух членов. Но и себя губит – он разрушает весь треугольник. Он стал жертвой, собственной жертвой (ср. *Записки из мертвого дома*), и теперь его надо спасать. Спасает его Соня, прототип жертвы, и она его спасает классическим у Достоевского путем, инверсией оси тирана и жертвы.

Хотя убийство является ритом де пассаж для Раскольникова, это конечно аберрантный, больной путь к психосексуальному полнолетию. Разумихин иллюстрирует нормальное развитие. Он участвует в треугольнике с Госпожой Раскольниковой и Дуней (треугольник мужской зависимости), и хотя он ведет себя по-мальчишески – болтает, пьянствует – все-таки с самого начала он берет на себя и роль спасителя и будущего мужа. Эта парадигма сказки – герой убивает змею и награждается браком с княгиней – (формула Проппа, которая осуществляется во множестве романов. Здесь она служит здоровым фоном для больного развития Раскольникова. Но это парадигма Раскольникова которая иллюстрирует агрессивные элементы сексуальной жизни, которые должны быть отменены подверганием тирана своей жертве.

SECTION V

Dostoevsky and Modern Literature
Comparative Studies

16.

ДОСТОЕВСКИЙ В ВОСПРИЯТИИ МАНДЕЛЬШТАМА

СВЕТЛАНА КУЗЬМИНА

Сопоставление этих имен обусловлено неоспоримым влиянием Достоевского на всю культуру XX века, сказавшимся, в частности, и в творчестве и необычайно чуткого к "чужому слову" О. Мандельштама, в формировании его эстетических взглядов.

Достоевский присутствует контекстно, в виде цитат, прямых и скрытых, не только в прозе Мандельштама 20-х годов ("Шум времени", "Египетская марка"), но и в его поэзии, что особенно заметно в стихах воронежского периода.

Следует отметить, что восприятие Мандельштамом художественного и философского наследия Достоевского отличалось самостоятельностью и независимостью от социокультурного сознания рубежа веков. Несмотря на то, что круг общения (петербургское религиозно-философское общество, "башня" Вяч. Иванова) как бы поневоле втягивал молодого поэта в напряженно-религиозное, "культовое" и "эсхатологическое" прочтение Достоевского, Мандельштаму были чужды "неохристианские", религиозно-мистические толкования этого писателя. Не увлекли поэта аполлоно–дионисийские интерпретации Достоевского Вяч. Ивановым,[1] "двоичные" построения В. Мережковского. Далек он был от примитивной схемы А. Волынского, утверждавшего, что "Достоевский является предтечей всего современного декаденства на русской почве".[2]

Что роднило Мандельштама с его философствующими на эту тему современниками, так это сама активность отношения к Достоевскому, интенсивность переживания его творчества.

---

1. См., например, письма О. Мандельштама к Вяч. Иванову, где говорится о книге последнего *По звездам*, затрагивающей и проблему индивдуализма у Достоевского. — *Записки отдела рукописей Гос. б-ки им. В.И. Ленина*, XXXIV (Москва: 1973), с. 263 и др. (Публикация А. Морозова).
2. А. Волынский, *Книга великого гнева* (Петербург, 1904), с. 64

Достоевский был известен Мандельштаму не только "из вторых рук" символистов и русских экзистенциалистов, а непосредственно, как автор *книг для чтения*, стоящих в книжном семейном шкафу. Об этом есть свидетельство самого поэта в исповедальной прозе "Шум времени" (1925 г.):

> Книжный шкап раннего детства — спутник человека на всю жизнь. Расположение его полок, подбор книг, цвет корешков воспринимаются как цвет, высота, расположение самой мировой литературы. Да, уж тем книгам, что не стояли в первом книжном шкапу, никогда не протиснуться в мировую литературу, как в мирозданье... А что такое Тургенев и Достоевский? Это приложение к "Ниве". Внешность у них одинаковая, как у братьев. Переплеты картонные, обтянутые кожицей. На Достоевском лежал запрет, вроде надгробной плиты, и о нем говорили, что он "тяжелый".[3]

Но, видимо, семейный запрет не выполнялся. И в одном целостном чувстве соединялись мир книжный и мир личных переживаний:

> Чайковского об эту пору я полюбил болезненным нервным напряжением, напоминавшим желание Неточки Незвановой у Достоевского услышать скрипичный концепт за красным полымем шелковых занавесок. Широкие, плавные, чисто скрипичные места Чайковского я ловил из-за колючей изгороди и не раз изорвал свое платье и расцарапал руки, пробираясь бесплатно к раковине оркестра.[4]

Эта способность одновременно "видеть, слышать и понимать" была развита у Мандельштама необыкновенно и не могла не отразиться в его творческой практике. Он был убежден в глубочайшей взаимосвязанности всех сторон человеческого сознания, и, как отмечено в предисловии к опубликованным записным книжкам О. Мандельштама, отсюда берет начало его "концепция единства интеллектуальной и «художественной» природы литературы, живописи, музыки, науки".[5] Чтение для него – активное включение в этот процесс всего человека как в его индивидуальных, так и родовых чертах:

> Мы читаем книгу, чтобы запомнить, но в том-то и беда, что прочесть книгу можно, только припоминая. Будучи всецело охвачены деятельностью чтения, мы больше всего любуемся своими родовыми свойствами.[6]

Поэт обладал сильно развитой чувственно-конкретной памятью на читанное, он выхватывал из нее, по мере необходимости, детали, факты, выстраивая слово-образ таким способом, чтобы оно в

---

3. О. Мандельштам, *Собрание сочинений в трех томах* (Нью Йорк, 1971), т. II, с. 57.
4. *Там же*, с. 70.
5. О. Мандельштам, 'Записные книжки', *Вопросы литературы*, № 4 (1968), с. 180 (составители А. Морозов, В. Борисов).
6. *Там же*, стр. 193.

"свернутом" виде сохраняло свое происхождение из культурно-исторического ряда, отсылало к первоисточнику или нескольким адресам и говорило о современном, оборачивая его к универсальному, общечеловеческому. Только такой памятью и можно объяснить абсолютную содержательную точность в "цитатах" из *Неточки Незвановой*. Эта точность обнаруживается в словосочетаниях "болезненное нервное напряжение", "за красным полымем шелковых занавесок", "Чернобелый" Достоевский, а именно так он воспринимается большинством читателей, – увиден Мандельштамом в детализированной цветовой конкрестности. Действительно, "красные занавесы" в повести играют сюжетно-организующую роль. Дом напротив, с которым у Неточки были связаны детские мечты о жизни "в каком-то вечном празднике и вечном блаженстве", был "с красными занавесами". Там же, в этом доме, где Неточка оказывается после всех нелегких перипетий, полубольная, она почти ощупью идет на звуки скрипки, которые "становились все слышнее и слышнее... Одна из дверей в залу, прямо из коридора, была завешена огромными двойными портьерами из пунцового бархата" (*ПСС*, II: 161, 195).

Мандельштам видит людей вокруг себя через призму литературных героев:

> Первый ученик Слободзинский, — пишет он, вспоминая Тенишевское училище, — человек из сожженной Гоголем второй части *Мертвых душ*, положительный тип русского интеллигента, умеренный мистик, правдолюбец, хороший математик и начетчик по Достоевскому.[7]

Такой портретный метод, по точному наблюдению Н. Берковского, – выявление "культурного и временами *социального* стиля личности".[8]

Но перед Мандельштамом не стоит задача воспроизвести мир читателя или психологически точно воссоздать прихотливые ассоциации и их интимное бытование в человеческом сознании, у него другая цель – уловить "шум времени", "глухое предисторическое беспокойство".[9] Улавливание же времени, говоря словами Блока, "музыки" и "гула" не может происходить непосредственно, так как время "замкнуто" на всем конкретно-историческом и "разомкнуто" в большой мир истории и культуры – и это двуединое действие совершается в сознании современника. Так синтезируется для Мандельштама биография и литература (и шире: история-культура). Поэтому-то и благодаря чтения, формирующему сознание личности, открывается возможность услышать "шум времени".

---

7. Мандельштам, *Собрание сочинений*, т. II, с. 77.
8. Н. Берковский, 'О прозе Мандельштама', в его кн. *Текущая литература* (Москва, 1930), с. 167.
9. Мандельштам, *Собрание сочинений*, т. II, с. 71.

Мандельштам признается: "Разночинцу, – а им и осознавал себя поэт, – не нужна память, ему достаточно рассказать о книгах, которые он прочел – и биография готова".[10] "Биографический" Достоевский (следует помнить, что "Шум времени" был задуман именно как произведение автобиографическое) в "Египетской марке" (1928) осмысляется уже и в социально-идеологическом плане.

Знак подвижного тождества между жизненным и художественным содержанием ощутим в этой повести в свободном перетекании действительного – в вымышленное и наоборот, созданного воображением – в реальность. В художественное пространство повести как и во все творчество Мандельштама вовлечены "чужие" творческие миры, в частности, "сон и бред" Достоевского.

Мир этого писателя вступает во взаимодействие с происходящим в "Египетской марке", наделяет все остросоциальное, идеологически маркированное для времени Мандельштама общечеловеческим смыслом, углубляет нравственно-философскую проблематику, повести и во многом определяет "психологическую мотивировку" поведения героев. "Египетская марка" как бы спроецирована на сюжет *Двойника* Достоевского. В ее главном герое Парноке "прочитывается" робкий чиновник Голядкин, в ротмистре Кржижановском – пронырливый Голядкин-младший. Кроме того, в повести Мандельштама так или иначе "напоминают" о себе сцены из *Идиота*, идеи из *Бесов* и *Дневника писателя* за 1877 год.

События повести не выстраиваются по классической сюжетной схеме. Они постоянно пересекаются с литературными эпизодами (например, чтение Ипполитом из *Идиота* своей рукописи на даче в Павловске), ставшим для Мандельштама реальностью, смыкающей биографию и культуру.

Но следует уточнить: здесь уже не делается акцента на "список книг" как "биографию разночинца", здесь исследуется жизнь идей Достоевского, как бы вышедших из-под контроля индивидуального сознания Раскольникова, Петра Верховенского, Шигалева и обретших свою жуткую персонифицированную форму в самом социуме, в "жизни улицы".

В *Дневнике писателя* за февраль 1877 г. Достоевский записывает:

> ... и если не сдирают здесь на Невском кожу с отцов в глазах их детей, то разве только случайно, так сказать, "по независящим от публики обстоятельствам", ну и, разумеется, потому еще, что и городовые стоят (*ПСС*, XXV: 45).

Герой повести Парнок, да и сам Мандельштам к концу 20-х годов

---

10. *Там же*, т. II, с. 99.

чувствовали, что "сдирание кож" происходит тоже "по независящим от публики обстоятельствам", а еще и потому именно, что "городовые стоят". В "Египетской марке" читаем:

> На Гороховой улице с молитвенным шорохом двигалась толпа. По середине ее сохранилось место в виде каре... Маткой этого странного улья был тот, кого бережно подталкивали, осторожно направляли, охраняли, как жемчужину, адъютанты. Сказать, что на нем не было лица? Нет, лицо на нем было, хотя лица в толпе не имеют значения, но живут самостоятельно одни затылки и уши.[11]

Мотив обезличивания и страха во многом характерен для европейской прозы XX века.[12] Иррациональный страх, исходящий от несовпадения идей революции и наметившихся тенденций в обществе, незащищенность человека от низведения его по "лестнице" Ламарка (тема стихотворения Мандельштама "Ламарк") к "кольчецам и усоногим", превращение его в "человеческий материал" и приведение этого материала к "общему знаменателю" по Шигалеву из *Бесов* – все это, воплощенное в уличной сцене их "Египетской марки", станет одной из важных тем поэта.

> Тут была законом круговая порука, - пишет он. - Стоило кому-нибудь самым робким восклицанием придти на помощь ... как его самого взяли бы в переделку, под подозрение, объявили бы вне закона и втянули бы в пустое каре. Тут работал бондарь - страх.[13]

"Кожевенный мрак" – в таком словосочетании соединяются детские воспоминания (отец Мандельштама – торговец кож) и впечатления от "сдирания кож" у Достоевского. В "кожевенном мраке" становится почти неразличаемой человечность, способная противостоять насилию и хаосу.

Достоевский, размышляя "о моде сдирания кожи, да еще под видом самых священнейших принципов цивилизации", писал о "механизме" этой моды в *Дневнике писателя* и в *Сне смешного человека*:

> ... Если б чуть-чуть "доказал" кто-нибудь из людей "компетентных", что содрать иногда с иной спины кожу выйдет даже и для общего дела полезно, и что если оно и отвратительно, то все же "цель оправдывает средства", - если б заговорил кто-нибудь в этом смысле, компетент-

---

11. *Там же*, т. II, с. 17.
12. См., например, у Р.-М. Рильке: "Людей — бездна, а лиц еще больше, ведь у каждого их несколько... Улица была пуста; ее пустота скучала; она выхватывала шаги у меня из-под ног и громыхала ими как деревянными башмаками. Женщина испугалась, слишком быстро, слишком резко оторвалась от себя, так что лицо осталось в ладонях. Я видел, оно там лежало, пустой оболочкой... Страшно было смотреть на лицо с изнанки, но еще больше и боялся голой, ободранной головы без лица. Я боюсь. Против страха надо сразу принимать меры..." — *Записки Мальте Лауридса Бригге* (Москва, 1988), с. 21-22.
13. Мандельштам, *Собрание сочинений*, т. II, с. 18.

> ным слогом и при компетентных обстоятельствах, то, поверьте, тотчас же явились бы исполнители, да еще из самых веселых (*ПСС*, XXV: 46); ... для ускорения дела "премудрые" старались поскорее истребить всех "непремудрых" и не понимающих их идею, что они не мешали торжеству ее (*ПСС*, XXV: 117).

Из общего контекста повести Мандельштама можно сделать вывод, что "компетентным" и "мудрым" исполнителем станет ротмистр Кржижановский, в совершенстве владеющий методами подлога и обмана. Это он крадет "визитку" и лучшие рубашки Парнока, запросто объявляя их своими. И в прачечной ему верят, чувствуя его силу и безнаказанность. Это он шепчет в "преступно розовое ушко" заведомую ложь, подгоняя так слова друг к другу, что нелепость обвинений увеличивает несуществующую вину Парнока:

> О нем не беспокойтесь, он пломбирует зуб. Скажу вам больше: сегодня на Фонтанке — не то он украл часы, не то у него украли. Мальчишка! Грязная история.[14]

Повесть заканчивается тем, что ротмистр уезжает в Москву и селится в гостинице "Селект" – "очень хорошей гостинице на Малой Лубянке".[15] Может быть, и не следует делать таких смысловых сближений, но все же трудно не вспомнить, что в концу 20-х годов, когда писалась эта повесть, "Лубянка" уже начинала приобретать те зловещие черты, которые к 1937 году стали вполне отчетливыми.

"Параллелизм" "Египетской марки" и *Двойника* углубляет тему "двойничества" и потери человеком себя в насквозь политизированной действительности, неспособности противостоять идеологическим клише, формирующим "полулюдей". Проекция на *Двойника* Достоевского оборачивается у Мандельштама проблемой связи между ротмистрами, совпадающими с "социальной архитекутрой", "купающимися в ней", и безвольными, испугавшимися парноками. Парнок так никуда и не дозвонился, чтобы предупредить о беззаконии, поразившем его в уличной сцене уводимого неизвестного куда и за что человека...

Без помощи "капитана Лебядкина", дискредитирующего саму идею творчества, сводящего поэзию к прагматическим целям, невозможна разрушительная работа Петра Верховенского, поставившего задачей расшатывание основ общества (*Бесы*). Без социальной ущемленности, задавленности и ухода от жизни в свое душное "подполье" невозможен и крах личности, сразивший "господина Голядкина" (*Двойник*).

У Мандельштама Парнок осознает свою "родословную" как идущую от "капитана Голядкина". Может быть, это обмолвка, ошибка,

---

14. Мандельштам, *Собрание сочинений*, т. II, с. 29.
15. *Там же*, т. II, с. 42.

вполне возможная при "работе с голоса" (поэт диктовал свои тексты жене Н.Я. Мандельштам). Но следуя логике художественного мышления автора, можно предположить, что здесь сознательное стяжение нескольких источников, рождающее "пучок смыслов", как он сам выразился в "Разговоре о Данте". Эта обмолвка конструктивна, она дает большой контекстный простор. Рифмующиеся слова "Голядкин" и "Лебядкин" синтезированы в одном словосочетании, каждая часть которого "помнит" свое происхождение от Достоевского.

Парнок говорит словами Голядкина: "Я ничего – заплачу – извиняюсь", заставляющими вспомнить сцену в *Двойнике* с пирожками в кофейной; автор характеризует героя, ориентируясь на лексику и интонацию Достоевского: "Выведут тебя когда-нибудь, Парнок, – со страшным скандалом, позорно выведут ... ославят, осрамят..."[16]

Но главное не это. "Парнок, – читаем мы, – был жертвой заранее созданных концепций о том, как должен протекать роман".[17] Голядкин же, по Достоевскому, – жертва сочиненного своего права на частную жизнь, права быть "самим по себе", не имеющего для этого реальной почвы. Так смысл человеческой жизни и сама жизнь в ее гротескных противоестественных формах становятся непересекаемыми мирами.

Наряду с А. Платоновым, М. Булгаковым Мандельштам показывает опасность такого "двоемирия", несовпадения целей революции и методов, дискредитирующих саму ее идею.

Он ощущал себя одним из "потерпевших крушение выходцев девятнадцатого века, волею судеб заброшенных на новый исторический материк", и свою задачу видел в том, чтобы "гуманизировать двадцатое столетие, согреть его телеологическим теплом".[18]

В прозе – "Шуме времени" и "Египетской марке", писавшейся в пору его поэтической немоты, Мандельштам явственно определил свою преемственность в отношении гуманистических традиций литературы и Достоевского-"каторжника", как он назвал его в "Египетской марке". Этот момент важен не только как факт историко-литературный – Достоевский был для поэта нравственным ориентиром, художником и человеком, постоянно вслушивающимся в голос совести.

С ним связываются у Мандельштама и раздумья о писательской судьбе, о праве критики выносить окончательные суждения.

---

16. *Там же*, т. II, с. 11.
17. *Там же*, т. II, с. 13.
18. О. Мандельштам, 'Слово и культура', с. 68.

> ... Однажды бородатые литераторы, - пишет он в "Египетской марке", - в широких, как пневматические колокола, панталонах, поднялись на скворешню и снялись на отличном дагерротипе. Пятеро сидели, четверо стояли за спинками ореховых стульев... Все лица передавали один тревожно-глубокосмысленный вопрос: почем теперь фунт слоновьего мяса? Вечером, на даче в Павловске эти господа литераторы отчехвостили бедного юнца-Ипполита. Так и не довелось ему прочесть свою клеенчатую тетрадку.[19]

Переиначивание сцены чтения Ипполитом своей рукописи у князя Мышкина в суд "господ литераторов", которые "отчехвостили" автора, так его и не услышав, горькая ирония Мандельштама могли идти от сложно складывавшейся личной писательской судьбы, напрямую зависящей от определений-ярлыков официальной прессы.

У Достоевского есть замечание о необходимости "выжитых правил", то есть таких оснований общества, которые не создаются на ходу, когда "все прерывается, падает, отрицается как бы и не существовало",[20] а вырабатываются в ходе исторического развития как непрерывного, длительного процесса.

Для Мандельштама безоглядная готовность зачеркнуть что-то в истории общества и начать с нуля равносильна угрозе самой жизни. Вне преемственности "выжитых правил", вне корневой системы общечеловеческих ценностей для него невозможно социальное и духовное строительство, а также "выстраивание" своего художественного мира. Анализ скрытых и явных цитат в его прозе (а здесь присутствует не только Достоевский, но и Пушкин, Гоголь, Тургенев и др.) и в поэзии позволяет обнаружить мировоззренчески важную для этого художника особенность: стремление включить в собственную художественную ткань, как в еще неостывшую лаву современности, "старые", ставшие "прошлым" ценности, сохранить таким образом в сконцентрированно-зашифрованном виде их язык и тем самым обозначить непрерывность вечно изменяющегося, а то и словно прекрывающегося катастрофами мира.

Словесное "органное пространство" Мандельштама звучит многими голосами, и это не столько эстетика его творчества, сколько этическая сверхзадача. Прозой была заявлена гуманистическая идея культурной преемственности – поэзия же стала ее художественным воплощением.

Стихотворение "Где связанный и пригвожденный стон" (1937) контекстно включает вопрос Ивана Карамазова к Алеше:

---

19. Мандельштам, *Собрание сочинений*, т. II, с. 27.
20. *Литературное наследство*, LXXVII (1965), с. 343.

мирование поэтики Мандельштама. Эта отмечала Л. Гинзбург:

> Не стилизаторский интерес водил поэзию Мандельштама по дорогам мировой культуры, но потребность исторически понять отдельные культуры и найти им место в объемлющем их русском культурном сознании. Концепция эта, вероятно, сложилась в какой-то мере под воздействием идей Достоевского о всемирности, всечеловечности как неотъемлемом свойстве русского нациионального сознания.[27]

Было бы огрублением сводить вопрос об отношении Мандельштама к Достоевскому лишь как к вопросу о взаимствовании им готовых смысловых блоков из художественного наследия великого писателя. Совершенно ошибочно, на наш взгляд, видеть в этой проблеме и один лишь момент языковой и интерпретационной "игры" или попытки прямого перевода Достоевского на язык современности.

Целостное восприятие Достоевского, включение его в список книг, тождественный "биографии", позволили Мандельштаму претворить гуманистические идеи Достоевского в собственном творчестве и личной судьбе, которые у истинного поэта всегда неразрывны.

---

27. Л. Гинзбург, *О старом и новом* (Ленинград, 1982), с. 259-60.

17.

LES LECTURES STRATIFIÉES DE DOSTOÏEVSKI PAR ANDRÉ GIDE

MICHEL CADOT

Sans doute André Gide n'eût-il guère aimé ce terme de "stratifié", assurément plus géologique que littéraire: mais il emploie lui-même les mots "strates" et "stratification" à propos de son propre essai sur Dostoïevski.[1] Ce terme me paraît assez bien caractériser la relation complexe et changeante que Gide entretint pendant plus d'un demi-siècle avec le romancier russe. Certes de nombreuses études ont déjà largement exploré ce vaste champ de recherche. Je me suis servi des travaux de Jan Delay, notamment de son introduction à la correspondance Gide – Martin du Gard, de la thèse malheureusement inédite de Jean-Louis Backès sur Dostoïevski en France, du livre de notre éminent président d'honneur G.M. Fridlender, *Dostoevskij i mirovaja literatura*, du livre de Martin Raether sur l'acte gratuit, de l'étude fondamentale de Daniel Moutote sur Gide lecteur de Dostoïevski,[2] et de plusieurs autres qu'on trouvera citées en note.

La première "strate", la plus ancienne, commence, mais en gros seulement, avec la lecture par Gide du livre d'Eugène-Melchior de Vogüé, *Le Roman russe*, paru en 1886. Je viens de publier les actes d'un colloque réuni à l'occasion du centenaire de ce livre célèbre, qui fit pour la Russie ce que Mme de Stäel avait fait pour l'Allemagne.[3] Le jeune Gide, âgé de vingt-et-un ans, lut *Le Roman russe* en août 1890; il connaisait aussi la synthèse de Vogüé sur la littérature russe parue en 1891 chez Larousse dans le volume intitulé *La Russie* et qu'on

1. André Gide, *Dostoïevski (Articles et causeries)* (Paris, Plon, 1923), p. 192 et 214.
2. Daniel Moutote, 'Dostoïevski et Gide', *Revue d'histoire littéraire de la France*, LXXVI/5 (sept.–oct. 1976), p. 768–93; Jean Delay, Introduction à *Correspondance Gide–R. Martin du Gard 1913–1934* (Paris, Gallimard, 1968), 2 vol.; G.M. Fridlender, *Dostoevskij i mirovaja literatura* (Moscou, Khud. literatura, 1979; nouvelle éd. 1985); Martin Raether, *Der Acte gratuit, Revolte und Literatur: Hegel – Dostojewskij – Nietzsche – Gide – Sartre – Camus – Beckett* (Heidelberg, Carl Winter, 1980).
3. *Eugène-Melchior de Vogüé, héraut de la littérature russe*, études réunies par Michel Cadot (Paris, Institut d'Etudes Slaves, 1989).

oublie toujours de citer.[4] Dès mars 1890 Gide mentionne parmi ses lectures "Krotkaïa", "Un petit héros" et *Crime et Châtiment*, et déjà une relecture de ce roman en septembre 1891. L'année 1893 mentionne "Les étapes de la folie" (c'est-à-dire "Un coeur faible") et *Humiliés et offensés*. Ces informations apparaissent dans *Subjectif*, ce cahier des lectures de Gide commencé le 28 octobre 1889 et tenu régulièrement jusqu'en octobre 1893 par le jeune écrivain. Il a été publié en 1969 au tome I des *Cahiers André Gide*.

La grande année dostoïevskienne de Gide est, dans cette première période, l'année 1896: il lit *L'Idiot*, *Les Frères Karamazov*, *Les Possédés*. Longtemps après, en 1927, Gide reconaissait l'incitation qu'il avait reçue du livre de Vogüé:

> Je me souviens que ce qui m'a fait lire *Les Possédés* et *Les Karamazov*, c'est la retraite de ce grand dadais de Melchior devant ces livres "apocalyptiques et ténébreux".[5]

Quant à *L'Idiot*, mentionné dans une lettre à Paul Valéry du 28 août 1896, il le lui recommande de façon ambiguë en octobre:

> Lis donc *L'Idiot* de Dostoïevski. J'attends pour en parler d'avoir fini *Karamazov*. Mais jusqu'à présent je trouve ça presque très mauvais, procédeux [*sic*] et ... intéressant. Lis donc *L'Idiot*.[6]

Gide ne relira pas *L'Idiot* avant 1921 et lui préférera toujours les autres grands romans de Dostoïevski,[7] peut-être parce qu'il manque de personnages "pervers". A ces lectures capitales de 1896, il convient de joindre en novembre 1897 *L'Esprit souterrain*, qui alimentera les réflexions de Gide sur l'humiliation et l'orgueil.

Les Possédés font l'objet en 1898 du premier essai où Gide traite de Dostoïevski. Il s'agit d'un article du 10 décembre 1898 paru dans la revue *L'Ermitage* en janvier 1899 et repris dans *Prétextes* (1903). Après avoir déclaré que "tout grand créateur, tout grand affirmateur de Vie est forcément un Nietzschéen", Gide, qui a cité Shakespeare, Beethoven, Michel-Ange comme les vrais précurseurs de Nietzsche, en vient à Dostoïevski: "Nul plus que Dostoïevski n'a *aidé* Nietzsche". Et il résume, avec d'abondantes citations, le dernier entretien entre Kirilov et Pierre Verkhovenski, Kirilov, dit-il, se tue pour affirmer sa liberté, "superuomo d'un instant". Gide ajoute: "Je sais bien que Dostoïevski met ces paroles dans la bouche d'un fou, mais peut-être une certaine folie est-elle *nécessaire* pour faire dire une première fois certaines choses", et, appliquant cette idée à Nietzsche, dit que celui-ci *s'est fait fou*. Certes on pense aussitôt aux théories de Lombroso, qui, déclare Gide, "ne gênent que les sots". Mais il me

---

4. E.-M. de Vogüé, 'Le développement intellectuel de la Russie depuis Catherine II', dans sa *La Russie* (Paris, Larousse, 1891), p. 276–99.
5. André Gide, *Journal 1889–1939* (Paris, Bibl. de la Pléiade, 1948), p. 832.
6. *André Gide—Paul Valéry. Correspondance, 1890–1942*, éd. Robert Mallet (Paris, 1955), p. 282.
7. Gide, *Journal*, p. 704 (1er décembre 1921).

semble important que Gide soit allé directement au coeur du livre le plus énigmatique de Dostoïevski, comme pour en appeler du jugement négatif de Vogüé, et qu'il ait associé aussi nettement le romancier russe et le philosophe allemand, tous deux cherchant à montrer, fût-ce à travers la folie, qu'un surhomme peut dépasser l'humaine condition, ne serait-ce qu'un instant, en se faisant lui-même dieu. Daniel Moutote pensait que peut-être la lecture de Dostoïevski, qui précède chez Gide la lecture de Nietzsche, l'a préparée et certainement orientée. En pleine querelle du nationalisme littéraire, à l'époque de l'affaire Dreyfus et de la naissance de l'Action française, Gide use d'un argument ingénieux: "Certains nationalistes, m'a-t-on dit, contestaient jusqu'au droit de traduire ou de lire les étrangers, sous prétexte que ce qui s'y trouvait de non français, d'exotique, était faire pour intoxiquer la France ..." Et Gide de montrer que bien souvent le lecteur français retrouvait son bien chez les étrangers, car ceux-ci connaissent beaucoup mieux notre littérature que nous ne connaissons la leur:

> Goethe, Heine, Schopenhauer, Nietzsche, Ibsen, Dostoïevski, Tolstoï [...] ont tenu leurs regards sans cesse tournés vers la France, et beaucoup ont trouvé dans les recoins de notre bibliothèque les germes de pensée qui, développés, exagérés par eux, vont revenir à nous comme de vieux parents reviennent d'Amérique: partis pauvres, jadis, depuis presque oubliés, maintenant étonnamment riches, mais ne parlant plus notre langue.[8]

Ce texte du 10 mai 1899 est intéressant à plus d'un titre, car il prouve l'importance de Dostoïevski aux yeux de Gide, qui le place dans la série des plus grands écrivains européens du XIXème siècle; quelques pages plus loin il s'exclame: "Nos littératures modernes diffèrent extraordinairement des antiques ... imaginez un Balzac chez les Grecs! un Whitman! un Dostoïevsky!'.[9] Ce dernier est donc pour Gide à la fois tout imprégné de notre culture, et radicalement neuf, notamment (et c'est important pour un écrivain aussi féru de culture classique que Gide) par rapport à la culture issue de l'Antiquité: cette appréciation, formulée à l'aube du XXème siècle, reste parfaitement valable un siècle plus tard.

* * * *

Au-dessus de cette première strate, correspondant à une phase primitive de découverte et d'imprégnation, l'archéologue du sous-sol gidien repère une seconde strate que l'on peut appeler pour la commodité l'étage critique. Certes il y a chevauchement partiel avec la première strate: Gide, nous l'avons vu, s'attache à situer Dostoïevski dans la littérature mondiale avant de le connaître entièrement, à quoi il s'occupera toute sa vie. Mais dans cette période, en gros de 1900 à 1914, il procède à des relectures qui modifient ses premières impressions:

> Nous lisons à haute voix *L'Adolescent*. A la première lecture, le livre ne m'avait pas paru si extraordinaire, mais plus compliqué que complexe, plus touffu que

8. André Gide, 'Prétextes', *Mercure de France*, 1919, p. 117–18.
9. *Ibid.*, p. 120.

> rempli, et, somme toute, plus curieux qu'intéressant. Aujourd'hui, je m'étonne et j'admire à chaque page. J'admire Dostoïevski plus que je ne croyais qu'on pût admirer.[10]

Ce texte de mai 1903 renvoie à une première lecture qui ne peut être antérieure à 1902, année de la première traduction dans la *Revue Blanche* par Bienstock et Fénéon. Relecture encore de *L'Idiot* fin 1905, ou tout au moins souvenir déclenché par les *Confessions* de Rousseau à propos de la situation difficile de celui-ci entre Mme d'Houdetot et Saint-Lambert:

> Curieux rapprochement à faire avec Miuchkine près de Rogojine et de Nastasia Philipovna dans *L'Idiot*. L'expression de ce sentiment (qui est aussi celui de mon Candaule) – que je n'ai rencontré que là – est de la première importance.[11]

Cette note montre que Gide apprécie particulièrement chez Dostoïevski l'ambiguïté des sentiments, l'irrationalité des conduites, tout ce que René Girard appellera plus tard la rivalité mimétique.[12] Bientôt Gide prolongera dans sa propre création ces axes majeurs de l'art dostoïevskien. La même année 1905 en effet, Gide esquisse les personnages des *Caves du Vatican*: "Je vois Anthime-Armand Dubois avec une énorme loupe sur le sourcil droit. Barailloul [*sic*] porte une perruque noir". Lafcadio apparaît le 3 avril 1906.[13] Le fantastique psychologique qui caractérisait *Les Caves du Vatican*, Gide pouvait en trouver une esquisse dans *Le Bourg de Stépantchikovo*, traduit dans *Le Mercure de France* en 1905 sous le titre *Carnet d'un inconnu* et qu'il lit en 1906.

Ces relectures combinées à des lectures nouvelles amènent peu à peu Gide à envisager un essai critique sur le romancier russe: l'occasion lui en est fournie par la publication au *Mercure de France* de février 1908 d'extraits de la correspondance de Dostoïevski. Gide publie son essai dans la *Grand revue* du 25 mai. Ses premières phrases montrent la place exceptionelle qu'il accorde à Dostoïevski: "C'est lui, non point Tolstoï qu'il faut nommer à côté d'Ibsen et de Nietzsche; aussi grand qu'eux, et peut-être le plus important des trois". Eugène-Melchior de Vogüé, son illustre devancier, est ironiquement félicité pour avoir apporté à la France "sur le plateau d'argent de son éloquence les clefs de fer de la littérature russe", mais blâmé pour avoir décidé qu'après *Crime et Châtiment* "le talent de Dostoïevsky avait fini de monter", que les *Possédés* étaient "un livre confus, mal bâti, ridicule souvent et encombré de théories apocalyptiques", et que les *Karamazov* étaient une "interminable histoire" que "très peu de Russes ont eu le courage de lire jusqu'au bout".

On voit clairement que Gide se pose en continuateur de Vogüé, et qu'il entend en même temps corriger son héritage, l'image "déplorablement réduite, incom-

---

10. Gide, *Journal*, p. 135.
11. *Ibid.*, p. 189.
12. Voir René Girard, *Mensonge romantique et vérité romanesque* (Paris, Grasset, 1961), et l'excellente synthèse *Dostoïevski, du double à l'unité* (Paris, Plon, 1963).
13. Gide, *Journal*, p. 153, 205.

plète et par cela même faussée de cet extraordinaire génie", peu accessible à "une intelligence salonnière".[14] Gide critique également le volume de correspondance, traduit par Bienstock, où manquent plusieurs lettres essentielles, comme celle du 22 février 1854, pourtant déjà traduite par Halpérine-Kaminski et Ch. Morice dans *La Vogue* du 12 juillet 1886, ou comme celle du 1er décembre 1856 à Vrangel où Dostoïevski raconte son mariage en Sibérie. Gide regrette encore l'absence du plaidoyer écrit par Dostoïevski lors du procès Pétrachevski, traduit sous le titre "Ma défense" par Frédéric Rosenberg dans la *Revue de Paris* en 1898: la publication de ce texte, paru en pleine affaire Dreyfus, avait été secrètement appuyé par Gide, comme l'a montré Claude Martin dans sa grande thèse sur Gide.[15]

Celui-ci insiste sur la conscience professionnelle du romancier russe, malgré le manque d'argent, l'épilepsie, l'opposition des revues, les charges de famille; il parle avec perspicacité de la "sympathie universelle", inséparable du "nationalisme ardent" chez Dostoïevski, qu'il rapproche de celui de Barrès. "Conservateur, mais non traditionaliste, tzariste, mais démocrate; chrétien, mais non catholique romain, libéral mais non «progressiste». Dostoïevski reste *celui dont on ne sait comment se servir*".[16] Ces derniers mots, soulignés par Gide, font apparaître une caractéristique de Dostoïevski que Gide considérait, à bon droit, comme pouvant s'appliquer à lui-même.

A cette strate que j'appelle "critique" appartient aussi l'article "Les Frères Karamazov", paru dans *Le Figaro* du 4 avril 1911. La correspondance Gide–Copeau, publiée dans les *Cahiers André Gide*, tomes XII et XIII (1987–88), nous apprend que dès 1905 Gide avait invité Jacques Copeau, pendant un séjour à Cuverville, à lire ce roman comme l'année précédente il lui avait faire lire *L'Adolescent*.[17] L'adaptation des Karamazov par Jean Croué et Jacques Copeau, commencée en 1908, aboutira en 1910 à deux lectures chez les Van Rysselberghe, puis à la création le 6 avril 1911 au Théâtre des Arts dirigé par Jacques Rouché; mais dès le 13 mai celui-ci arrêtait les représentations, à la grande colère de Jacques Copeau. La presse, plûtot favorable, parla d'un "succès d'estime", qui permit une reprise en mars 1921. L'article de Gide s'attachait à distinguer les défauts et les mérites des deux traductions françaises des *Karamazov*, soulignant que la première, malgré ses énormes lacunes, comblés seulement en partie par la publication du volume supplémentaire intitulé *Les Précoces*, était moins profondément infidèle que la seconde: les auteurs de celle-ci, disait Gide, "dépouillaient les dialogues de leur balbutiement et de leur frémissement

14. Gide, *Dostoïevski*, p. 2–4.
15. *Ibid.*, p. 10 (note) et lettre à M. Drouin de sept. 1898 citée par Claude Martin, *La Maturité d'André Gide: à L'immoraliste, 1895–1902* (Paris, Klincksieck, 1977), p. 391–92.
16. Gide, *Dostoïevski*, p. 50.
17. *Correspondance Gide—Copeau*, 'Cahiers André Gide, t. XII' (Paris, Gallimard, 1987), p. 125 (note) et 104 pour *L'Adolescent*.

pathétiques, sautaient le tiers des phrases, souvent des paragraphes entiers, et des plus significatifs".[18] Quant à l'adaptation de Copeau, Gide se borne à lui souhaiter le succès, sans s'étendre davantage. Peut-être est-ce de l'épigraphe des *Frères Karamazov*, dont parlait ici même Arpad Kovacs, que Gide a tiré le titre de son autobiographie *Si le grain ne meurt*, mais sa familiarité avec l'Evangile est telle que le rapprochement n'est pas nécessaire.

Si les *Karamazov* retiennent Gide en 1911, c'est d'une relecture des *Possédés* que témoigne le *Journal* du mardi 30 janvier 1912, donnant lieu à des notes mises au net le lendemain:

> Accablante admiration. Je pénètre, cette fois, plus avant encore dans la raison secrète de cette oeuvre, l'éclairant mieux encore au souvenir des autres. J'en tiens le détail et la touffe; mais reste confondu de la manière dont le dialogue et le récit viennent à la rencontre de l'idée, si sûrement, bien que de manière en apparence si empirique.[19]

Ces préoccupations de technique romanesque annoncent les dialogues avec Roger Martin du Gard de la période suivante. Une note du *Journal* (fin 1912) fait ressortir que certains critiques constataient déjà une affinité marquée entre Dostoïevski et Gide, et que ce dernier, loin de la démentir, la revendiquait. A un certain Jean de Pierrefeu Gide écrivait:

> Monsieur, une seule chose me déplaît dans votre article: le reproche que vous me faites de chercher à dissimuler ce que je dois à Dostoïevski. J'ai pour Dostoïevski la plus vive reconnaissance, et ne peux pourtant pas la proclamer plus haut que je n'ai fait, n'ayant pas, comme vous l'avez dit, la voix forte. Recevez, etc. (Et j'ai joint à ma lettre ma brochure sur Dostoïevski).[20]

Bientôt paraissait le volume d'André Suarès *Trois hommes: Pascal, Ibsen, Dostoïevski*. Gide connaissait Suarès depuis 1908 et l'estimait: cependant son *Journal* contient ces lignes:

> Je sais trop et sens trop qu'il ne connaissait Dostoïevsky que depuis fort peu de temps, qu'il ne l'a découvert qu'à la suite d'une conversation que nous avons eue ensemble, où je me suis plaint à lui qu'il ne semblait considérer que Tolstoï. Tout le pathos du début de son portrait n'est là que pour couverture; il ne veut pas laisser paraître qu'il ne l'a pas toujours admiré [...] Il est monstrueux d'écarter Dostoïevsky de Nietzsche pour le rapprocher ... de Wagner![21]

A cette strate "critique" appartiennent également les notes pour une *Vie de Dostoïevski* que Gide envisageait dès 1911 pour les *Cahiers de la Quinzaine* de Charles Péguy. Gide connaissait Péguy depuis 1905 et lui portait une vie admiration. Le projet n'aboutit pas, peut-être en raison du projet parallèle de Suarès, et Gide utilisa ses notes pour une partie des six conférences qu'il prononça au Vieux-Colombier en 1922 et publia du 13 janvier au 17 février dans la *Revue*

18. Gide, *Dostoïevski*, p. 63.
19. Gide, *Journal*, p. 362.
20. *Ibid.*, p. 386.
21. *Ibid.*, p. 589.

Hebdomadaire, puis dans son *Dostoïevski, articles et causeries* (Paris, 1923).

Il ne peut être question de rapporter ici en détail le contenu de ces conférences. Gide commence par les éléments biographiques qu'il jugeait propres à éclairer le lecteur français, notamment la condamnation et le séjour forcé en Sibérie. Il ne sert de documents russes traduits en allemand comme les *Materialien* d'Orest Miller, parus en 1883, cite longuement la lettre du 22 février 1854, revient sur Nietzsche "jaloux du Christ, jaloux jusqu'à la folie", tandis que Dostoïevski se nourrit (comme Gide) de l'Evangile qui imprègne toute son oeuvre et s'incline avec humilité devant le Christ. Remarquons à ce sujet que Gide avait fait suivre sa première lecture de *L'Idiot* (août 1896) de celle de *L'Antéchrist* de Nietzsche où il avait pu lire (aphorisme 31):

> Quel dommage qu'un Dostoïevsky n'ait pas vécu dans le voisinage de ce décadent, de tous le plus intéressant, je veux dire quelqu'un qui saurait sentir précisément le charme saisissant d'un tel mélange de sublime, de morbide et d'infantile.[22]

Le spécialiste australien de Gide, Kevin O'Neill, qui cite ce passage de Nietzsche, publie une lettre de Gide à Ruyters de Cuverville, le 2 mars 1918, qui contient ces lignes remarquables à propos de Dostoïevski:

> C'est, il me semble, le seul auteur chrétien que je connaisse [...] Quant à *L'Idiot* plus précisément, une véritable illumination s'est fait dans mon esprit le jour où un trait de lumière a rejoint en moi l'euphorie de Muichkine qui précède ses crises, le "Nul de vous n'entrera dans le royaume de Dieu s'il ne devient semblable à un de ces petits enfants" du Christ, et la pensée admirable de la Bruyère: "Les enfants n'ont ni passé, ni avenir, et, ce qui ne nous arrive guère, ils jouissent du présent"... Mais ceci n'est qu'un tout petit hublot entrouvert sur un immense océan de clarté.[23]

Gide citera de nouveau ces deux textes dans sa 6ème conférence au Vieux-Colombier.[24] Lors des conférences précédentes, il étudia les formes particulières du sentiment religieux à travers *L'Idiot*, en opposant notamment le point d'honneur occidental au sentiment chrétien particulier au peuple russe, qui se traduit par d'étonnantes confessions publiques ou privées. Gide évoque à ce propos la "confession de Stavroguine", publiée en Allemagne hors commerce avant d'être traduite dans la *Nouvelle Revue Française* en juin et juillet 1922;[25] il distingue l'humilité, librement acceptée et d'essence évangélique, de l'humiliation qui "avilit l'âme, la courbe, la déforme, la sèche, l'irrite, la flétrit", causant "une sorte de lésion morale très difficilement guérissable".[26]

A l'appui de son idée, il cite *Les Possédés*, *L'Adolescent*, *Le Sous-sol*, *Les Frères Karamazov*, et, dans une note p. 140, *L'Idiot*, avec renvoi à un appen-

---

22. Nietzsche, *L'Antéchrist*, trad. Robert Rovini (Paris, J.-J. Pauvert, 1967), p. 122.
23. Kevin O'Neill, 'Deux lettres sur Dostoïevski et Nietzsche', *Australian Journal of French Studies*, Nº 7 (spécial Gide) (janvier–août 1970), p. 16–22.
24. Gide, *Dostoïevski*, p. 262.
25. *Ibid.*, p. 130.
26. *Ibid.*, p. 133.

dice reproduisant "l'admirable chapitre où Lebedeff s'amuse à torturer le général Ivolguine". Chez Dostoïevski, salon Gide, l'intelligence joue toujours un rôle démoniaque: il est vrai, ajoute-t-il, que chez lui le théoricien reste toujours inférieur au romancier, comme le prouve le *Journal d'un Ecrivain*, dont les véritables chefs-d'oeuvre sont le "Moujik Mareï" et surtout "Krotkaïa"; mais Gide use aussi de cette remarquable formule: "Chaque oeuvre de Dostoïevski est le produit d'une fécondation du fait par l'idée". J'ai moi-même traité en 1981 à Sophia Antipolis de l'utilisation du fait divers par Dostoïevski, qui fait de lui un authentique journalist, doublé d'un romancier. La comparaison de la manière de Dostoïevski avec celle de Rembrandt, une constante de la critique gidienne, qu'on retrouve dans *La Prisonnière* de Marcel Proust, est déjà présente:

> Ce qui importe surtout, dans un livre de Dostoïevski comme dans un tableau de Rembrandt, c'est l'ombre. Dostoïevski groupe ses personnages et ses événements, et projette sur eux une intense lumière, de manière qu'elle ne les frappe que d'un seul côté.[27]

Au contraire, selon Gide, les personnages de Stendhal ou de Tolstoï n'ont point d'ombre.

Dans l'ordre de la psychologie, Gide dénonce l'attitude courante des Français qui, faute de pouvoir le supprimer, minimisent "ce qui reste en nous de refoulé, d'inconscient" pour maintenir l'unité et la continuité de notre caractère; au contraire, Dostoïevski nous présente des personnages qui "cèdent complaisamment à toutes les contradictions, à toutes les negations dont leur nature propre est capable". Cette "cohabitation de sentiments contradictoires" paraît à Gide l'une des plus grandes originalités du romancier russe, qu'il illustre par des exemples tirés de *Crime et Châtiment*, de *L'Adolescent*, des *Possédés*. Il cite deux fois le passage de Baudelaire sur les "deux postulations simultanées", mais sans les rapprocher expressément des paroles de Dmitri Karamazov qu'il cite pourtant plus loin dans son livre.[28] J'ai repris ce parallèle en essayant de l'approfondir au colloque "Dostoïevski et le XXème siècle" qui s'est tenu à Nice en 1974.[29]

Les deux dernières conférences sont moins vigoureusement construites et répètent en partie les précédentes, mais elles offrent encore des pages intéressantes sur la jalousie, de *L'Idiot* à *L'Eternel mari*, sur le diable dostoïevskien qui hante le cerveau de l'homme, sur *L'Esprit souterrain* que Gide considère comme "le point culminant", "la clef de voûte" de son oeuvre, tandis que *Les Possédés* sont "le livre le plus puissant, le plus admirable du grand romancier". Ces conférences ont été rédigées après la guerre, comme le prouvent les nombreuses allusions à la Révolution de 1917, qu'à cette époque Gide condamne absolument.

---

27. *Ibid.*, p. 165.
28. *Ibid.*, p. 255.
29. Michel Cadot, 'La «double postulation» de Baudelaire et sa version dostoïevskienne', dans *Dostoïveski et la littérature française du XXème siècle*, réunis ... par J. Onimus (Nice, 1980). Même article dans *Revue canadienne de littérature comparée* (Fall 1977).

* * * *

Nous voici parvenus au niveau supérieur, celui de la troisième strate ou étage de la création. Deux romans de Gide ont particulièrement retenu l'attention de la critique comparatiste en raison de leur contact évident avec l'oeuvre de Dostoïevski, *Les Caves du Vatican* et *Les Faux-Monnayeurs*. Je me bornerai à rappeler quelques traits importants de ces rapprochements.

Tout d'abord, *Les Caves du Vatican* paraissent certes dans les premiers mois de 1914, c'est-à-dire à la suite de la période "critique" que nous venons d'étudier, mais leur genèse remonte beaucoup plus haut et l'élaboration du roman coïncide parfaitement avec la période en question. La première trace remonte, nous l'avons vu, à 1905. G.M. Fridlender a très bien montré que Lafcadio représente une parodie de Raskolnikov avec lequel il a en commun un acte bien particulier, le sauvetage de deux enfants dans un incendie, qui contraste aussi bien avec l'assassinat prémédité de l'usurière qu'avec le meurtre "gratuit" d'un voyageur inoffensif chez Gide. Lafcadio, fils naturel du comte de Baraglioul, est aussi une variante d'Arcade Dolgorouki, fils naturel de Versilov.[30] Quant au fameux "acte gratuit", terme crée par Gide dès 1899 dans sa sortie *La Prométhée mal enchaîné*,[31] Gide en voit l'illustration parfaite, non pas dans le crime de Raskolnikov (qui a besoin d'argent pour ses dessins humanitaires) mais dans le suicide de Kirilov, "acte absolument gratuit", car "sa motivation n'est point extérieure. Tout ce que l'on peut faire entrer d'absurde dans ce monde à la faveur et à l'abri d'un «acte gratuit», c'est ce que nous allons voir" écrit-il dans sa dernière conférence au Vieux-Colombier.[32] On note au passage à quel point l'"acte gratuit" est lié dans la pensée de Gide à l'absurde: certes on peut, comme le fait G.M. Fridlender, opposer 'l"esthétisme décadent" de Gide à "l'humanisme" de Camus. Mais qui ne voit que la lecture gidienne de Dostoïevski a non seulement orienté Camus vers sa philosophie de l'absurde, comme le reconnaît du reste G.M. Fridlender, mais profondément agi sur Proust, sur Roger Martin du Gard, sur Mauriac, sur Malraux, sur Sartre, sur Nizan, bref sur quelques-uns des écrivains les plus intéressants de la littérature française du vingtième siècle?[33] Je ne puis être d'accord avec le professeur Fridlender quand il écrit à

30. Fridlender, *op. cit.*, p. 304–07.

31. Raether, *op. cit.*, p. 105.

32. Gide, *Dostoïevski*, p. 269. On est surpris que Raether passe aussi vite sur cet aspect de l'"acte gratuit", p. 128. La perspective offerte par Włodimierz Krysiński, 'L'acte gratuit ou l'éxperience de l'authenticité chez Dostoïevski et Gide (*Les Possédés* et *Les Caves du Vatican*)', *Zagadnienia rodzajów literackich*, XIV/1 (1971), p. 39–56, est plus équilibrée. Voir aussi Carl Vikner, 'Gide et Dostoïevski. Esquisse de la psychologie d'André Gide', *Orbis litterarum*, XV/1 (Copenhague: 1960), p. 143–73, qui s'appuie sur l'étude encore utile de Mischa Harry Fayer, "Gide, Freedom and Dostoevsky", Diss., Columbia University, 1944 (23), 8°.

33. Certes Henri Massis dans son article de *La Revue Universelle* de novembre 1923 intitulé 'La confession d'André Gide' dénonçait à propos de son *Dostoïevski* le caractère "démon-

propos de Gide: "Malgré tout son talent, son influence sur les esprits a été pernicieuse".[34]

On peut craindre que Gide ne paie encore en 1985 son *Voyage en U.R.S.S.* et ses *Retouches*, aussi profondément ressentis par les Russes que cent ans auparavant *La Russie en 1839* du marquis de Custine. La *perestroïka*, la *glasnost'* et tout ce qu'elles remettent en cause dans le passé soviétique devraient permettre désormais en Russie une lecture moins négative d'un de nos meilleurs écrivains.

Si *Les Caves du Vatican*, cette sotie, ne peuvent être invoquées au premier degré et surtout isolément comme l'oeuvre la plus représentative de l'héritage dostoïevskien dans la création romanesque gidienne, il n'en va pas de même pour *Les Faux-Monnayeurs*. Comme il arrive souvent avec Gide, il écrivait en 1910 la préface d'*Isabelle* en pensant déjà à son futur grand roman:

> Le roman, tel que je le reconnais ou l'imagine, comporte une diversité de points de vue, soumise à la diversité des personanges qu'il met en scène: c'est par essence une oeuvre déconcentrée. Il m'importe du reste beaucoup moins d'en formuler la théorie que d'en écrire.[35]

Gide envisageait d'abord *Les Faux-Monnayeurs* comme une suite aux *Caves du Vatican* où Lafcadio devait figurer comme narrateur intradiégétique: "Ce serait un récit d'événements qu'il découvrirait peu à peu et auxquels il prendrait part en curieux, en oisif et en pervertisseur" (*Journal des Faux-Monnayeurs*, 17 juin 1919). Le lien entre les deuz romans est souligné le 25 juillet: "Renoncement au «bon motif». Théorie de l'action gratuite *et immotivée*. La joie immédiate".[36] Curieusement Roger Martin du Gard, qui en de multiples occasions manifestait sa préférence pour Tolstoï, réclamait de Gide un roman "panoramique" dans une lettre du 22 juillet 1920:

> Voyez ce que votre Dostoïevski a fait de *L'Idiot* [...]. Je vois presque les cinq ou six volumes dépareillés, les cinq ou six études parfaitement poussées, que vous auriez toutes commencées avec amour, et terminées hâtivement pour passer à la suivante [...]. Je pense que l'extraordinaire force de *L'Idiot* vient surtout de l'enchevêtrement hardi de tous ses sujets divers.[37]

Un peu plus tard, Martin du Gard conseille à Gide de laisser au lecteur le soin

---

iaque" de l'écrivain. Mais le jugement le plus pénétrant sur la "réception" de ce livre se trouve chez René Girard, *Dostoïevski, du double à l'unité*, p. 188: "Gide parle remarquablement de la psychologie dostoïevskienne, mais il infléchit l'oeuvre vers sa propre théorie de la liberté et de l'acte gratuit. L'ouvrage est important à cause de l'influence qu'il a exercée et qu'il exerce encore sur le public français, par l'intermédiaire des écrivains qu'il a touchés, Malraux, Sartre, Camus, etc. Le Dostoïevski «français» est encore, essentiellement, celui de Gide".

34. Fridlender, *op. cit.*, p. 309.
35. Moutote, *op. cit.*, p. 784. Texte dans Gide, *Oeuvres complèts*, t. VI, p. 361.
36. Gide, *Journal des Faux-Monnayeurs* (Paris, Librairie Gallimard, 1927; réimpr. 1986), p. 11.
37. *Correspondance Gide—Martin du Gard*, p. 154–55.

d'interpréter le comportement d'un personnage: "Ces clairs-obscurs seraient, je crois, très étonnants et de la pure tradition dostoïevskienne" (16 décembre 1921). Rien ne montre mieux la différence de valeur accordée à Tolstoï et à Dostoïevski par les deux romanciers français que ce dialogue de 1921, en plein travail de rédaction des *Faux-Monnayeurs*, rapporté par Martin du Gard. Gide parle de Dostoïevski:

> Pensez à Rembrandt, à ses touches de lumière, puis à la profondeur secrète de ses ombres. Il y a une science subtile des éclairages; les varier à l'infini, c'est tout en art.
>
> – Un art? ou un artifice?
>
> – Comme vous voudrez, cher. Vous êtes conséquent avec votre nature. Vous êtes du côté de Tolstoï. Moi, je suis ou je voudrais être, du côté de Dostoïevski [...] Tolstoï est un témoin merveilleux, il cherche ce qui est *commun* à nous tous. Il ne m'apporte presque pas de surprise. Dostoïevski, au contraire, ah, il *m'étonne* sans cesse! Il me révèle toujours du neuf, de l'insoupçonné, du jamais vu![38]

Les Frères Karamazov, que Gide relit activement, nous l'avons vu, à partir de 1910, sont le principal modèle dostoïevskien des *Faux-Monnayeurs*, qui furent commencés en 1919 et achevés en 1925. Outre l'exemple accompli de la "touffe", du "livre touffu" que Gide voulait réaliser, le roman de Dostoïevski offrait à Gide l'élément le plus inattendu chez un romancier de l'époque positiviste comme Dostoïevski, l'apparition du diable. Certes le démoniaque se manifeste dans toute son oeuvre à travers l'orgueil, l'humiliation, l'iniquité sociale génératrice de révolte et de chaos, etc. Cet aspect de l'oeuvre de Dostoïevski a depuis toujours impressionné Gide. Mais la grande crise morale et spirituelle des années 1916–19, qui se traduit dans *Numquid et tu ...?* publié en mars 1922, marque un retour à L'Evangile et fortifie la croyance au diable:

> Tandis que le mal n'exprime que l'absence du bien, ou qu'un état de péché personnel, le Malin est une puissance active, indépendante de nous.[39]

Le souvenir du dialogue d'Ivan Karamazov avec le diable passe dans le *Journal des Faux-Monnayeurs*: évoquant tout ce qui peut l'aider à dessiner les personnages du roman, l'écrivain ajoute:

> J'en voudrais un [le diable] qui circulerait incognito à travers tout le livre et dont la réalité s'affirmerait d'autant plus qu'on croirait moins en lui. C'est là le propre du diable dont le motif d'introduction est "Pourquoi me craindrais-tu? Tu sais bien que je n'existe pas".[40]

Cette phrase, poursuit l'écrivain, serait "une des clès de voûte du livre". Plus loin cette notation ironique: "Satan ou l'hypothèse gratuite: ça droit être son

---

38. Roger Martin du Gard, *Notes sur André Gide 1913–1951* (Paris, NRF, 1951), p. 37–38. Charles Moser parlait dans ce même colloque de l'unité, de la totalité que représente l'oeuvre tolstoïenne, par opposition au dédoublement, à la crise du personnage qui caractérise tant d'oeuvres de Dostoïevski, lui conférant une "modernité" qui n'est cependant, comme le faisait remarquer Mme Saraskina, qu'une partie de la totalité dostoïevskienne.
39. Gide, *Journal*, p. 593 et p. 599.
40. Gide, *Journal des Faux-Monnayeurs*, p. 32.

pseudonyme préféré".[41]

Je ne puis, dans le cadre de cet exposé, poursuivre au-delà de la publication des *Faux-Monnayeurs* et du *Journal des Faux-Monnayeurs* l'étude des apports successifs de Dostoïevski à l'oeuvre d'André Gide. Qu'il me soit permis de résumer en quelques mots le contenu de ces apports:

1) une contrepartie russe à Nietzsche, correspondant mieux à la sensibilité artistique et religieuse du jeune Gide;
2) un laboratoire permanent d'expériences romanesques où Gide puise à la fois comme critique et comme romancier;
3) une oeuvre où circule à la fois l'aspiration à la pureté et la présence du diable en nous et autour de nous.

Ajoutons encore, en liaison avec le dernier point: une oeuvre où l'exaltation idéologique des intellectuels comme l'injustice aveugle des puissants sont condamnées. En contrepartie, le rêve d'un âge d'or où se fondraient christianisme et socialisme pour Dostoïevski, Evangile et communisme pour Gide, représente pour les deux écrivains l'espérance de l'humanité, quelles que soient les souffrances du moment présent. Cette espérance tenace, cette vitalité à travers les pires épreuves, Gide la voyait justement chez Dostoïevski comme chez le peuple russe dans son ensemble. Voici pour finir une note des *Retouches à mon retour de l'U.R.S.S.* (juin 1937);

> "La vitalité d'un chat", disait de lui-même Dostoïevski, s'étonnant d'avoir traversé d'incomparables épreuves, sinon sans en souffrir, du moins sans en être diminué. Un amour de la vie qui triomphe de tout, fût-ce par indifférence ou apathie, mais bien plutôt, bien plus souvent, par abondance intérieure, amusement, lyrisme, jaillissement artésien, d'une joie inexpliquée, inexplicable; n'importe quand, n'importe comment, n'importe où... J'aurais dû dire: une extraordinaire aptitude et propension au bonheur. En dépit de tout. Et c'est bien par là que Dostoïevski reste si représentatif. C'est aussi par là qu'il me touche si profondément, si fraternellement, et, à travers lui, avec lui, tout le peuple russe. Aucun peuple sans doute ne se serait prêté si magnanimement à une aussi tragique expérience.[42]

Ces lignes, écrites au début de la grande purge stalinienne, se chargent d'un sens nouveau un demi-siècle plus tard, au début de la remise en cause de toute l'histoire vécue par le peuple russe depuis la Révolution d'Octobre 1917.

41. *Ibid.*, p. 111.
42. Gide, *Retour de l'U.R.S.S., suivi de Retouches à mon retour de l'U.R.S.S.*, 'Collection Idées, 396' (Paris, Gallimard, 1978), p. 144, note 1.

18.

WIRKLICHKEIT AUF WIDERRUF: E.T.A. HOFFMANN, DOSTOEVSKIJ, FAULKNER

HORST-JÜRGEN GERIGK

Was die drei Autoren, die der Untertitel nennt, gemeinsam haben, kennzeichnet der Obertitel: E.T.A.Hoffmann, Dostoevskij und Faulkner legen die in ihren Werken beschworene Wirklichkeit immer wieder darauf an, eine Wirklichkeit auf Widerruf zu sein. Das heißt: Es wird uns, den Lesern, immer wieder streckenweise etwas erzählt, das plötzlich im Lichte eines besseren Wissens widerrufen wird. Wir werden, anders ausgedrückt, immer wieder mit Mutmaßungen über die Wirklichkeit konfrontiert, mit Gerüchten und subjektiv gefärbten Berichten. Alle drei Autoren stehen mehr oder weniger stark in der Tradition des englischen Schauerromans ("Gothic novel"), einer literarischen Gattung, die sich dem Grauenvollen und seiner allmählichen Enthüllung auf besondere Weise verpflichtet hat. Solche Vorliebe läßt sich kulturhistorisch oder auch publikumssoziologisch betrachten; in der Bevorzugung der Nachtseite der menschlichen Seele steckt zweifellos Kritik am Fortschrittsglauben der Aufklärung; andererseits läßt die allmähliche Herausbildung eines Massenpublikums einen Markt entstehen, der durch Darstellung sensationeller Kriminalfälle erobert werden kann. Die hier angestellten Überlegungen sind jedoch weder kulturhistorisch, noch speziell publikumssoziologisch orientiert, sondern poetologisch.

Was heißt das? – Folgendes: Das Verfahren E.T.A. Hoffmanns, Dostoevskijs und Faulkners, eine Wirklichkeit auf Widerruf herzustellen, indem vergangene Wirklichkeit auf Grund von Gerüchten präsentiert wird, auf Grund von Zeugenaussagen rekonstruiert wird – dieses Verfahren soll auf die Eigenart von literarischem Text überhaupt bezogen werden, soll als Möglichkeit der Natur des literarischen Textes begriffen werden. Worin besteht die Natur des literarischen Textes? In aller Kürze läßt sich sagen: Der literarische Text ist im Unterschied zum nicht-literarischen Text ein seiner Natur nach endlicher Text. Das heißt: Sobald ein literarischer Text zu Ende ist, sobald wir ihn also durchgelesen haben, steht für immer fest, was als Wirklichkeit zu gelten hat, was im weitesten Sinne "Datum" ist. Ein nicht-literarischer Text hingegen, sei es ein Leitartikel in der heutigen Zeitung oder die Darstellung eines Historikers, bleibt auch über sein Ende hinaus offen für Einreden, die nicht nur das gegebene Material anders deuten, sondern ein ganz anderes Material als gegeben ansetzen. Ein nicht-literarischer Text kann niemals ein für allemal festlegen, was als "Datum" zu gelten hat. Dies kann nur der literarische Text, denn er ist seiner Natur nach endlich, während der nicht-literarische Text seiner Natur nach unendlich ist, nämlich offen für immer neue Einrede, die aus einem anderen Sachverständnis kommt. Konkret gesprochen: Wenn in der Wirklichkeit ein Mord geschehen ist, so kann auch der gewissenhafteste Tatsachenbericht niemals grundsätzlich die Möglichkeit ausschließen, daß es in Wirklichkeit nicht genauso oder sogar ganz anders gewesen ist, weil Tatsachen ermittelt werden müssen – und Ermittlungen können unzureichend sein. Der literarische Text aber, der den Hergang eines Mordes rekonstruiert, hat grundsätzlich immer die Möglichkeit, ein für allemal zu sagen, wie es wirklich gewesen ist. Sobald ein literarischer Text festgelegt hat, was als "Datum" zu gelten hat, ist daran nie mehr zu rütteln, denn was der literarische Text erzählt, beglaubigt sich selbst – nicht deshalb, weil es auf eine besondere Weise einsichtig gemacht würde, nicht deshalb, weil die angelieferten Fakten als solche wirklich bewiesen würden; daß der literarische Text unwiderruflich sich selber beglaubigt, liegt in seiner Natur; er ist ein seiner Natur nach endlicher Text, der nur, solange er andauert, bereits gemachte Angaben widerrufen kann; sobald er aber zu Ende ist, liegt das, was als wirklich benannt wurde, unwiderruflich fest. In der Dimension der Mutmaßung bleibt innerhalb eines literarischen Texts nur das stehen, was eigens in diese Dimension gerückt wurde. Und was hier Mutmaßung bleibt, hat dies wiederum für immer zu bleiben.[1]

Es läßt sich nun die Problemstellung meiner Ausführungen in aller Schärfe formulieren. Wenn der literarische Text als seiner Natur nach endlicher Text sich derart selbst beglaubigt, daß mit seinem Ende für immer feststeht, was als "Datum" zu gelten hat, wie kann er dann überhaupt eine Wirklichkeit auf Widerruf herstellen? Wenn nur vergangene Ereignisse unserer empirischen Wirklichkeit uns ihrer Natur nach als Wirklichkeit auf Widerruf begegnen, weil wir ihre Fakten nie zur Gänze recherchieren können, welche Möglichkeit hat dann ein literarischer Text, dessen Wesen darin besteht, sich selbst zu beglaubigen, eine Wirklichkeit auf Widerruf herzustellen? – Antwort: Der literarische Text kann eine Wirklichkeit auf Widerruf immer nur "künstlich" herstellen, indem er bestimmte Aussagen eigens auf ihre Hinterbringung ansieht. Es kommt so zu dem Paradoxen einer gemäß der Natur des literarischen Textes beglaubigten Unverläßlichkeit. Einfacher ausgedrückt: Der literarische Text kann mit einer Wirklichkeit auf Widerruf immer nur spielen, während der nicht-literarische

---

1. Vgl. Horst-Jürgen Gerigk, *Unterwegs zur Interpretation. Hinweise zu einer Theorie der Literatur in Auseinandersetzung mit Gadamers Wahrheit und Methode* (Hürtgenwald, Guido Pressler Verlag, 1989), Teil III, Kap. 3: 'Was ist ein literarischer Text?', S. 201-25.

Text es immer nur mit einer Wirklichkeit auf Widerruf zu tun hat. Wir lesen einen literarischen Text grundsätzlich anders als einen nicht-literarischen. Ein literarischer Text, der eine Wirklichkeit auf Widerruf herstellt, geht also damit gegen seine eigene Natur an. Dies ist zu berücksichtigen, um literarischen Texten, die dieses Verfahren anwenden, nicht mit einem unzulässigen Scharfsinn zu begegnen, denn literarische Texte, die eine Wirklichkeit auf Widerruf herstellen, provozieren uns dazu, ihnen wie nicht-literarischen Texten zu begegnen, die auch über ihr Ende hinaus für eine Korrektur dessen, was sie berichten, offen sind.

E.T.A. Hoffmann, Dostoevskij und Faulkner haben sich mit den Möglichkeiten, eine Wirklichkeit auf Widerruf herzustellen, systematisch beschäftigt. Es seien nun drei Beispiele für ihr Vorgehen näher betrachtet. Ziel des Vergleichs ist es, die Ausfaltung eines Erzählverfahrens zu demonstrieren; wie wir wissen, ist Dostoevskij von E.T.A. Hoffmann nachhaltig beeinflußt worden, und Faulkner nachhaltig von Dostoevskij.

E.T.A. Hoffmanns Erzählung "Die Marquise de la Pivardière" mit dem Untertitel "Nach Richers *Causes célèbres*" erschien erstmals Ende Oktober 1820 im *Taschenbuch zum geselligen Vergnügen auf das Jahr 1821*.[2] "Die Marquise de la Pivardière" steht innerhalb der Hoffmann-Forschung im Schatten der weitaus berühmteren Erzählung "Das Fräulein von Scuderi", die 1819 im *Taschenbuch für das Jahr 1820* erschienen ist. Wie mir scheint, wird jedoch in der "Marquise de la Pivardière" ein Erzählverfahren, das für Hoffmann durchgehend typisch ist und bereits "Die Elixiere des Teufels" (1815–16) beherrscht, gleichsam in Reinkultur auf den Gipfel geführt: das Verfahren nämlich, eine Wirklichkeit auf Widerruf herzustellen. Allerdings wird uns am Ende in aller Eindeutigkeit klargemacht, wie es wirklich gewesen ist. "Die Marquise de la Pivardière" spielt in Frankreich um die Zeit des dritten Eroberungskriegs Ludwigs XIV. gegen die Pfalz (1688–97). Während dieses Krieges wurde unter anderem auch Heidelberg niedergebrannt. Von Heidelberg ist jedoch bei E.T.A. Hoffmann nicht die Rede. Es wird uns vielmehr das Schicksal einer jungen Frau geschildert, die noch im Alter von 25 Jahren unverheiratet ist, weil sie den Maximen ihres Vaters gehorcht, die sich ganz auf die Vernunft gründen und sich gegen das Gefühl richten. Erst drei Jahre nach dem Tod ihres Vaters heiratet sie den Marquis de la Pivardière, einen Mann "von mittelmäßiger Gestalt, trocknem Wesen" und "etwas unbehülflichem Geiste", der "gleichgültig gegen das Leben" ist, weil er es in früherer Zeit vergeudet habe. In den Meinungen und Grundsätzen des Marquis glaubt Franziska, so heißt die nun schon nicht mehr junge Frau, viel Ähnliches mit ihrem Vater zu finden. Hoffmanns Erzähler läßt jedoch einfließen:

---

2. Vgl. E.T.A. Hoffmann: *Späte Werke*, mit einem Nachwort von Walter Müller-Seidel und Anmerkungen von Wulf Segebrecht (München, Winkler Verlag, 1965). Darin: Die Marquise de la Pivardière, S. 327-58.

> Der Marquis, schlau genug, einzusehen, worauf es ankomme, um sie für sich zu gewinnen, hatte nichts Angelegentlicheres zu tun, als auf das sorglichste alles zu studieren und sich einzuprägen, was Franziska aus dem Innersten heraus vorzüglich über das Verhältnis der Ehe äußerte und es dann als seine eigene Überzeugung vorzutragen.

Franziska führt mit dem Marquis auf ihrem Schloß Nerbonne ein "ruhiges, glückliches" Eheleben in völliger Gleichgültigkeit gegeneinander. Sie hat eine Tochter. Der im Jahre 1688 ausbrechende Krieg veranlaßt den Marquis, beim Militär zu dienen; allein zu Hause, muß die Marquise in dem neuen Beichtvater ihren verschollen geglaubten Verehrer aus der Jugendzeit wiedererkennen: Silvain François (= Franziskus) Charost, der jetzt ergraut und bleich hinter dem Gitter des Beichtstuhls in ihr wiederum seine Jugendliebe erkennt, derentwegen er Mönch wurde, weil sie ihm durch einen von ihm unbemerkten Schachzug ihres Vaters entzogen worden war. Zwischen Franziska und Franziskus entspinnen sich unschuldige gesellschaftliche Kontakte; Franziska bringt in Erfahrung, daß ihr Ehemann, der Marquis, in der Ferne seines Soldatenlebens ein anrüchiges Doppelleben führt. Als der Marquis eines Tages für kurze Zeit zu Hause erscheint, um sich Geld zu verschaffen, stellt ihn die Marquise zur Rede und schließt sich danach im Zimmer ihrer neunjährigen Tochter ein. Der Marquis legt sich im ehelichen Schlafzimmer zur Ruhe. "Am andern Morgen war er spurlos verschwunden". Die Marquise wird des Mordes an ihrem Ehemann angeklagt und ihr Beichtvater der Mithilfe verdächtigt. Vor Gericht beteuern beide entgegen belastender Aussagen zweier Mägde und des Hausdieners ihre Unschuld. Man beschließt, "zur Tortur zu schreiten"; da öffnen sich die Türen des Gerichtssaals und der ermordet geglaubte Marquis de la Pivardière tritt herein, um die "abscheuliche Anklage", die gegen die Marquise und Charost erhoben worden war, zu widerlegen. Doch das Gericht glaubt ihm nicht: er möge seine Identität beweisen. Das bittere, verhöhnende Lächeln der Marquise legt den Verdacht nahe, "daß sie das Erscheinen einer Person, die den Marquis de la Pivardière spielen sollte, vorher gewußt" und nun gespannt war, wie diese Figur ihre Rolle spielen würde. An dieser Stelle seiner Erzählung hat uns E.T. A. Hoffmann so weit, daß wir auf regelrecht alles gefaßt sind: Der Marquis kann er selbst sein oder auch nicht, die Marquise die Mörderin oder auch nicht. Die Wirklichkeit, wie sie uns hier entgegentritt, ist eine Wirklichkeit auf Widerruf – E.T.A. Hoffmann könnte jetzt die Handlung in jeder nur erdenklichen Richtung fortführen, ohne durch bereits vorliegende Aussagen gebunden zu sein. – Der tatsächliche Schluß der Erzählung sieht so aus, daß die Identität des Marquis bewiesen und die Anklage gegen die Marquise und ihren Beichtvater fallengelassen wird. Die Marquise geht, "von tiefem Gram entstellt", für immer in ein Kloster, und der Marquis findet, nachdem er seinen Kriegsdienst wieder aufgenommen hatte, in einem Gefecht mit Schleichhändlern seinen Tod. – Man beachte, daß uns der Anfang der Erzählung die Marquise im Prisma des Geredes einer Pariser Abendgesellschaft als Mörderin vorstellt, "die ihren Gemahl erschlug mit Hülfe ihres Beichtvaters". Am Ende der Erzählung aber heißt es: "Ganz Paris, das von der Untat der Marquise erfüllt gewesen, feierte jetzt ihren Triumph ..."

In unserem Zusammenhang sei nur nebenbei vermerkt, daß E.T.A. Hoffmanns Erzählung die Tagträume einer Ehefrau wiedergibt, die in einer von den aufgeklärten Maximen ihres Vaters geprägten Vernunftehe vergeblich glücklich zu werden sucht: ihre Tagträume werden jedoch von E.T.A. Hoffmann innerfiktional als reale Erlebnisse der Titelfigur präsentiert. Wer dies nicht einsehen kann, muß die Konstruktion verkennen, die diesem Text seine künstlerische Eindeutigkeit sichert: jene Eindeutigkeit nämlich, die er nur als literarischer Text hat.

Wenden wir uns nun Dostoevskijs *Dämonen* zu. Der Roman entstand 1870 bis 1872 und erschien von Januar 1871 bis Dezember 1872 in der Zeitschrift *Russkij vestnik* (*PSS*, XI). Das Kernstück der Handlung, die in der unmittelbaren Gegenwart spielt, sieht folgendermaßen aus. Pjotr Stepanowitsch Werchowenskij, ein ehrgeiziger Fanatiker, der eine Terrorherrschaft über ganz Rußland erstrebt, gründet aus einigen besonders willigen Gefolgsleuten ein elitäres "Fünferkomitee". Um die Mitglieder aneinander zu ketten, treibt er sie in eine gemeinsame Schuld: sie bezichtigen ihren eigenwilligen Mitstreiter Schatow des potentiellen Verrats und bringen ihn in einer kalten Herbstnacht um.

Vor seiner Ermordung wird Schatow von Tolkatschenko, Liputin und Erkel, der nicht dem "Fünferkomitee" angehört, niedergeschlagen. Sie drücken Schatow zu Boden. Pjotr Werchowenskij springt mit seinem Revolver hinzu. Wörtlich heißt es:

> Es wird erzählt, Schatow habe noch den Kopf drehen, ihn ansehen und erkennen können. Drei Laternen beleuchteten die Szene. Schatow stieß plötzlich einen kurzen verzweifelten Schrei aus, aber man ließ ihn zum Schreien gar keine Zeit: Pjotr Werchowenskij setzte ihm akkurat und energisch den Revolver mitten auf die Stirn, preßte ihn fest an – und drückte ab (Teil III, Kap. 6, Abschn. 1).

Auf Betreiben Pjotr Werchowenskijs bekennt sich der Ingenieur Kirillow, ein abgründiger Theoretiker des Absurden, schriftlich des Mordes an Schatow schuldig und begeht danach seinen lange geplanten Selbstmord: er richtet den Schuß gegen seine rechte Schläfe und die Kugel tritt an der linken Seite oben wieder heraus, nachdem sie den Schädel durchschlagen hat. Seine zu Boden gesunkene Hand hält den Revolver noch fest, als er schon tot ist (Teil III, Kap. 6, Absch. 2). Pjotr Werchowenskij, der zum Ohrenzeugen, aber nicht zum Augenzeugen dieses Vorgangs wird, sieht sich im Zimmer des Selbstmörders aufmerksam um und verläßt das Haus "auf Zehenspitzen", nachdem er im ersten Zimmer ein Lichtstümpfchen angezündet und es wieder in den Leuchter hineingesteckt hat. Er kriecht dann durch Fedkas Schlupfgang hindurch und entkommt. Fähnrich Erkel, der ihn zum Zug nach Petersburg bringt, "sah seinen Pjotr Stepanowitsch nie wieder".

Die wahren Zusammenhänge gelangen jedoch schnell an die Öffentlichkeit. Eine gerichtliche Untersuchung setzt ein. Das letzte Kapitel beginnt mit der Feststellung des Chronisten: "Alle begangenen Ungebührlichkeiten und Verbrechen fanden mit außerordentlicher Schnelligkeit ihre Aufklärung, weit schneller, als Pjotr Stepanowitsch es vermutet hatte" (Teil III, Kap. 8, Schluß). Man sieht: Dostoevskij legt alles, was in diesem Roman geschieht, darauf an, daß es kommuniziert werden kann. Am Ende sollen alle wissen, wie es wirklich gewesen ist. Der Sammler und Vermittler dieses Wissens ist der Chronist, ein dummschlauer "junger Mann", der, wie Ralph E. Matlaw gezeigt hat, gar kein wirklich junger Mann mehr ist, sondern nur ironisch als solcher bezeichnet wird.[3]

Dieser Chronist, ein gewisser Anton Lawrentjewitsch G-w, der aus einer Distanz von drei Monaten über eine Reihe von Ereignissen berichtet, die sich auf nur wenige kühle und meist regnerische Tage Ende Sommer und Anfang Herbst in einer russischen Provinzstadt verteilen, hat als Randfigur am Geschehen teilgenommen. Die Erzählperspektive seines zum Teil sarkastischen Berichts wechselt häufig: so werden einmal Vorgänge geschildert, bei denen der Chronist selber zugegen war, ein andermal ganze Szenenfolgen aus den Berichten der Beteiligten rekonstruiert, und schließlich werden wesentliche Geschehnisse offensichtlich intuitiv erschlossen, die der Chronist selber nicht miterlebt hat noch anderweitig erfahren haben kann. Wir verdanken Slobodanka B. Vladiv eine detaillierte Analyse dieses Sachverhalts.[4]

Man sieht deutlich: Dostoevskij legt die in den *Dämonen* präsentierte Welt so an, daß sie zunächst ganz unübersichtlich als Gerede und Mutmaßung auf uns zukommt. Der Erzähler liebt die Nahaufnahme. Es ging Dostoevskij zweifellos darum, die Erschließung explosiver vergangener Wirklichkeit zu einem Geschehen eigener Art werden zu lassen; der Erzählvorgang als engagiertes Aufsuchen vergangener Wirklichkeit wurde als solcher dramatisiert: in der letzten Konsequenz hätte dies gerade an wesentlichen Stellen zu einer Wirklichkeit auf Widerruf führen müssen, die als eine solche stehengeblieben wäre. Diese Konsequenz der gewählten Erzähltechnik hätte jedoch mit Dostoevskijs ethischen Intentionen kollidiert; er will uns den Menschen in erkennbarer Nähe oder Ferne zum Sittengesetz zeigen. Und deshalb hat Dostoevskij die Konsequenz der gewählten, realistisch orientierten Berichterstattung, eine Wirklichkeit auf Widerruf zu schaffen, an entscheidenden Stellen unterbunden. Man denke an Kirillows Selbstmord: Zeuge ist einzig Pjotr Werchowenskij, doch er entkommt ins Ausland und hat gewiß keinen Grund, das, was er hier angezettelt hat, irgend

3. Vgl. Ralph E. Matlaw, 'The Chronicler of the Possessed: Character and Function', *Dostoevsky Studies*, V (1984), S. 37-47.

4. Vgl. Slobodanka B. Vladiv, *Narrative Principles in Dostoevsky's Besy: A Structural Analysis*, Europäische Hochschulschriften, Reihe XVI: Slavische Sprachen und Literaturen, Bd. 10 (Bern, Peter Lang Verlag, 1979).

jemandem zu erzählen. Hätten wir in der empirischen Realität die Aufgabe, Kirillows Selbstmord unter den gegebenen Umständen zu rekonstruieren, so ließe sich die Möglichkeit nicht ausschließen, daß Pjotr Werchowenskij auch noch Kirillow erschossen hat, um seinen zynischen Plan durchzubringen. Der Selbstmord Kirillows war jedoch für Dostoevskijs ethische Konstruktion notwendig, deshalb wird alle Zweideutigkeit bezüglich eines Kirillow, der, unter Hinterlassung eines dubiosen Geständnisses, erschossen aufgefunden wird, beseitigt. Der Ethiker Dostoevskij, der die Eindeutigkeit will, siegt hier über den Spannungstechniker Dostoevskij, dessen Medium die gezielte Zweideutigkeit oder Mehrdeutigkeit ist.

Der Ethiker Dostoevskij ist in diesem Fall ausschließlich an der Allegorie auf den russischen Nihilismus interessiert. Paradox ausgedrückt: Nikolaj Stawrogin als exemplarischer Vertreter des russischen Adels produziert das Nichts. Stawrogin inspiriert nur, um das Opfer (Schatow) und dessen Mörder (Pjotr Werchowenskij) bereitzustellen und diesen durch das falsche Geständnis eines Selbstmörders (Kirillow) vor der Strafverfolgung zu schützen.

In dem hier anstehenden Zusammenhang ist Faulkner zweifellos einen Schritt weiter gegangen als Dostoevskij. Ich spreche von *Absalom, Absalom!*, dem Roman Faulkners, der 1936 erschien und der sich auf eine ganz besondere Weise mit der Rekonstruktion vergangener Wirklichkeit beschäftigt.[5] Man darf sagen: Faulkner führt hier die literarische Tradition bezüglich der Herstellung einer Wirklichkeit auf Widerruf auf ihren denkbar höchsten Gipfel. Konkret gesprochen: Faulkner schafft eine Wirklichkeit auf Widerruf, die auch über das Ende des Romans als eine solche in Kraft bleibt. Das Kernstück der Handlung sieht folgendermaßen aus: Thomas Sutpen, geboren 1807 in West-Virginia als Sohn "armer Weißer" schottisch-englischer Herkunft, verläßt im Alter von 14 Jahren seine dahinvegetierende Familie, um auf den Westindischen Inseln sein Glück zu machen; auf Haiti heiratet er 1827 Eulalia Bon, Tochter eines reichen Zuckerrohr-Pflanzers spanisch-französischer Ahnen, die er jedoch nach der Geburt ihres gemeinsamen Sohnes verläßt, weil er erfahren mußte, daß Eulalias Kreolenblut Negerblut enthält, wodurch sein Lebensplan, sein "Design", eine Dynastie zu gründen, die den Wertvorstellungen des amerikanischen Südens entspricht, zunichte wird. Sutpen verstößt Frau und Kind und taucht 1833 in Jefferson, Mississippi, auf, wo es ihm gelingt, in die angesehene Familie Coldfield einzuheiraten. Von den Chickasaw-Indianern erwirbt er ein Stück Land von hundert Quadratmeilen und errichtet darauf mit Hilfe der "wilden Nigger", die er von den Westindischen Inseln mitgebracht hat, sein Herrenhaus, das ihm ein französischer Architekt entwirft; gleichzeitig wird mit dem Ausbau einer Baumwoll-Plantage begonnen. Im Jahre 1858 ist Sutpen der 'größte einzelne

5. Vgl. William Faulkner, *Absalom, Absalom!*, The Modern Library, № 271 (New York, Random House, 1951).

Landbesitzer und Baumwollpflanzer des gesamten County". Faulkner nennt dieses County "Yoknapatawpha County" und führt aus, "Yoknapatawpha" bedeute in der Sprache der Chickasaw-Indianer "Wasser fließt langsam durch flaches Land" ("Water runs slow through flat land").[6]

Sutpens Frau Ellen, geb. Coldfield, gebiert ihm 1839 einen Sohn, Henry, und 1841 eine Tochter, Judith. Im Jahre 1859 bringt Henry, der in Oxford, Mississippi, die Universität besucht, einen Kommilitionen mit nach Hause, in den sich Judith verliebt. Dieser Kommilitione ist Charles Bon, Sutpens verstoßener Sohn aus erster Ehe. Als Sutpen seinen Sohn Henry darüber aufklärt, daß Charles sein Halbbruder sei und eine Verbindung mit Judith darum Inzest wäre, erfolgt keinerlei Reaktion Henrys; erst als ihm Sutpen eröffnet, daß in Charles Adern Negerblut fließt, erschießt Henry seinen Halbbruder – im Jahre 1865. Henry, auf diese Weise zum Mörder geworden, wird flüchtig, so daß Sutpen erneut ohne einen Sohn dasteht; als Sutpen im Jahre 1869 von der Enkelin des armen Weißen Wash Jones eine Tochter bekommt und er diese zurückweist, weil sie kein Sohn ist, wird er von Wash Jones mit einer Sense getötet.

Der Niedergang des Hauses Sutpen ist – zur Allegorie verkürzt – der Niedergang des amerikanischen Südens. Die bizarre Geschehnisfolge wird uns von Faulkner aus der Sicht des Jahres 1910 erzählt; genauer gesagt: an einem frostkalten Abend im Januar 1910 unterhalten sich zwei Kommilitionen der Harvard Universität in Cambridge, Massachussetts, bis tief in die Nacht hinein über Sutpen, Henry und Bon und alles, was dazugehört. Es sind dies Quentin Compson, der an den Geschehnissen obsessiv interessierte Südstaatler und Shreve McCannon, der distanzierte Kanadier, der seinem Kommilitionen schon während des ganzen Semesters mit zum Teil sarkastischer Neugier zugehört hat. Die beiden Studenten wechseln einander turnusmäßig, wenn auch ohne Regel, ab: mal ist der eine Erzähler und der andere Zuhörer, mal dieser Erzähler und jener Zuhörer; auch werden uns immer wieder Quentins Träumereien zum Thema mitgeteilt, die er gar nicht ausspricht. Hier in Cambridge hat Quentin zwischen sich und Shreve in den Wochen zuvor längst ein gemeinsames Fundament an diversen Informationen geschaffen: auf diesem Fundament wird nun alles – aus aktuellem Anlaß, den ein soeben eingetroffener Brief von Quentins Vater aus Jefferson liefert – erneut vergegenwärtigt. Faulkner zeigt, daß vergangene Wirklichkeit ihr eigentliches Leben in der Vergegenwärtigung dessen hat, was gewesen sein könnte. Zu solcher Vergegenwärtigung gehört auch das phantasievolle Ausmalen auf Grund nur weniger vorgegebener Details, die selber wiederum gegen andere ausgewechselt werden können. Faulkner läßt das unwiderrufliche und äußerst karge Faktengerüst der Geschichte des Hauses Sutpen aus Entwürfen hervorgehen, deren jeder einzelne immer nur eine Wirklichkeit auf

6. Vgl. *Faulkner in the University*, ed. by Frederick L. Gwynn and Joseph L. Blotner, Vintage Books, № 269 (New York, Random House, 1965), S. 74.

Widerruf für sich beanspruchen kann. Das Verfahren des freundlichen und sinnesfrohen Verführers Charles Bon wird in Reinkultur praktiziert: seine konkrete Gestalt ist ganz Produkt der Phantasie Quentin Compsons, unterstützt von Shreve McCannon – gewachsen allerdings auf dem ebenso "dichterischen" Boden der Gerüchte zu Hause, im Yoknapatawpha County. Die unabweisliche Präsenz Charles Bons gründet ganz in einer Wirklichkeit auf Widerruf; bei näherem Hinsehen bekommen wir nichts an die Hand, was uns ein Urteil über die Motive seines Handelns, über seinen Charakter erlauben würde. Was uns verbindlich mitgeteilt wird, ist, das daß Schicksal Sutpens eindeutig ist: Bon zerstört das Design Sutpens. Daß Faulkners virtuose Handhabung der verschiedenen Möglichkeiten, eine Wirklichkeit auf Widerruf herzustellen, nicht dazu führt, daß wir, die Leser, aus dem Text machen können, was immer wir wollen, hat die Diskussion um Faulkners Inkonsequenzen bei der Revision des Textes deutlich werden lassen.

Wie Gerald Langford[7] gezeigt hat, war in jener Textfassung, die der Endfassung unmittelbar vorausging, die Tatsache, daß Charles Bon Sutpens Sohn mit Negerblut ist, allgemein bekannt, während in der Endfassung erst Quentin Compson während seiner persönlichen Begegnung mit Henry Sutpen im Jahre 1909 das von Sutpen und Henry gehütete Geheimnis erfährt, das überhaupt erst ihrer beider Verhalten erklärt. Faulkner hat jedoch bei der Herstellung der Endfassung Reste der vorletzten Fassung aus Versehen stehenlassen, so daß etwa Quentins Vater an einer wesentlichen Stelle seinem eigenen Vater, General Compson, Äußerungen zuspricht, die nicht in den Kontext der Endfassung passen[8]. Bezeichnend ist, daß wir solche Inkonsequenzen als solche empfinden und nicht als Konsequenz einer Wirklichkeit auf Widerruf, die immer das ist, was jeweils von ihr gesagt wird, weil sie kein festes Fundament hat. Dieses Fundament aber, auf Grund dessen wir diese Inkonsequenzen als solche bemerken, liegt in der Natur des literarischen Textes, die auch eine Wirklichkeit auf Widerruf immer nur als eine geregelte zuläßt und damit eindeutigen künstlerischen Intentionen unterstellt. Faulkners versehentlich stehengelassene Reste der vorletzten Textfassung würden in einem nicht-literarischen Text auf das Konto des dann realen Sprechers Quentin gehen. Unachtsamkeiten Quentins darzustellen, gehört jedoch nicht zu Faulkners Intentionen.

Grundsätzlich ist festzustellen: Die Allegorie auf den Niedergang des Südens ist als solche eindeutig. Sutpen wiederholt mit seinem persönlichen Schicksal die Geschichte der Südstaaten. Das Land im Yoknapatawpha County erwirbt er von den Indianern und kultiviert es mit Hilfe von Negersklaven, die er von den Westindischen Inseln mitbringt; den Bau des Herrenhauses leitet zwangsweise

---

7. Vgl. *Faulkner's Revision of "Absalom, Absalom!". A Collation of the Manuscript and the Published Book*, by Gerald Langford (Austin-London, Texas U.P., 1971).
8. Vgl. Faulkner, *Absalom, Absalom!*, S. 265-66.

ein französischer Architekt; und von Sutpens zwei Söhnen wird der eine zum Mörder, weil er seinem Halbbruder das Negerblut nicht verzeihen kann und seine reinrassige Schwester schützen will. Die eindeutigen Linien dieser "Geschichte" sind allegorisch erfaßte "Historie". Innerfiktional aber begegnet uns das von Faulkner arrangierte Geschehen wie empirische Realität, und die Allegorie verbirgt sich.

Das heißt: Ein literarischer Text unterstellt auch eine Wirklichkeit auf Widerruf, die über sein Ende hinaus als eine solche bestehen bleibt, seinen künstlerischen Intentionen, deren Eindeutigkeit in seiner wesensmäßigen Endlichkeit gründet. Auch Faulkners Vorgehen in *Absalom, Absalom!* stellt gegenüber der vergangenen Wirklichkeit nicht jene Offenheit für weitere Forschungen her, wie sie die empirische Wirklichkeit aufweist.

Fazit: E.T.A. Hoffmann (1776–1822), Dostoevskij (1821–81) und Faulkner (1897–1962) verwenden, jeder auf seine Weise, eine Wirklichkeit auf Widerruf; dieses Verfahren dient primär der Erzeugung von Spannung, denn wissen zu wollen, wie es wirklich gewesen ist, gehört zum Wesen des Menschen.

Die hier vorgestellten drei Texte belegen die Geschichte eines Erzählverfahrens: Dostoevskij steigert Hoffmanns Vorgehen zur Großform des Romans, muß jedoch, um ethische Eindeutigkeit zu wahren, seinem Chronisten ein Wissen unterstellen, das dieser nicht real erworben haben kann; Faulkner tut den nächsten und letzten Schritt, indem er eine Wirklichkeit entwirft, die über das Ende des Romans hinaus eine Wirklichkeit auf Widerruf bleibt. Alle drei Texte "Die Marquise de la Pivardière", *Die Dämonen* und *Absalom, Absalom!*, behaupten von sich, recherchierte und damit recherchierbare Wirklichkeit zu sein. Meine Überlegungen wollten auf grundsätzliche Weise verdeutlichen, daß ein literarischer Text eine Identität mit dem nicht-literarischen Text immer nur mimen kann. Dostoevskij läßt dies durch die inkonsequente Handhabung seines Chronisten besonders augenfällig werden. Ich glaube allerdings nicht, daß diese Inkonsequenz als solche Absicht war, sie hat sich für Dostoevskij vielmehr im Umgang mit der zu gestaltenden Sache ergeben.

19.

ЭКЗИСТЕНЦИАЛЬНАЯ ДРАМА ЧЕЛОВЕКА В ТЕАТРЕ ПАМЯТИ: ФЕДОР ДОСТОЕВСКИЙ И ТАДЕУШ КАНТОР

ХАЛИНА БЖОЗА

Снятие основ позитивистской парадигмы миропонимания и миросозерцания ослабляет в художественной реальности Достоевского пространственно-временные связи и стимулирует образование "анти-эвклидовых пейзажей", "минусовых антипространств" человеческой психики, составляющих "сцену" духовного Театра мира.[1] Это в свою очередь приводит к снятию рубежа между жизнью и смертью, сознательным бытием и праздным существованием, гармонией и хаосом. Стремясь сблизить две расходящиеся истокам человеческого бытия (через недра души), русский художник-мыслитель не мог тоже обойти вопросов относимых к понятию "извечной философии", которое в свое время многосторонне изучал Алдоус Хаксли. Данное понятие, сводимое к смыслу духовной Первопричины, "основы основ" быта, прикладывается ведь к религиозным представлениям и мысли всех (даже самых древних) времен, начиная с восточных (от таоизма к буддизму махаяны) – через древнегреческое – классическое понимание Абсолюта и взаимосвязь *hybris* с *nemesis* – к христианской идее Правды как результата прозрения (высшего ума). Итак, "основа основ" как духовный сверхпорядок может пониматься как "вечная духовная реальность" и, одновременно, Тайна, проявляющаяся через то, что существует или остутствует внутри и вне человека. Ведь именно то же самое – по указанию Хаксли[2] и Аверинцева[3] имел в виду Дионисий Псевдо-Аэропагит, который в V столетии использовал идеи неоплатонизма и – в опосредованной форме – метафизическую мысль Индии.

1. Ср. H. Brzoza, 'Wewnętrzny Teatra Świata (Dostojewski - Kantor - Madzik)', *Sprawozdania Wrocławskiego Towarzystwa Naukowego*, XL, ser. A, dod. 2 (Вроцлав: 1985), с. 133-56.
2. A. Huxley, *Filozofia wieczysta*, tłum J. Prokopiuk i K. Sroda (Варшава, 1989), с. 35.
3. С. Аверинцев, 'Бытие как совершенство — совершенство как бытие', в кн. *Поэтика ранневизантийской литературы* (Москва, 1977), с. 36-49.

В одной из самых древних упанишад говорится, что "не-то" (т.е. сверхъестественное Ничто) носит имя "Реальность реальности", а в буддизме махаяны появляется определение: "Чистый Свет Праздности (Пустоты)". Это же, в свою очередь, кажется близким выражению Мастера Экхарта: "Ты должен любить Бога как не-Бога, не-Духа, не-лицо, не-образ [...] чистого, абсолютного [...] в котором нам надо раствориться из ничего – в ничто".[4]

Нетрудно заметить, что – в какой-то мере – также методологический аспект строения мысли отцов церкви приближается к такому "парадоксальному" порядку определения идеи божества: утверждения путем отталкиваний или - контраста света и тьмы.

Можно предположить, что оттуда берется начало и своеобразная логика парадоксов в творчестве Достоевского, который ведь строил свой роман-трагедию, роман-миф и роман-прозрение (или роман-апокалипсис, т.е. *Бесы*) на стыке жанров: художественной прозы, проповеди и философского, гносеологического трактата. Оттуда, возможно, и происходит понятие "фантастического реализма" (как реализма высшей меры), обращенное в водоворот столкновений высшей Правды – "основы основ" мироздания, закодированной в духе природы, с "эвклидовым умом" человека. Закоренение поэтики романа в этом парадоксальном несоответствии и порождает всеобщий принцип "совмещения несовместимого" (т.е. невозможного), а именно – по Г. Гачеву: "Космоса – мира божьего" с "человеческим Логосом – Арифметикой".[5] Ведь тот же божественный Космос с его природой и "живой жизнью" постоянно подвергается опасности эрозии со стороны ограниченного ума, навязывающего всему вокруг свой искусственный порядок языка, который выражается через буквы и числа, а затем через "линейное" историческое время. Так, значительная параллель: Дух – "живая жизнь", в которую вписана например незаурядная личность и драматическая судьба Раскольникова, позволяет подразумевать, что окончание романа *Преступление и наказание*, разнообразно истолкуемое исследователями (иногда же и считаемое противоречивым), имеет еще один аспект. В нем, между прочим, выявляется своеобразное предостережение человека, мыслящего в картезианском порядке *Cogito*, перед недооценкой неисчерпаемых – физических и духовных – сил природы. Это предостережение навеивает ассоциацию как с древней, так и с современной идеей физической и духовной целостности вселенной. Это, кстати,

---

4. Huxley, *op. cit.*, с. 34.
5. Г. Гачев, 'Космос Достоевского', в сб. *Проблемы поэтики и истории литературы*, под ред. М. Алексеева (Саранск, 1973), с. 110-13.

вопрос не только философский или теологический, ибо его можно отнести к широко понимаемой проблематике так называемого гуманитарного экологизма: ведь человек (и антропологическая установка) является лишь частью (бесспорно, весьма важной) мироздания и подвергается его общим законам.

Достоевскому – по замечаниям Л. Шестова – вовсе не присуще стремление к горизонту ценностей, установленному понятиями "прекрасного" и "высокого",[6] т.е. – по определению В. Хлебникова – "вера только духа". Наоборот, в его мире эта платоновская аксиологическая основа мироздания всегда сталкивается с магометровой "верой только тела", аналогично тому, как основы европейской культуры издавна встречались со стихией культуры Востока. Поэтому наполненные глубоким смыслом известные символы Востока в текстах Достоевского (такие как жбан Магомета, Вавилон и Иерусалим) выражают то ли оппозицию двух систем ценностей, по выводам Т. Позьняка,[7] то ли – преломление двух порядков, "вер", именно через их столкновение, в новую структуру сложного драматического мира, в котором "делимой" оказывается "единица" (в обобщении В. Хлебникова).[8]

Итак, свет и тьма, явность и скрытость, строение и распад, динамика и инерция – все стороны и аспекты быта, как в зеркале, отражаются в человеческой личности, исследуемой Достоевским с глубокой проникновенностью мыслителя и художника. Такой широкий взгляд на действительность близок и мысли древнего Востока (начиная с таоизма), опирающейся на глубокий смысл таких общих законов природы, как: равновесие и противоречивость, тяготение к центру за счет переферии в порядке естественного гомеостаза. Так понимаемая закономерность существования личности – "грешного дитяти Бога и природы" – невольно наталкивает и антрополога на мысль, что духовное самосовершенствование человека само по себе получается за счет пренебрежения его материальной, животной стороны. Так, в итоге следовало бы ожидать сопротивления и даже "бунта" материи, которая – как осадок освобожденной энергии (божественного начала) – должна стремиться взять реванш за прогресс

6. Л. Шестов, *Достоевский и Нитше. Философия трагедии* (СПб., 1903); об этом тоже (в другом аспекте), см. R. Neuhäuser, 'Nachwort', в кн. F. Dostojewskij, *Aufzeichnungen aus dem Untergrund* (Мюнхен, Deutscher Taschenbuch Verlag, 1985), с. 153-73.
7. T. Poźniak, 'Orient biblijny u Dostojewkiego (Babilon i Jeruzalem)', в сб. *Dzieło chrystianizacji Rusi Kijowskiej*, pod red. R. Łużnego (Люблин, 1988), с. 247-81.
8. S. Sterna-Wachowiak, 'Modele świata albo Język', в кн. *Szyfr i konwencja* (Познань, 1986), с. 26-27.

и "отомстить" личности.[9]

Эта месть и проявляется в различных вариантах и масштабах категории смерти, на одном полюсе которой находится бедность, подавленность (как инертность, отсутствие свойств, обезличенность – производные страха и стыда), а на другом – нигилизм (как произвол развязной свободы, т.е. отсутствия страха и стыда). С другой же точки зрения – в аксиологическом плане – вышеупомянутая категория "смерти" охватывает как тип личности идеалиста: вялого и робкого, обезличенного мечтателя (например героев "Хозяйки", "Белых ночей", "Слабого сердца"), так и тип прозаического разгульного сладострастника-злодея или предателя (например парадоксалиста из *Записок из подполья*, Свидригайлова из *Преступления и наказания*, Федьки Каторжного из *Бесов*, Федора Карамазова из *Братьев Карамазовых* и др.). Такие герои, "рожденные под знаком смерти", то ли преждевременно гибнут, то ли – болеют, умирают душевно. Если бы через этот план удалось проследить внутреннюю логику целого ряда персонажей на протяжении всего творчества Достоевского, то явился бы нам совсем новый аспект человеческой драмы бытия, созданной русским классиком, который сегодня можно уловить сквозь призму художественной практики писателей и театральных режиссеров XX век. Это можно обосновать, главным образом, тем, что художественный образ современного мира, данный нам лишь в становлении, в "незавершенном виде", явно напоминает мир прозы Достоевского. Такой именно тип изображения и художественный стиль – это результат неспособности сегодняшней человеческой мысли и языка, созданных традицией рационализма и мышления в порядке *Cogito*, воспринимать и чувствовать мир как цельный, интегральный, гармонически построенный космос. Весьма трудно сегодня спасти богатое содержание мира (и быта) к одной общей идее, всеобъединяющей формуле: принципу принципов. Невозможно ведь замкнуть мироздание в пределы одной научно-мировоззренческой парадигмы и выразить посредством традиционных категорий пространства, времени, ритма, гармонии и целостности, а также – средств сообщения, представляющих конкретные дисциплины искусства, роды и жанры. Поэтому вполне обоснованы попытки художников XX века выйти за пределы медий художественной коммуникации, преодолеть разные барьеры "невозможного" и проникнуть в сферу универсальных духовных ценностей. Таким же ведь образом и Достоевский творил свой "театр без театра" – в виде скрытой в знаковой структуре

---

9. A. Watts, 'Filozofia TAO', tłum. A. Hoffman, в сб. *Taoizm*, pod red. M. Dziwisz (Краков, 1988), с. 15-27; F. Capra, *Punkt zwrotny*, tłum. E. Woydyłło (Варшава, 1987), с. 43-83, 319-489.

второго ряда – духовной драмы человека. Ведь и для Достоевского капитальный объект философского и художественного решения составляла проблема переоценки ценностей и условной "перестройки космоса" для того, чтобы реляцию: субъект – объект (установленную в структуре мышления типа *Cogito*) заменить реляцией: субъект – другой субъект (что является трудной задачей и для феноменолога).

Воображаемый "демонтаж" и "переделка" мироздания ведь происходит на месте ломки старых понятий и представлений, непригодных уже схем и деформированных структур мировосприятия, неизверженных кумиров и забытых символов. В поисках новых средств выражения и медий художники XX века забывают о прочности основ своего мира, который можно свести лишь к понятиям стыка, ограниченности (фрагментарности), перестановки акцентов, сдвига планов и пропорций, распада, инерции. Общий смысл непрочности и неопределенности или напряжения без ожидания кульминации и разрядки предопределяет образ мира в новом искусстве, который содержит трагедию без катарсиса или нерешаемую загадку, ужас, иронию и гротеск, ибо как правило соблюдает принципы логики парадокса. В таком мире без начала и конца смешиваются времена и накладываются друг на друга пространства, отсутствует природа, отстраается этика и удаляется эстетика. Но поскольку творчество остается живым и драматическим процессом, отражающим актуальные "проклятые вопросы" человека на новом этапе развития культуры, то и критика должна справиться с новым запросом своего времени и подойти к своей задаче с орудиями на меру этого запроса. А задача эта не простая, ибо "искусство свободных проекций" с 20-х годов склонно реализоваться не столько на сцене, в книги или в пространстве картины, сколько в духовном пространстве самого адресата, который – в порядке творческого соучастия в акте созидания – становится конгениальным "художником-интерпретатором" и, одновременно, критиком или даже исследователем (не избегающим обобщений и оценок).[10]

Невольно навязывается в этом месте мысль, что как мастер искусно владеющий средствами такого же творения "миров иных", наполняющих недра культурной памяти человека, и Достоевский может (и должен) рассматриваться в аспекте вопросов искусства авангарда начала XX века, авангарда шестидесятых годов и даже – поставангарда. Поэтому считаем полноправным именно такой

10. H. Brzoza, 'Teatr wyludniony – teatr ludzki (O Scenie Plastycznej K U L Leszka Mądzika)', *Projekt*, № 2 (1989), c. 34.

подход к некоторым вопросам творчества русского художника-мыслителя, какой позволяет использовать в качестве "отсылки в будущее" избранные аспекты изучения и свободной интерпретации произведений некоторых польских художников-мыслителей, как Бруно Шульц, С.И. Виткевич, Витольд Гомбрович и – главным образом – Тадеуш Кантор.

Диапазон соотнесений творчества Достоевского с вопросами творчества названных художников XX века широк, но достаточно ораничиться выбором четырех аспектов:

[1]. "бедность" и идея "подполья" ('реальность деградированная');
[2]. "братная" (антиромантическая) драматургия трагедии без катарсиса;
[3]. разрушение эстетических норм ради новых ценностей: "искусство эссенций";
[4]. вечный Театр Памяти.

[1]. Художественный мир прозы Достоевского, как об этом упоминалось выше, лишен онтологической иерархии; разные инстанции мироздания – в отличие от мира Л. Толстого – даны здесь вперемежку, ибо "увидеть человека в человеке" невозможно лишь извне – с позиции "эвклидова ума" – в физическом пространстве, даже в перспективе декартовского "мыслящего я". Деиерархизацию мира Достоевского можно в таком плане объяснить и посредством категории "ненасыщенности формой" С.И. Виткевича, который в своих пьесах-трагифарсах прибегал к логике абсурда для максимального насыщения их рефлексией об ужасах заката европейской цивилизации. Тот же вопрос поднимали по-своему как Шульц, так и Гомбрович или Кантор, который продолжает художественно изучать отмирание или упадок ценностей, пользуясь сознательно отсылками и репликами к текстам тех же писателей.[11] То, что роднит всех этих польских авангардных художников-философов с наследием Достоевского, – это общий глубокий смысл необходимости заступиться за человеческую личность, теряющуюся в джунглях мира, который в ускоренном темпе цивилизационного развития становится все менее понятным. Условия жизни заставляют человека скрываться, искать какого-то убежища, так как образ мышления в структуре *Cogito* позволяет видеть лишь фрагмент мира, доступного личности, а в нем – также фрагмент другого человека и даже – самого себя. Итак, можно заключить, что драма человека новых времен зарождается на пути к сложению его самосознания – и дальше – к самоопределению. Ошибочные попытки найти идеальный образец вне себя, в окружающем мире, приводит, как правило, к самообману и трагедии, тем более, что эти "идеальные" образцы оказываются устарелыми и не

---

11. Teatr CRICOT². *Informator – 1986* (Варшава–Краков, 1986), с. 37-42, 118-26.

могут ответить требованиям актуального момента. Стоит вспомнить здесь раскольниковские образцы Наполеона и Петра I или образцы мечтателей-неудачников, Ставрогина, Аркадия Долгорукого, Ивана Карамазова, Смердякова и ряда других героев, чтобы ярко увидеть причину их самообмана и трагического поворота судьбы. Подсказываемые историей, историей человеческой мысли и культуры, модели не могли помочь им заглянуть в себя и – учитывая окружающую обстановку: фон – прийти к реальной самооценке и определить свое место, а следовательно – образ существования, "кондицию" в обществе, в мире. Подмена образа реальной ситуации мифом, создавая драматическое несоответствие, конфликт стремлений с результатом, сделала как Девушкина и Голядкина, так подземного человека или брата и сестру Лебядкиных несчастными жертвами, "бедными людьми", выброшенными за борт жизни куклами или насекомыми. Все они в конечном результате погрузились в "подполье" (внутреннее – духовное или – мировое), т.е. в "деградированную реальность", реальность II-го ряда. "Подполье" как знаменательное "последнее место" в человеческом мироздании приобрело смысл духовного бегства, отчуждения и одинокого погружения в небытие, выпадения в мусорную яму истории.

Итак, категория "бедности" в мире Достоевского охватывает значительно больше героев, чем это всегда казалось читателям и критикам. Ведь слово "бедный" многозначно и нельзя свести его смысл к одному уровню содержания. Навязывается суждение, что для Достоевского "бедность" обозначала тоже духовное оскудение, внутренее опустошение, а также – самообман (например в понимании Карякина или Бочарова), подражание разным мифологическим прототипам. С другой стороны, "бедные" – это люди, считающие себя обузой для других (по выводам В. Ветловской)[12] или так называемые "лишние люди" в русской литературе, начиная с Онегина и Печорина, и заканчивая Ставрогиным, т.е. категория героев-нигилистов. Их самообман порождается в результате несоответствия собственной оценки характера и роли, которую пришлось им сыграть в определенной жизненной обстановке. Ведь это люди, которые невольно разоблачали и разрушали устарелые структуры социальной и культурной жизни, решаясь на "преступление": трансгрессию, но без следующего шага – трансценденции. В этом смысле, например, Ставрогин, которого нельзя поставить в разряд "униженных и оскорбленных", ни "людей-кукол", приуроченных к определенной роли, все же оказывается "бедным", причисляя себя сам к "людям-насекомым".

---

12. В. Ветловская, *Роман Ф.М. Достоевского 'Бедные люди'* (Ленинград, 1988), с. 167-201.

Убивая в себе человека, превращаясь постепенно в убийцу–любителя, он погружается в "подполье" – третью категорию пространства, составляющую "кладбище" человеческого мира, чтобы в конечном результате повторить жест оскорбленной Матреши, собственной жертвы и повиснуть на веревке. Выбирая этот вид смерти (в отличие от Кириллова, предпочитающего "активное" самоубийство свободного человека), Николай через подмену действенности инерцией совершил последний свой престранный поступок, выражая надругательство над самим собой. Знаменательный тавтологизм жестов жертву и ее морального убийцы подчеркивает смысл бегства в "подполье" и смерть героев слабых, хотя их слабость проявляется в разных ипостасях. Как Матреша, так и Ставрогин, являются "бедными людьми", трагическая смерть которых – это не бунт, не протест, т.е. не акт воли и – следовательно – не победа, но, одновременно, и не результат чужого насилия, только инерция материи, лишенной духа. С этой точки зрения становится более ярким смысл "басни" Лебядкина "Жил на свете таракан" и объяснение самого автора:

> Никифор берет стакан и [...] выплескивает в лохань всю комедию, и мух и таракана, что давно надо было сделать. [...] Что же касается до Никифора, то он изображает природу [...].

Ведь этот "стакан полный мухоедства" (*ПСС*, X: 141–42) – это именно категория людей "лишних", считаемых обузой, независимо от их величины и меры их вредности. Вне традиционных принципов деления всех существ на добрых и злых природа цинично удаляет обузу на "последнее место": деградированную реальность мусорной ямы. Итак, все три разряда "бедных": беспомощные-несчастные, "куклы", и "насекомые" устраняются сами или вытесняются другими в запретную зону: мировое "подполье", несмотря на то, что "согрешили" то ли отсутствием действия, отсутствием свойств, то ли – отсутствием моральных принципов и мировоззренческих ценностей или жизненной программы. Вопрос "бедных" и вообще "обузы" занимал Достоевского не столько как писателя, сколько – мыслителя–антрополога, стремящегося сблизить правду разума с правдой сердца, т.е. науку с религией, а также – правду природы со скрытой в путанице игр и в борьбе знаков – правдой культуры.

Категория "бедности", ничтожности, обузы стала в центре внимания Шульца и Кантора. Вопрос последней зоны жизненного мира привлекает по сегодняшний день знаменитых польских художников сцены: Кантора, Шайну, Мондзика, путь которых к искусству театра от изобразительных искусств естественным образом учитывал (фазу увлечения хаппенингом и использования внутренней логики материи. Интерес к готовым предметам и разным видам материала, способного послужить художнику для создания нового произведения, а тем самым, приобретающего фактор духовной жизни, натолкнул, например, Кантора на тезис, что с м е р т ь (как понятие и явление одновременно) может стать "моделью жизни", "методом", "средством", с помощью которого может быть выражена сущность жизни человека, проявляющаяся в общеизвестных символах.[13] Параллель: бедность – смерть в театре Кантора является основой своеобразной структуры ценностей, устанавливаемой в порядке отталкиваний от традиционных иерархий, возникших в определенной культурно-исторической обстановке как результат "линейного" (процессуального) образа мышления категориями слова в культуре новых времен. Идея роста и прогресса, т.е. движения по восходящей привела к установлению иерархии ценностей, в которой падение, бедность и увядание-инерция стали "закулисными" явлениями для сильной индивидуальности, воспитанной в духе *Cogito*. Поэтому – наперекор этим традиционным нормам – в эстетической системе Кантора сугубо важное место занимает именно восточная категория т е н и, т.е. закулисных явлений, составляющих обыкновенно лишь элемент фона, "космической срамоты", "мусора" и всей житейской жути, на страже которой стояли категории стыда и страха.[14]

[2]. Итак, возвышение всего, что закулисное, темное и жуткое в театре Кантора не столько является средством сценичной поэтики ("поэтики обнаженного приема" – по мейерхольдовскому образцу), сколько симптомом нового кругозора восприятия и оценочной интерпретации мира, в котором смысл тени и оттеняющего начала выдвигается на главное место. Это и укладывается во внепроцессуальный порядок мышления пространственными категориями образа, в результате чего все начала: положительное и отрицательое, светлое и темное, внешнее и внутреннее (т.е. явное и скрытое) сосуществуют, сглаживая антонимии быта в плане оценки и философского осмысления. В этих условиях возникает новый тип драматургии (не только зрелищной), которая строится не по классическому образцу р а з в и т и я, т.е. завязки – нарастания – кульминации – эксплозии – и развязки, а по противоположному: постепенного "увядания" – свертывания и – имплозии. В противовес романтической модели экспрессивной драматургии "нагнетания" и прямого роста по восходящей, он явно сводится к смыслу движения по и н е р ц и и, медленного ослабления, "угасания" – вплоть до "затмения": смерти. Нетрудно приложить эту модель к некоторым романным сюжетам и

13. Teatr CRICOT2, *там же*, с. 131-33.

14. Ср. Ю. Лотман, 'О семиотике понятий «стыд» и «страх» в механизме культуре', в сб. *Тезисы докладов IV Летней школы по вторичным моделирующим системам* (Тарту, 1970), с. 98-101.

принципам строения характеров у Достоевского (например, так наз. "слабых сердец", как Ордынов, бедных-униженных – как Девушкин и Голядкин, "людей без свойств" – как парадоксалист из подполья и Алексей Сокольский, неудавшихся философов – как Васин, Шатов и Степан Трофимович Верховенский, вырожденных и сладострастников – как Ламберт и Смердяков, Федор Карамазов и Свидригайлов, нигилистов – как Ставрогин). Сложение таких характеров напоминает ниспадающее круговое движение по спирали, которое завершается падением: смертью или потерей умственных сил.

Сквозь призму некоторых явлений польского авангардного театра 1960–80-х годов этот тип драматургической конструкции художественного образа становится еще более выразительным. Стоит упомянуть, например, такие спектакли, как *Мать* С.И. Виткевича, *Брак* Гомбровича, *Картотека* Ружевича или *Реплика* Шайна, *Пусть пропадут художники!* Кантора и *Влага* Мондзика, чтобы аналогии с идейно-эстетическими исканиями русского писателя стали вполне наглядными. Особенно тот особый принцип остранения, который Кантор назвал "отчужденностью" и "остранением смертью" составляет и у Достоевского новую знаменательную трактовку универсальной драмы личности в Театре Памяти.

[3]. Стоит рассмотреть этот вопрос также в плане переосмысления понятия д е т с т в а как мифопоэтического образа "утраченного рая": счастья непорочности. Идиллические картины "святого" (невинного) детства (уходящие корнями в Ветхий Завет: Генезис) заменяются у Достоевского зачастую жуткими деталями поруганной юности, лишенной невинности, например, в *Подростке* и *Бесах*, что ассоциируется с примерами страданий презрелого ребенка в новой литературе и театре 20-х—50-х годов (Шульц, Гомбрович, Виткевич, Мусил, Кантор). Так, имеем здесь дело с профанизацией еще одного *sacrum*, т.е. с деструкцией мифа детства, что можно соотнести также с упадком мифа школы, закодированного в сознании жителя Европы в пределах классической формулы: "мир как школа". По выводам, подготовленным разработками данной темы С. Аверинцевым,[15] именно та же формула сказалась на многовековой традиции влияния на человека-"ученика" – опытного и умного "учителя": Мастера. В романах Достоевского, например, не раз обыгрывается знаменательный образец пары ученых: Сократа и Платона в разных (иногда пародийных) вариантах инициации – духовной или интеллектуальной (Мышкин—Бурдовский, Версилов и Макар Долгорукий—Аркадий,

---

15. Ср. С. Аверинцев, 'Мир как школа', в кн. *Поэтика ранневизантийской литературе* (Москва, 1977), с. 150-82.

Степан Трофимович—Ставрогин, Ставрогин—Шатов, старец Зосима—Алеша Карамазов, Алеша—мальчики). Разложение этой структуры выразилось в сложении раскрепощенного сознания человека, мыслящего в порядке *Cogito* (т.е. самосознающего Я свободной личности). Крайне жестокий пример прощания с идеей-архетипом непорочного детства (или юности) составляет сцена соблазнения Матреши Ставрогиным в *Бесах*. С этим эпизодом перекликаются многие сцены и сюжеты из прозы Т. Манна, Гомбровича, Мусила или Шульца. Писатели XX века явно разрушали не только миф "святого" детства, но также мифологический образ ш к о л ы, с его "геометрическим" порядком пространства коридоров и классов, регулярно прорезанных партами. Такие сцены и эпизоды, осмеивая навыки заглядываться в авторитеты или обращаться к "корням": архетипам идиллического детства, опровергают и сам смысл формулы "мир как школа", который вытесняется уже новым лозунгом: "жизнь как задача" (ставшим тезисом хайдеггеровской философии жизни).

Итак, апокалиптический зловещий смех Достоевского над искусственным порядком Организации: символического Легиона в *Бесах* будто повлек за собой отклики писателей следующей эпохи, которые заново подняли тему бунта человека против насилия свободной личности устарелыми культурными нормами и запретами. Так, в силовом поле борьбы разных порядков (игр и тактик поведения, шифров и дешифровок, маскирования и разоблачения) оказываются как герои Достоевского, например Аркадий Долгорукий, Ставрогин, Ракитин или братья Карамазовы, так Юзе из *Фердырдуркэ* Гомбровича, и даже Тадеуш из спектакля Кантора *Велополе-Велополе*.

Особенно интересную разработку той же темы наблюдаем в канторовском спектакле *Умерший класс*, где прием аналогии: дублирования образа класса выворачивает наизнанку миф школы и мечту о возвращении к корням. Внесенные на сцену старцами манекены-куклы, т.е. копии их собственных детских фигур, напоминает скорее мертвецов, которые совершают надругательство над жалкими бывшими учениками одного класса, умершего и неспособного уже воскреснуть. Но в то же время и ученики, и класс, продолжают существовать в другой ипостаси – во внутреннем вечном Театре Памяти каждого из нас, где полубалаганное зрелище: "поход фантомов и масок карнавального типа" – допускает смену ролей и их свободное развитие – вплоть до универсальной мульти-роли

[**4**]. Специфическая знаковая структура такого Театра Памяти непосредственно относится и к категории интертекстуальность – через смысл "диалога", или "борьбы" знаков и понятий. Именно

спектакль *Умерший класс* и предопределил новую концептуальную и эстетическую формулу театра Кантора 70-х годов как Театр Смерти. Художник, лишая персонаж или готовый предмет (и прочие сценичные объекты) их первоначальной функции, воспользовался тогда художественными концепциями Шульца, который первый ввел понятие "деградированной реальности" как "запретной зоны": мира манекенов и реквизитов, т.е. "мира-гардероба".[16] Прием декомпозиции и деформации послужил здесь созданию своеобразной поэтики обеднения и даже низвержения смысла реальных объектов действительности, ко-торые стали иррациональными уродливыми подделками, собственными масками или пустыми именами в миpeгардеробе. Так, например, в *Коричных лавках* Шульца отец рассказчика, представляясь то ли в роли почтенного еврейского купца, то ли – самого ветхозаветного Авраама или Якова, жалеет о доле сшитой из самых разных тряпок "какофонической" куколки, забытой в портной мастерской – мире манекенов. Этот подпольный мирок лишних вещей как забытый ящик с барахлом составляет параллель пестрому и дикому модерному мирку Крокодиловой улицы в запыленном, душном еврейском городке.[17] В определенном смысле тот мирок деформаций и подделок, как знак новых времен цивилизационного обмана и оскудения – пародии настоящих ценностей, будто отсылает к иррациональному миру бедного Петербурга в ранней прозе Достоевского. Ведь петербургские трущобы в *Бедных людях*, "Хозяйке", в "Белых ночах" или в *Униженных и оскорбленных* составляют первообраз этой деградированной реальности, в которой записывают свою трагически изуродо-ванную биографию псевдоромантики и графоманы, обезличенные "бедные люди". Как жертвы производственной цивилизации, сидящие свой сон о "прекрасном и высоком", они смешны, ибо воплощают поруганный идеал и миф о "мирах иных".

Как в театре Кантора, где смысл остранения, бедности, деструкции и смерти превращается в художественный принцип, т.е. в творческое начало и – в опосредованной форме – становится моделью ж и з н и, так в прозе Достоевского мнимая, полуреальная жизнь "бедных" людей наполняется новым содержанием именно через фантастическое осмысление отсутствия и небытия.[18] Отталкиваясь от трагизма деградированной реальности, полубыта в мире-гардеробе,

16. См. повести "Коричные лавки" и Санаторий под клепсидрой".
17. A. Sandauer,'Rzeczywistość zdegradowana (Rzecz o Brunonie Schulzu)', в кн. B. Schulz, *Sklepy cynamonowe; Sanatorium pod klepsydrą: Kometa* (Краков, Wyd. Lierackie, 1957), c. 16-19.
18. Ср. Н. Натов, 'Достоевский и психологическая философия Сартра', в публ. "VII International Symposium 'Dostoevsky and the XX Century: Programme (Résumés)", (Любляна, 1989), с. 52.

смешные и несчастные мечтатели или люди без свойств задумываются "Ни-о-чем", обращаясь к трансцендентному "антиэвклидовому пейзажу" духовной "минусовой сверхреальности": к Тайне. Постоянное ожидание чуда: свершения "вдруг" мечты об отсутствующем идеале для людей, не нашедших себе места в сомнительном, распадающемся мире абсурда и трагического гротеска, становится последней поддержкой и спасением. А "пока", т.е. в настоящем, остается им повторять чужие жесты и слова, выстраивать "рожи" по старым клише в порядке хода вечного действия во внутреннем Театре Памяти.

Другой тип действия предстоит "бедному" герою-нигилисту: демоническому "принцу", Ставрогину. Вписывая все новые эпизоды своей странной биографии в неопределенное внеэтическое пространство, лишенное оппозиций понятий добра и зла, идеального и реального, идол анархистов совершает свои очередные "пробы" (т.е. отталкивания от всех возможных жизненных программ), чтобы, наконец, стать "учеником"-эпигоном своего "знаменитого учителя": Степана Трофимовича (т.е. решиться на бегство: "последнее путешествие").

Думая о своем убежище, кантоне Ури, Николай как "принц Гарри" и "Премудрый Змий" в одном лице, решается в результате на прозябание в "подполье". Итак, вместо воплощения божественного начала, т.е. "чистого света Пустоты" в лице Ставрогина "поселяется" инерция, атрофия. Следовательно, превращаясь в "обузу", "князь–самозванец" совершает свой "последний обман": самоубийство.

Итак, Великий Бес – в отличии от остальных "бедных" героев Достоевского – в порядке отталкиваний не достигает внутреннего возвышения, ибо без веры нельзя сохранить никакой идеи, ни ценности, т.е. условия мечты о свободе, "мирах иных", о Тайне и космических истоках человеческого бытия. Воплощая лишь понятие *hybris* – без возможности достичь *nemesis*, Ставрогин ведь способен только на трансгрессию, без трансценденции, и поэтому ему трудно проявиться в мифологемах как бога, так и червя, как творца нового типа, так и контестатора. Оставаясь однако на сцене духовного Театра Памяти, он играет свою эпигонскую мульти-роль, превращаясь в вечный фантом, меняющий маски и реквизиты. Его смерть, естественная и, одновременно, символическая, как принцип остранения и отчужденности проецирует индивидуальную историю великого Никого – как Антихриста и Соблазнителя – в план метаистории, т.е. вечной драмы бытия. В этом смысле театр и театральность вообще – как психологическая и герменевтическая техника – может рассматриваться тоже как "раскрывающая система", проба правды о человеке, то ли в узком, житейском, то ли – в широком духовном смысле. И Кантор ведь именно через категорию отчуждения и смерти стремился к новому осмыслению идеи жизни и жизненного мира в Театре Эссенций.

Таким образом, разрушая не только категории жанра, но и рода, и онтологические основы произведения литературы или изобразительного искусства, проза Достоевского и "автобиографическое зрелище" Кантора способны трансформировать смысль разных идей, мотивов и знаков. В результате такой интермедиальной игры символами в специфической знаковой суперструктуре их произведений проявляется духовный Театр Памяти адресата-зрителя. Он и создан для мнемонического запечатления всяких трагических событий в мире, смысл и правда которых выходят за рамки сменяющихся систем миропонимания.

Итак, через профанизацию *sacrum*, в столкновении с гротеском и ужасами жизни, "бедный мир" Достоевского и Кантора – как сцена этого театра – именно путем отталкиваний от жизни, т.е. ее негации, тяготеет к трансцендентному, "иному миру". На такой факт указывают три последних спектакля польского художника сцены. Даже сами заглавия этих автобиографических зрелищ: *Последняя вечеря в Велополе*; *Пусть пропадут художники!*; *Никогда сюда не вернусь!* невольно навеивают прощальные ноты, будто предсказывая стремление автора уйти в "другие места", которые непосредственно ассоциируются с понятием какого-то вида Небытия. Прорвание пространства, отверстие – вакуум в структуре физической реальности ведь раскрывает – через "выпад" в иные измерения действительности – своеобразный смысл вечности (Память), вечной жизни (трансцендентный мир) и "правды сердца", (тайна не высказанного слова). Смыслы просветления и озарения – в конечном итоге – ассоциируются же с идеей Бога, понимаемой в масштабах "извечной философии".

20.

THE MESSIAH AND MESSIANISM IN DOSTOEVSKY AND IN KRLEŽA

MLADEN ENGELSFELD

Dostoevsky often speaks in the name of all Russians and all mankind, and Krleža in the name of all Croatian people. Dostoevsky firmly believes in the messianism of the Russian people from whom the Messiah is to emerge and save the world.

Dostoevsky expresses his messianism in the following dialogue between Shatov, whose thoughts are very near to those of Dostoevsky, and Stavrogin, who had earlier profoundly influenced Shatov by the same ideas:

> "[...] do you know who are now the only 'god-bearing' people on earth, destined to regenerate and save the world in the name of a new god and to whom alone the keys of life and of the new world have been vouchsafed – do you know which is that people and what is its name?"
>
> "To judge by your manner I must needs conclude and, I suppose without delay that it is the Russian people".[1]

Somewhat later after that dialogue, Shatov states his *credo* in the following way:

> "I believe in Russia. I believe in the Greek Orthodox Church. I – I believe in the body of Christ – I believe that the second coming will take place in Russia – I believe – " Shatov murmured in a frenzy.
>
> "But in God? In God?"
>
> "I – I shall believe in God".[2]

During the last years of his stay abroad (1867–71), when homesickness weighed heavily on him, references to "the Russian God" and "the Russian Christ" began to come easily to Dostoevsky's pen. On returning to Russia in the summer of 1871, nearing the end of his fiftieth year, Dostoevsky strengthened his belief in the Russian Christ, in Russia and the Russian Orthodox Church, that is, in those ideas against which Krleža sharply reacted in 1914, as we know from his diary *Days Long Ago* (*Davni dani*).

In the celebrated speech during the Pushkin festival in Moscow in 1880, a year before his death, Dostoevsky spoke about Pushkin as possessing the

1. F.M. Dostoevsky, *The Devils*, tr. by D. Magarshack (Harmondsworth, Penguin Books, 1973), p. 253.
2. *Ibid.*, p. 259.

peculiarly Russian gift of universal comprehension, and about Russia as the power which alone is qualified to understand, reconcile and inspire the rest of Europe. Dostoevsky and his followers believed that Russia would become the third Rome, where the second coming of Christ would take place and after which Christ would finally save the world. Ironically, these prophecies of Dostoevsky have come true, but in a negative, rather than positive, way: instead of Christ there came Antichrist, and instead of the third Rome – the Third International.

The political and religious beliefs of Dostoevsky and Krleža, and of other writers as well – and especially those beliefs expressed in their diaries, essays and plans for literary works – should not necessarily be identified with the political and religious beliefs expressed in their literary works either through an omniscient author or through their characters. There might be a difference between a writer's conscious beliefs, publicly proclaimed, and a writer's hidden, unconscious beliefs, of which he is not necessarily aware, but which are nonetheless built into his artistic works. These two worlds can even be opposed, though not always, and it is the task of the critic to establish how much of a writer's publicly expressed beliefs have entered into his artistic works and have been verified by all the systems and institutions of his personality, and in what way they manifest themselves. And let us not forget that a writer's beliefs should be interpreted in the context of his *opera omnia*, of his entire work, and not only on the basis of one work or one essay. In Dostoevsky, theism is very often followed by atheism, thesis by antithesis, affirmation by negation; and the same phenomenon is present in Krleža.

CROATIAN GENIUS, THE SAVIOUR, THE GOD WITH THE RED FLAG, AND VLADIMIR ILYICH LENIN AS MESSIAHS

In Krleža's youthful and programmatical work "Croatian Rhapsody" ("Hrvatska rapsodija"), published in 1917, the year of the Russian revolution – in which we find an *ovula* of many of his later works – messianism plays an important part. Here Krleža speaks in the name of all Croats and the whole of Croatia, like *poeta vates Croatorum*, in the same way in which Dostoevsky speaks in *The Devils* in the name of all Russians and the whole of Russia. Dostoevsky thought he knew more of Russia than anybody else and spoke of himself as the spokesman of truth. Krleža thought that in bolshevism he had discovered the recipe which would cure all the historical ills of his unhappy Croatia once and for all, and he often spoke as the only spokesman of truth, just like Dostoevsky. Both writers assumed the uninvited roles of supreme judge and biblical prophet, self-chosen roles which they maintained to the end of their lives.

In "Croatian Rhapsody" the character of the Croatian Genius pushes the engine-driver of the frenzied Croatian train under its wheels and, having taking possession of his seat, begins to destroy all existing institutions of culture and civilisation, directing the frenzied train towards some unidentified sun. That Croatian Genius is in fact the Messiah who will, according to the young Krleža, heal the people and lead them towards the Sun, Salvation and the Way-Out:

> And that Genius – radiant, good – Croatian Genius – That Saviour of ourselves – who is inevitably coming, and who will find out the Word and the Form of Expression – that Messiah who will heal us from that illness which is draining us – He is coming. And, you see, I believe that He is coming. And if I doubted that he would not come for one moment only – believe me – as God is my witness – I would jump off the train – under those Magyar State Railway wheels! – I believe: He is coming! He must come! He will heal us. He will create the work – and that Work will be the medicine for our pains. Only it is a pity that he cannot come out of our generation. He will look at the chaos from a higher perspective.[3]

Krleža's programmatical literary manifesto "Croatian Literary Lie" ("Hrvatska književna laž"), published in his literary magazine *Plamen* on 1 January 1919 – in the same year in which he became a member of the Communist Party of Yugoslavia – ends with an absolute belief in the Saviour, the Messiah, who will bring liberation to all Mankind:

> Yes! I believe that the Saviour will come and that he will bring the torch and burn up this false traditionalism of ours, our romantic phrases and heroism! I believe that he will say the word of Absolute Liberation and Absolute Literature! The word as clear as day, the word of Liberation!
>
> *The Saviour will reconcile the antithesis of Byzantium and Rome, and so lay the corner-stone of our cultural problem.*
>
> *The Saviour will reconcile the gigantic conflict of Asia and Europe and so settle the cultural mission of the Slavs.*
>
> *The Saviour will reconcile the struggle of poverty and opulence and in the spirit of reconciliation enable Mankind on this bloody planet to begin finding the Good and the Beautiful.*
>
> And if there is a line of Yugoslav cultural tradition and continuity, it goes from the Bogomiles to Križanić and from Križanić to Kranjčević, the spiritual torch-bearers who left for us fiery marks on the marshy ground so that we may find the proper Way-Out and Salvation and not stray by the illusive light of the will-o'-the-wisp.
>
> It depends on us whether we stuff our ears with wax so that we are unable to hear the siren's song full of traditional lies, emptiness and phrases so that we may bravely turn our back on everything that is meant by the Middle Ages, so that we may uproot the Darkness from our souls, and so that we may, still bloody from the pains of separation, rush up in the Direction lit by the great foreunners in our three different historical epochs: in the Darkness of the Absolute Middle Ages — the *Bogomiles*; on the eve of the great revolution — *Križanić*; in the dawn of our red days — *Kranjčević*.[4]

And thus, the Saviour or the Messiah who will utter the Word of Absolute Liberation and Absolute Literature is already tinted with a shade of red: "in the

---

3. Miroslav Krleža, "Hrvatska rapsodija", in his *Hrvatski bog Mars* (Zagreb, Zora, 1955), p. 392; my translation, as are all of the following.
4. Miroslav Krleža, *Svjedočanstvo vremena* (Sarajevo, 1988), p. 112.

dawn of our red days". This, then, is some sort of a future, red Messiah.

In the short story "The Grand Master of all Villains" ("Veliki meštar sviju hulja"), also published in 1919, the drunken protagonist Kraljević speaks about the messianic "flaming wind" and "the whistling of the flaming wind" which will extinguish all the institutional lights of the old society.[5]

A more explicit example of messianism is seen in the narrated speech of the gunner Mirko Krlec in Krleža's short story "The Death of Franjo Kadaver" ("Smrt Franje Kadavera"), published in 1921, four years after "Croatian Rhapsody":

> So he then began to speak about some new god (better to say: deity), who comes with red flags and destroys all old gods because that god with the red flag is stronger than all the gods of old, and he will completely destroy all our heavens and all our hells and churches and saints and altars and he will create a new heaven, and that will be our life, that new heaven! Because of that god it will not be just the one who will be crucified, but millions and millions, but this god will win! And all of us, who are today paving the way for him, we are his soldiers and prophets.[6]

The unearthly and unidentified Messiah from "Croatian Rhapsody", the Croatian Genius, personifying the whole of Croatian history and Croatian Man, and identified in "Croatian Literary Lies" as the Saviour who will appear on the dawn of our "red" days, becomes in "The Death of Franjo Kadaver" something more real – "the god with the red flag". And since the period between 1917 and 1921, during which all three of the above works were written, was the period of Krleža's most intense party activity, it is no wonder that his Saviour appears in the dawn of our "red" days and that the Messiah of Mirko Krlec is identified as the Red Deity.

All three of Krleža's Messiahs – the Croatian Genius, the Saviour and the Red Deity – have one characteristic in common: an irresistible urge and desire to wreak destruction. The Messiah from "Croatian Rhapsody" will destroy "cathedrals, theatres, academies, barracks, palaces, courts, editorial boards, artistic studios, offices, churches, parliaments, chapels",[7] all culture and civilisation created so far; the Saviour from "Croatian Literary Lie" "will burn up this false traditionalism of ours, our romantic phrases and heroism";[8] while the Messiah from "The Death of Franjo Kadaver" will pull down "all our heavens and all our hells and churches and saints and altars and erect a new heaven, and this will be our life, this new heaven!'.[9]

Krleža has identified that new, "red" Messiah on several occasions, but perhaps most explicitly in an article in the newspaper *Borba* in 1924:

---

5. Miroslav Krleža, *Novele* (Zagreb, Zora, 1955), pp. 144-45.
6. Miroslav Krleža, "Smrt Franje Kadavera", in his *Hrvatski bog Mars*, pp. 365-66.
7. Krleža, "Hrvatska rapsodija", p. 415.
8. Krleža, "Hrvatska književna laz", p. 112.
9. Krleža, "Smrt Franje Kadavera", p. 365.

> So one day when the human race will no longer be an open and putrid wound as it is nowadays, and when the Soviet Republic would not be the only ship sailing towards Kosmopolis, but when whole fleets of peoples and classes will set sail in the same direction, it is beyond doubt that on the other bank, Vladimir Ilyich Lenin, like a giant lighthouse, will be greeting ships at the entrance to the harbour, like a monument of the man who first set foot on the other bank.[10]

So, the Messiah is Vladimir Ilyich Lenin! But he does not appear only in a newspaper article. The main protagonist of Krleža's last novel *The Banners* (*Zastave*), Kamilo Emerički Junior, mentions this Red Deity or the Messiah with the Red Flag *expressis verbis*:

> In the history of European civilisation there will follow a whole series of such catastrophes, and where is it that one can find a formula which could outgrow this madness, if it is not that of Lenin? The greatness of Lenin lies in the fact that he predicted the inevitability of future wars within the system which you think has guaranteed the maximum of human rights to man as such, and as for the situation in which Russia has found itself, the revolution is not responsible in the least, for had they left it in peace, the catastrophe would not have occurred'.[11]

The Banners, Krleža's final and unfinished literary work, was created over a period of about fourteen years (1962–76), but Kamilo's thoughts about Lenin and Leninism quoted above from the novel, belong to the year 1922. In fact, they are the words of Krleža himslf from his diary *Days Long Ago* in which the young author apodictically expresses his belief that in Europe after the year 1871 "there has not appeared a better political formula than that of Lenin".[12]

Jesus Christ as the Messiah in Dostoevsky and Ulyanov–Lenin as the Messiah in Krleža – Christ and Antichrist – are undoubtedly two diametrically opposed sides of the idea of Messianism, which idea is common to both writers. However, the Croatian Genius, the Saviour, the Deity with the Red Flag and Vladimir Ilyich Lenin are not the only manifestation of this idea in Krleža; there are still others.

JESUS CHRIST AS THE MESSIAH

Jesus Christ as the Messiah appears in Krleža's novel *The Return of Philip Latinovicz* (*Povratak Filipa Latinovicza*), published in 1932, the most avant-garde and the most spontaneous of Krleža's novels. Christ, the central symbol of Dostoevsky, is also the central symbol of Krleža's *The Return of Philip Latinovicz*. Both writers, then, use the same Christian symbol, and, conditionally speaking, in that novel Krleža is nearer Dostoevsky than anywhere else in his other works.

---

10. Miroslav Krleža, "Nad grobom Vladimira Iljiča Uljanova Lenjina", in *Miroslav Krleža V: Eseji i putopisi*, 'Pet stoljeća hrvatske književnosti, № 95' (Zagreb, Matica hrvatska, 1973), p. 385).
11. Miroslav Krleža, *Zastave V* (Sarajevo, Oslobođenje, 1976), p. 34.
12. Miroslav Krleža, *Davni dan* (Zagreb, Zora, 1956), p. 543.

That, of course, does not mean that the Jesus Christ of Philip Latinovicz or of Miroslav Krleža necessarily equals the Jesus Christ of Father Zosima or of Fyodor Dostoevsky, for the meaning of the Christ symbol, as with the majority of symbols, can vary from man to man, family to family, nation to nation, one historical period to another.

But however complex Philip's Christ or Messiah might be, he possesses one characteristic common to Krleža's other Messiahs or characters with strong personalities: some supernatural power which distinguishes him from other people. Philip's Christ is certainly not a common man, or an average man, or a member of the working class; he is certainly not the Everyman of William Langland, but – like Krleža's other titanic and gigantic characters, such as Jesus of Nazareth (from "The Legend" ["Legenda"]), Genius (from "Croatian Rhapsody"), Admiral (from "Christopher Columbus" ["Kristofer Kolumbo"]), Michelangelo Buonarotti, Aretus and Ulyanov-Lenin (from *The Banners*) – Philip's Christ is some sort of Nietzschean Superman or the Christ with metaphysical strength, Christ the Conqueror of Hell, the Christ of Saint Augustine, the Christ who is, according to Philip, "the only bridge across which man could escape from the mud and stench":

> Standing amid the drunken throng that evening, Philip had experienced Christ above the altar as an armed, marble Michelangelo-like naked Titan, with legs like huge dark basalt pillars, and the swinging movement of Christ's fists had roared above the rabble like a howling wind as keen as a razor. Those hands, those divine, unearthly clenched fists, should rise above all that is earthly within us, moved by the furious rage which appears in dark heavy clouds toward evening in summer when one can hear distant thunder before a storm, when the earth itself shakes under our feet, and this titanic, starlike, marmoreal, naked body of Christ is the only bridge across which man could escape from the mud and stench.[13]

In *The Return of Philip Latinovicz* the Messiah is Jesus Christ, the symbol of Christianity, and not Ulyanov-Lenin, the symbol of communism. Jesus Christ appears as the Messiah in the novel which the bolshevik Krleža finished writing in the quietness of Zbraslav, a town near Prague in Czechoslovakia, in the period of his intense party activities. This could seem very contradictory, but only to those who are not well acquainted with the way Krleža's mind works. We must bear in mind that Krleža is a contradictory personality and that the Christ–Antichrist or Christ–Lenin antithesis perfectly fits into Krleža's antithetical way of thinking and his understanding of the world.

No doubt, it is extremely interesting that the characters of Miroslav Krleža, one of the founder-members of the Communist Party of Yugoslavia and a member of the Central Committee of the Communist Party of Croatia, should look for some Messiah with supernatural powers to save them, yet that they should

---

13. Miroslav Krleža, *The Return of Philip Latinovicz*, tr. by Zora G. Depolo (New York, Vanguard Press, 1969), p. 149.

never express one of the main postulates of the communist creed which says that the working class or proletariat will save the world. And although Krleža fervently defended communism in the Soviet Union and in the Old and New Yugoslavia through his political papers and essays, which were often written for the purposes of the political moment, the standard-bearers of progress and humanity in his fictional works, and especially in his four major novels, are not members of the working class or proletariat but are enlightened and revolted intellectuals; these are – Philip Latinovicz, Anonymous Doctor, Niels Nielsen and Kamilo Emerički Junior.

Students of Krleža also know full well that the personality of Jesus Christ and his teaching had always been present in Krleža's mental make-up since his earliest childhood.

> Meditating on the secret of Chesterton's marginalia on the New Testament, I should like to put in order my own images which have connected me with the figure of Christ since childhood. The personality of Christ has pursued me in my thoughts from the old Kaptol days, and through Nietzsche, Strauss and Renan, right up to the present day.[14]

DANTESQUE MESSIANISM OR DANTESQUE ABILITIES

Along with Leninism, Dantesque messianism or Dantesque abilities is another way of transcending the unbearable earthly reality or another kind of messianism, mentioned in Krleža by the young Leninist Kamilo Emerički Junior:

> [...] One should have Dantesque abilities so that one can transcend the moral stench of any of our political parties or of our editorial boards in this city of ours, one should be supernaturally talented to be able to reform the idiocy of all that is nowadays called the State of Serbs, Croats and Slovenes, so called, which threatens to beat to death and to demoralise and to destroy everyone, practically everyone, who could think in this country with his own head, for it is not the purpose of this drunken orgy that these Glavačkis should so scream in a drunken state over there, in the dining-room, with a Croatian deputy viceroy and a certain Amedeo Trupac, as if the only aim of our existence is to howl in a drunken state under the stars.[15]

"Dantesque abilities" is a nice metaphor, but it does not say very much. Dante was a mediaeval poet of great poetical talent, intellect and intuition, but he did not use his abilities to transcend the earthly moral stench of the political parties of his time by preaching the erection of paradise on earth through communism and a one-party system like Kamilo Emerički Junior, Krleža's protagonist of noble origin, who renounced his family title and became a member of the Communist Party of Yugoslavia. In fact, Kamilo Emerički Junior never specifies what sort of "Dantesque abilities" one should have to be able to

14. Miroslav Krleža, "Chestertonova knjiga o ortodoksiji", *Hrvatski znanstveni zbornik*, I (Zagreb: 1971), pp. 21-22.
15. Krleža, *Zastave V*, pp. 285-86.

21.

Ю.Ф. ТРИФОНОВ – Ф.М. ДОСТОЕВСКИЙ: ОБ ОТНОШЕНИИ ПИСАТЕЛЯ К НАСЛЕДИЮ

ИЛОНА ЛАКОВ

Предмет моего анализа – отношение писателя к наследию. В отличие от культурно-политических и научно ориентированных исследований здесь необходимо уточнить вопрос о релевантности наследуемого писателя для наследующего. Эта релевантность лишь в редких случаях имеет научное или культурно-политическое обоснование. Своими корнями она глубоко уходит в процесс становления писателя. Поэтому вопросы о правильности или полноте усвоения писателем наследия здесь неуместны. Доступ к определенному наследию диктуется стремлением писателя выразить собственные суждения. Обращение писателя к конкретному наследию прошлого показывает, в каком направлении он развивается. (Это направление может быть временным или постоянным). Оно служит утверждению собственной художественной индивидуальности. В этом смысле анализ отношений писателя к наследию дает информацию больше о наследнике, чем о наследуемом.

Для художественного развития Трифонова наибольшее значение из русской классической литературы имели А.П. Чехов и Ф.М. Достоевский.

По своей сущности проза Трифонова – проза воспоминаний. Свое непосредственное начало она берет в 1937 г., когда его отец, ответственный партийный работник, пал жертвой массовых репрессий. В одном интервью, данном Р. Шредеру, писатель признался, что в то время он находился в положении Гамлета. Ему казалось, что мир вышел из колеи.[1] Презрительное отношение общества к отцу как к врагу народа и его смерть, которую писатель в детстве воспринял как трагический и не совсем объяснимый перелом в личной жизни –

1. Vgl. R. Schröder, 'Mein Jahr ist nocht nicht angebrochen. Aus Gesprächen mit J. Trifonow', *Sowjetliteratur*, № 1 (1986), c. 152.

следует рассматривать как важнейшее событие становления писателя, явившееся поводом для постоянных раздумий и поисков. В героической и трагической судьбе отца Трифонов увидел героический и трагический путь революции, это мощное народное движение, которое, как никогда раньше в истории, было направлено на гуманизацию жизни на земле. В ходе размышлений о волнующих писателя вопросах, почему его семья пережила столь необычный трагический поворот, почему развитие советского общества так далеко отошло от гуманистических целей революции, то есть, как объяснить, что история пошла другим путем, не тем, который был представлен ее деятелями, и почему революционные идеалы и действительность расходились столь невыносимым и прежде всего необъяснимым образом – в процессе размышлений обо всем этом перед Трифоновым во весь рост предстала поразительная актуальность Достоевского. Отношение Трифонова к Достоевскому затрагивает прежде всего, как это впервые заметил Р. Шредер,[2] проблему индивида и истории.

Это прежде всего два феномена, которые Трифонова интересуют: – Во-первых, глубоко индивидуалистски-анархистская философия: "Все дозволено, если нет бога". Речь идет о соотношении целей и средств исторически действующих личностей, искажение которого может вести к роковому противопоставлению интересов человечества с одной стороны и личности с другой.

Весьма злободневным тревожным предостережением для Трифонова явился в связи с этим роман Достоевского *Бесы*. "Загадка и провидение Достоевского"[3] – так озаглавил писатель свое предисловие для итальянского издания романа. Героев романа он охарактеризовал как псевдореволюционеров, которые от истинных революционеров отличались тем, что они не признавали никакой морали и нравов.

– Во-вторых, Трифонова интересует глубина психологического анализа Достоевского, которую он в свою очередь обдумывает в соотношении с историческими событиями. По его мнению проникновение Достоевского в психологию человека был глубже, чем у других. Исходя из психологии, можно многое объяснить. Раньше мы слишком много внимания уделяли социологическому аспекту событий, оставляя в стороне психологическую сторону. А между тем психология играет колоссальную роль в действиях людей и в ис-

---

2. Vgl. R. Schröder, 'Juri Trifonows "Roman mit der Geschichte"'. Nachwort, in Juri Trifonow, *Werkausgabe in 4 Bd.* (Берлин, 1983), т. IV, с. 354–67.
3. Ю. Трифонов, 'Загадка и провидение Достоевского', *Новый мир*, № 11 (1981).

тории целых народов. Это именно то, что его особенно интересует.[4]

Роман Достоевского *Бесы* оказался книгой большого провидения. Характер его персонажей однако загадочен и трудно уловим. Оба аспекта – загадки и провидение Достоевского Трифонов обнаруживает, когда он задумывается над историей своего народа. Эта показывается в документальной книге *Отблеск костра* (1965), в историческом романе *Нетерпение* (1973) и в романах *Дом на набережной* (1976) и *Старик* (1978).

В романе *Исчезновение*, опубликованном в 1987 г. после смерти писателя,[5] связь с творчеством Достоевского проявляется на первый взгляд в целом ряде внешних совпадений, в демонической атмосфере происходящего. Эта книга посвящена отцовской проблематике. Действие происходит в период 1937-го и 1942-го годов и носит автобиографический характер.

Идеи героев Достоевского, долгое время понимаемые только как фантастические, предстают перед нами как удручающая реальность. Здесь мы сталкиваемся с демоническими фигурами различных оттенков – например, Арсением Флоринским, молодым человеком, которому загадочным образом удалось сделать карьеру и основной смысл жизни которого заключается в радостном чувстве власти и в праве на неумолимость, ибо другие блага доступны массе народа. В отношениях между начальниками и подчиненными, в полном невнимании к судьбе отдельного человека чувствуется разделение людей на две категории господ и подчиненных. Демоническая атмосфера возникает не только из действий бесов, страданий и исчезновений их жертв. Она появляется и потому, что персонажи не в состоянии понять угрожающие события, происходящие вокруг них. Все кажется абсурдным. Объяснения героев оказываются в атмосфере всеобщей подозрительности, недоверия и слежки, которую так хвалил П. Верховенский в теории Шигалева, совершенно бесполезными. Великий инквизитор тоже пытался господствовать, управлять массами с помощью чудес, тайн и авторитета!

Однако эти и другие внешние аналогии мы рассматриваем лишь как явление этого отношения к Достоевскому. Суть же его заключается в том, что Трифонов в ходе своих размышлений о переоценке ценностей в революционном прошлом своего народа пришел к подобным выводам, как и Достоевский, и нашел в них подтверждение своим мыслям. Эти выводы касаются различных аспектов взаимо-

---

4. Vgl. R. Schröder, 'Gespräch mit Juri Trifonow', *Weimarer Beiträge*, № 8 (1981), c. 147–48.
5. Ю. Трифонов, 'Исчезновение', *Дружба народов*, № 1 (1987).

отношений между характером, идеей и историческим событием.

Я хочу здесь тезисно изложить четыре таких совпадения.

[1]. Размышления о террористической организации "Народная воля", о революционной поре 30–50 годов привели Трифонова к мысли о том, что между демонами и их жертвами существует взаимообусловленность, которая обоснована и существованием различных характеров и их потребностей. В этой связи интересно отметить, что автор обнаруживает демонов не только в мире взрослых, но и в мире детей. В центре внимания стоит фигура Карася. Его прототипом послужил очень способный товарищ Трифонова по школе, погибший на войне, который в *Доме на набережной* был оценен писателем еще позитивно. В романе *Исчезновение* он рассматривается под другим углом зрения. По причине его поразительных способностей все школьники беспрекословно подчиняются ему. Таким образом он становится избранным и чувствует себя таковым; который с полудетской, однако устрашающей таинственностью, распоряжается своими товарищами. Он делит всех на необразованную массу и небольшую категорию людей, требует от них обязательно одинаковых взглядов. Вспомним идеал полнейшего равенства, в котором, как пишет Лакшин, Достоевский усматривал покушение на личность.[6]

Анализ Трифонова показывает, что в поведении детей, в их отношениях друг с другом чувствуется не только общественная атмосфера 1937 года, но и наоборот здесь имеют место определенные предпосылки характеров людей, которые в будущем могут оказаться весьма значительными для общественного развития. Стремление молодого человека проявить себя в чем-либо соответствует желанию его соучеников служить ему. Если Достоевский пытался в романе *Бесы* ответить на вопрос,

> каким образом в нашем переходном и удивительном современном обществе возможны - не Нечаев, а Н е ч а е в ы, и каким образом может случиться, что эти Н е ч а е в ы набирают себе под конец Нечаевцев (*ПСС*, XXI: 125),

то он объясняет этот феномен также в аспекте характеров, типов. В работах 1861 года "Ряд статей о русской литературе" Достоевский применяет понятие "золотая посредственность" (*ПСС*, XVIII: 61). Он пользуется им для характеристики людей, не имеющих собственного мнения и поэтому вынужденных перенимать чужие мысли, идеи с тем, чтобы или подчиняться другому или реализовать собственные притязания на власть. Мы разделяем точку зрения Б. Ветт, по

---

6. W. Lakschin, 'Die Weltbedeutung Dostojewskis', *Kunst und Literatur*, № 7 (1981), c. 714.

мнению которой Достоевский, обращаясь к группе вокруг П. Верховенского, хотел показать опасность,

> которая возникает, если властолюбцы вроде П. Верховенского приобретают в глазах золотой посредственности ореол авторитета и получают возможность пользоваться ими для достижения своих целей.[7]

Такое расположение характеров играет важную роль в нагнетении демонической атмосферы в романе *Исчезновение* и других произведениях Трифонова.

[2]. Трифонов подтверждает предсказанные Достоевским опасности для гуманистических ценностей, которые могут возникать, когда человек без всяких сомнений усваивает готовые теории и идеи. Этот вывод послужил также ключом к пониманию таких старых большевиков, у которых безграничная честность и готовность жертвовать собой сочетались с безжалостной твердостью и которые для него оставались всегда загадкой. В романе *Исчезновение* бабушка рассказчика считает, что во имя революции, за которую она боролась всю жизнь, она должна оправдывать аресты и расстрелы. Она даже намерена заявить на своего собственного внука, который бросил совместную работу на строительстве канала, чтобы найти работу в своем родном городе Москве. "Как! Стройку еще не закончили, а ты сбежал!. Когда весь народ напрягает силы... "[8]

Не человек, а дело, оставшееся в результате оправдания нечестных средств, без гуманистического содержания, становится критерием действий. Действующие лица, правда, не сознают эту роковую замену понятий! В анализе русского общества своего времени Достоевский говорит о так называемых деятелях, для которых события в области естественных наук имеют характер "всеобщей правды", своеобразной "каменной стены". Эта "стена имеет для них что-то успокоительное, нравственно разрешающее и окончательное, пожалуй, даже что-то мистическое" (*ПСС*, V: 103–04). Достоевский предостерегает от опасности освобождать человека от его ответственности перед нравственными законами человечества, от сомнений и поисков.

Это мнение Достоевского совпадает с суждениями Чехова. Для Трифонова, как для Чехова, оно становится важнейшим критерием оценки персонажей, тем более что это подтверждено у обоих историческим опытом.

---

7. B. Wett, *'Neuer Mensch' und 'Goldene Mittelmäßigkeit'. F.M. Dostojewskis Kritik am rationalistisch-utopischen Menschenbild*, 'Slawistische Beiträge, Bd. 194' (Мюнхен, 1986), с. 132.
8. Трифонов, 'Исчезновение', с. 52.

[3]. Трифонов напоминает, что общественные идеи и социальные программы преобразования общества нельзя реализовать без учета индивидуального восприятия этих идей людьми. Соприкасаясь с определенными характерами, эти идеи образуют свое образный сплав, в результате которого они изменяются. Таким образом объясняется, например, почему в романе *Старик* понятие революции приобретает различные, порою даже диаметрально противоположные значения в зависимости от того, кто его употребляет: мстительный и властолюбивый Щигонцев или Шура Данилов. В своих лекциях по философии истории Гегель указывал на то, что индивидуумы участвуют в процессе истории, имея разную субъективную мотивацию и поэтому окончательный результат истории не может совпадать с начальными ожиданиями.[9] Достоевский же акцентирует в большей мере своеобразное значение характера. Гармоническая связь между идеей и индивидуальными потребностями, которая по Чернышевскому – в соответствии с просветительской концепцией – создает предпосылку для преобразования общества, ставится Достоевским быть совершенно только добрыми людьми, поэтому политика и мораль всегда неразрывно связаны друг с другом.

[4]. Трифонов подобно Достоевскому подвергает сомнению одностороне социально детерминированный и редуцированный на рассудок облик человека, в соответствии с которым человека можно в исторически короткие сроки преобразовать, стоит лишь его познакомить с хорошими идеями. По убеждению Достоевского, человек, его душа это не "*tabula rasa*, это не вощичек, из которого можно сейчас же вылепить настоящего человека, общечеловека, всемирного гомункула" (*ПСС*, V: 59). Трифонов называет поколение своего отца марксистско-дарвинистским, а эгоизм как

> древнейшее свойство человека, которое немало содействовало становлению *homo sapiens*. И еще будет сопуствовать человеку. И всегда будут находиться силы, противоборствующие эгоизму.[10]

Итак, характеры зрелого творчества Трифонова, также как и характеры Достоевского, в основном не преобразуются. Они в творчестве того и другого являются как бы заданными и изменяются в пределах этой заданности. Хотя у Достоевского это преобразование характера можно обнаружить в эпилогах его произведений.

Если герои Трифонова не могут в своем материальном благополучии найти прочного счастья или если в *Исчезновении* о Карасе

9. Vgl. G. Hegel, 'Vorlesungen über die Philosophie der Geschichte', в кн. G. Hegel, *Sämtliche Werke. Jubiläumsausgabe*, Hrsg. H. Glockner (Штугарт, 1949), c. 48.

10. Ю. Трифонов, 'В кратком – бесконечное', в его кн. *Как слово наше отзовется* (Москва, 1985), с. 257.

говорится, "все, что он говорит, умно и верно, но от этой мудрости сделалось вдруг скучно",[11] то здесь еще раз подтверждается убеждение Достоевского, что человеку для счастья нужно больше, чем "хрустальный дворец" и что "один разум, наука и реализм", как это сказано в одной статье о Белинском, "могут создать лишь муравейник, а не социальную «гармонию», в которой бы можно было ужиться человеку" (*ПСС*, XXI: 10).

Известно, что Достоевский не делал различий между фанатиками типа Нечаева и другими революционерами. Но, может быть, что именно этот угол зрения, обостренный недоверием, помог ему в сочетании, как сказал, Айтматов, "с беспощадным реализмом ... и всеобъемлющим беспокойством за судьбу человечества"[12] – яснее по сравнению с другими, увидеть опасности, которые содержат в себе общественные перевороты и программы преобразования общества. Если Трифонов в своем эссе о Достоевском утверждает, "что с точки зрения литературной формы Достоевский писатель неправильный",[13] то это еще раз показывает, сколь субъективно писатели относятся друг к другу. Такое отношение включает в себя как тонкие наблюдения, так и резкие замечания. В своем понимании прозы, в отношении к действительности в понимании функций литературы Трифонову ближе Чехов. Однако генетико-типологически обусловленное отношение к наследию Достоевского Трифонов подтвердил своими выводами относительно того, что отношения между личностью и историей имеют более сложную природу по сравнению с тем как это представляла общественная и научная мысль его времени.

Он усмотрел взаимосвязь между презрительным отношением к человеку и упрощенным материалистически-утилитаристским пониманием категории человека.

---

11. Трифонов, 'Исчезновение', с. 72.
12. Tsch. Aitmatov, 'Mit schonungslosem Realismus', в его кн. *Abschied von Gülsary, Der weiße Dampfer, Über Literatur* (Берлин, 1974), с. 359–60.
13. Ю. Трифонов, 'Нечаев, Верховенский и другие ...', в *Как слово наше отзовется*, с. 38.

22.

ЧТО ТАМ – ДАЛЬШЕ? (ДОСТОЕВСКИЙ И ЗАМЯТИН)

В. ТУНИМАНОВ

— I —

В отличие от многих своих современников (старших и младших) Замятин сравнительно редко упоминал Достоевского даже в своих замечательных эссе, литературных манифестах, лекциях. Судя по всему, отношение Замятина к творчеству писателя, которого часто называли "пророком русской революции", было сдержанным и ровным, лишенным как эмоционально-символистских акцентов (Д. Мережковский, Вяч. Иванов и др.), так и яростного неприятия, эстетического и психологического (И. Бунин) или напряженной, неизбежно субъективной дискуссионности (П. Флоренский, а позднее и В. Шаламов в "Четвертой Вологде" и "Колымских рассказах").

В "Автобиографии" Замятин рассказал о впечатлении, произведенном на него в отрочестве чтением произведений Достоевского:

> Много одиночества, много книг, очень рано — Достоевский. До сих пор помню дрожь и пылающие свои щеки — от "Неточки Незвановой". Достоевский долго оставался — старший и страшный даже; другом был Гоголь (и гораздо позже — Анатоль Франс).[1]

Как видим, к "друзьям" Замятин Достоевского долго не причислял: слишком "страшен"; одновременно привлекал и отталкивал. Страх и дрожь, понятно, с годами прошли, но какие-то отчужденность и настороженность, возможно, оставались и позднее. Равно – не только сохранилась, но и укрепилась любовь к Гоголю. "Люблю Гоголя посейчас, – признавался Замятин в 1816 году (ответы на вопросы С.А. Венгерова), – не без его влияния явилась у меня склонность к шаржу, гротеску, к синтезу фантастики и реальности".[2] Вне сомнения, значительно было и влияние словесного "чудесника" Лескова, его сказовой и капризно-стернианской манеры как на Замятина, так и на А. Ремизова, писателя близкого ему по стилистическим и жанровым

---

1. Е. Замятин, *Избранные произведения* (Москва, 1989), с. 38. Далее ссылки на это издание даются в тексте (например, *ЗИ*: 38).
2. Рукописный отдел ИМЛИ, ф. 47, оп. 3, ед. хр. 2.

исканиям. А ближе всех Замятину из классиков "дормезного" XIX века был А. Чехов.[3]

Тем не менее тема "Замятин и Достоевский" нисколько не менее важна, чем другие, на первый взгляд, гораздо более очевидные: "Замятин и Гоголь", "Замятин и Лесков", "Замятин и Чехов", "Замятин и Г. Уэллс", "Замятин и А. Франс". Существует связь, правда, чрезвычайно осложненная и "периферийная" между провинциальными "комическими" повестями Достоевского ("Дядюшкин сон", "Село Степанчиково и его обитатели") и "уездными" произведениями Замятина. В "Алатыре" эта связь, пожалуй, особенно ясно просматривается, даже сюжетно: смятение среди алатырских дам, вызванное появлением в городе, страдающем от дефицита женихов, князя-эсперантиста, отчасти напоминает ход чрезвычайных событий в "мордасовской летописи" Достоевского. Добавлю, что и "генеалогическое дерево" незадачливого сочинителя Кости Едыткина распознать легко: среди его литературных "предков" естественно назвать Видоплясова и – особенно – капитана Лебядкина.[4]

В петербургских произведениях Замятина "присутствие" Достоевского (его тени) ощущается сильнее. Более всего – в "Наводнении". Одна характерная, бросающаяся в глаза черта – преступления в "Наводнении" и раннем (почвенническом) рассказе "Чрево" совершают именно героини Замятина. Это в их женские руки вкладывает писатель национальное орудие убийства – топор. Кстати, "Чрево" в определенном смысле можно назвать увертюрой к "Наводнению".

---

3. "От Чехова до современного нового реализма — прямая линия. И, конечно, такая же прямая идет от общественных взглядов Чехова к тому лучшему, что можно найти в социальных идеалах современности. От нас, от нашей эпохи Чехов не отделим никакими оврагами: он связан с нами прямой линией — кратчайшим расстоянием". — Е. Замятин, *Сочинения* (Москва, 1988), с. 333. Далее ссылки на это издание даются в тексте (например, *ЗС*: 333).

4. Сам Замятин, правда, говоря о незадачливом пиите, авторе графоманского цикла "Сочинения Константина Едыткина, то есть Мои", называет не литературных предшественников, а реально лицо: "В Лебедяни, помню, мне сделал визит некий местный собрат по перу — почтовый чиновник. Он заявил, что дома у него лежит 8 фунтов стихов, а пока он прочел мне на пробу одно. Это стихотворение начинается так:

   Гулять люблю я лунною порой
   При цвете запахов герани
   И в то же время одной рукой
   Играть с красавицей младой,
   Прибывшей к нам из города Сызрани.

   Пять строк эти не давали мне покоя до тех пор, пока из них не вышла повесть «Алатырь» — с центральной фигурой поэта Кости Едыткина" (*ЗС*: 463). Но одно нисколько не отменяет другого: и предтечей Едыткина, как и бездарного, московского поэта Сосулина ("Африканский гость"), бесспорно является капитан Лебядкин.

Собственно, в рассказе, динамично и сильно начатом, хороши только отдельные детали. Отчетливо запоминается шея Петры – "багровая, вся накрест истеганная морщинами". Как раз в "морщины накрест" и метит топором Афимья: убийство, конечно, не идеологическое и теоретическое, а нутряное, вызревшее в чреве, стихийный порыв ненависти и мести. Ненависть и любовь слиты фатально и трагически. Убийство неотвратимо, иррационально. Но столь же велика жажда покаяния, искупления страшного греха. В рассказе "Чрево" дан типичный вариант народной драмы, развернутый Замятиным еще схематично и прямолинейно. Схематизм больше всего сказался в стиле – орнаментально-фольклорном. Фальшиво-слащав – что крайне редко в творчестве писателя – финал рассказа: здесь и "женский скорбящий лик", и "мудрое слово" Петровны ("Людей-то, чего их бояться: себя страшно"), и земной поклон мира, благословляющего святую грешницу (*ЗИ*: 136).

В "Наводнении" Замятин как бы заново "переписал" "Чрево", вновь обратившись к триединому мотиву "преступление – наказание – очищение". Сюжетно и психологически (отчасти) рассказы близки, но эстетические различия колоссальны. "Чрево" – одна из первых "проб пера" Замятина, произведение во многом подражательное и несовершенное. "Наводнение" – в подлинном смысле шедевр Замятина – "неореалиста". Это интегрированная, сжатая, динамичная проза XX века. Искусство реалистическое, но обогащенное философскими и стилистическими исканиями символистов (в меньшей степени – футуристов): не *realia*, а *realissima*. Замятинский неореализм, пронизанный бешеными ритмами и звуками машино-химического XX века, определенно близок и к "фантастическому реализму Достоевского. Это не гипотеза и умозрительная параллель. О преемственности Замятин прямо говорил в своих лекциях о литературе:

> ... кажущаяся с первого взгляда неправдоподобность, кошмарность открывает собой истинную сущность вещи, ее реальность больше, чем правдоподобность. Недаром же Достоевский, кажется, в романе *Бесы* сказал: "Настоящая правда — всегда неправдоподобна".[5]

В "Закулисах", приоткрывая дверь в свою мастерскую художника, Замятин говорил об "интегральных" образах "корабля" и "пещеры" ("Мамай", "Пещера"), как образах, организующих всю художественную систему произведений – "от начала до конца". То же, но в более скрытом, усложненном, не столь акцентированном виде, и в "Наводнении":

> здесь интегральный образ наводнения я пытался провести через рассказ в двух планах, реальное петербургское наводнение отражено в

---

5. *Литературная учеба*, № 5 (1988), с. 133.

> наводнении душевном — и в их общее русло вливаются все основные образы... (*ЗС*: 470).

Оба наводнения – равно стихийные, все сметающие и уносящие куда-то в бездну – искусно переплетены, слиты. В Софье "будто связанная с Невой подземными жилами – подымалась кровь" (*ЗИ*: 479). И это ее регулярная женская кровь, тоскливо напоминающая о пустоте, холостой работе организма. Тем и сильна ненависть Софьи к Ганьке, что она идет из "чрева", из таинственной глубины. В самом прямом смысле – "животная" ненависть: "Софья почувствовала, как в ней кругло, медленно поднималось от живота снизу, потом все горячее, быстрее, выше, она задышала часто" (*ЗИ*: 485). Бесстыдные колени, челка, шевелящаяся "верхняя губа с маленькой черной родинкой", зеленоватый кошачий взгляд (параллель с кошкой на плывущем столе), нестерпимый, тошнотворный сладковатый запах все время преследуют находящуюся в прострации, полуобмороке Софью (полужизнь, почти безумие). Убийство совершается механически; оно сравнивается с выздоровлением и хирургической операцией: это она внутри себя нечто разрубает:

> И будто эта кровь — из нее, из Софьи, в ней наконец прорвал какой-то нарыв, лилось оттуда, капало, и с каждой каплей ей становилось все легче [...] Ни страха, ни стыда — ничего не было, только какая-то во всем теле новизна, легкость, как после долгой лихорадки (*ЗИ*: 489).

Сердце молчит, сознание отключено, а руки, эмансипировавшись, действуют, подчиняясь какой-то властной команде. Мастерски изображено Замятиным странное и страшное одновременно раздвоение личности. Потерявшее духовный контроль тело с четким автоматизмом делает то, о чем даже помыслить невозможно. Две Софьи: одна, взывающая к Богу, и другая – бьющая топором в ненавистную челку:

> было так, как будто Софьины руки совсем отдельно от нее думали и делали все, что надо, а она сама, в стороне, блаженно отдыхала, и только изредка глаза у нее раскрывались, она начинала видеть, она смотрела на все с удивлением (*ЗИ*: 489-90).

Ее (и не ее, "чужие") руки разрубают тело пополам, варят обед, разрывают на два куска клеенку к удивлению той, другой Софьи ("кто же это разорвал, зачем?").

Освобождение, даже обновление, возвращение к жизни (Софья вновь может дышать и спать) – таковы самые первые следствия преступления: "Она бросила топор, вздохнула глубоко, свободно — никогда не дышала, вот только что глотнула воздух в первый раз" (*ЗИ*: 489). Но это не освобождение, а кратчайшая временная передышка, лжевозрождение – промежуточный этап, когда убийство еще не стало "реальностью" для Софьи, воспринимается как совершенное кем-то другим, "чужими" руками. Раздвоение не только не исчезает позднее. Напротив, оно усиливается – и опять трудно дышать. И снова – невозможно уснуть. Действительность все время перемежается бредом: отчетливыми видениями из прошлого, которые Софья так же не может прогнать как ту муху, что, кажется, навсегда уселась на розовое, парное тело Ганьки. Бьет за окнами ветер, позванивает стекло (как в тот день) и из глубины кошмарным, давящим грузом всплывает прошлое; в ужасе кричит душа Софьи: "Это – не я, не я, не я!" В послеродовой горячке познавшая всю полноту жизни, переполненная ею до краев ("из нее хлестали огромные волны, и затопляли его, всех"), исповедуется, очищается. И только после исповеди наступает великая минута свободы, покоя, счастья.

Исповедь так же стихийна, как убийство и рождение девочки, как наводнение: слово правды неудержимо вылилось из Софьи, а вместе с ним схлынуло все страшное, нечистое, преступное ("Теперь было все хорошо, блаженно, она была закончена, она вылилась вся"). Почти приблизившись к гибельной черте, Софья удержалась на самом краю пропасти, не канула в пустоту, не задохнулась, а "прозябла" в будущее. Суровый, но отнюдь не жестокий, а очень человечный и поэтичный рассказ Замятина, завершается счастливо. Открытый финал с широко распахнутым окном в живую жизнь: "Она спала, дышала ровно, тихо, блаженно, губы у нее были широко раскрыты" (*ЗИ*: 500).

На первый и поверхностный взгляд "Наводнение" бытовой рассказ, написанный в традиционной и строгой реалистической манере. В сущности же – вечная драма, таинственная мистерия жизни: рождение человека и смерть, животное и духовное слиты в некоем нерасторжимом, нерасчленимом единстве-синтезе. Необыкновенно важная деталь: Софья из деревни, она невидимыми, но прочными узами органично связана с землей. История преступления, наказания и возрождения героини – почвенная, о чем впрямую говорится в рассказе: "Живот был круглый, это была земля. В земле, глубоко, никому не видная, лежала Ганька, и в земле, никому не видные, рылись белыми корешками зерна" (смерть и рождение здесь не рядом, а одно внутри другого). Этот земной, почвенный мотив достигает кульминации в апофеозе материнства:

> Софья чувствовала, как из нее текут теплые слезы, теплое молоко, теплая кровь, она вся раскрылась и истекала соками, она лежала теплая, блаженная, влажная, отдыхающая, как земля — ради этой одной минуты она жила всю жизнь, ради этого было все (*ЗИ*: 497).

Рождается девочка – "новая" Ганька, сливающаяся в воображении Софьи с обликом той, прежней, убитой. И эта только что появившаяся на свет девочка взывает к раскаянию, исповеди. Внутри Софьи продолжается борьба между жизнью и смертью. Муки совести уподобляются предродовым схваткам. Широко раздвинув ноги, собравшись с последними силами, Софья выталкивает из себя признание: вторые роды. Казалось бы натуралистическая деталь. Но она не воспринимается как натуралистическая, естественно вливаясь в бесконечный круговорот всего сущего, в целеустремленный поток жизни, управляемый и оплодотворяемый любовью. Многие нити связывают "Наводнение" и "Рассказ о самом главном". Своеобразно рифмуются и концовки произведений. Точка в "Наводнении" не должна обманывать. Она тождественна финальному многоточию в "Рассказе о самом главном":

> Земля раскрывает свои недра все шире — еще — всю себя — чтобы зачать, чтобы в багровом свете — новые, огненные существа, и потом в белом теплом тумане — еще новые, цветоподобные, только тонким стеблем привязанные к новой Земле, а когда созреют эти человечьи цветы — ... (*ЗИ*: 436).

Ведь и "Наводнение" – рассказ о "самом главном", но написанный в иной, сдержанной и строгой манере. "Все сложности, через которые я шел, оказывается были для того, чтобы прийти к простоте" ("Ела", "Наводнение"), – признавался, оглядываясь на "пятнадцатилетный литературный путь, Замятин" (*ЗС*: 472).[6]

Несомненно, что в этом долгом и трудном движении к простоте важную роль сыграло творческое усвоение уроков Чехова, о жизни и творчестве которого Замятин так часто писал и говорил в 20-е годы. Один из самых любимых Замятиным чеховских рассказов – "Спать хочется". В лекциях о технике художественной прозы он то и дело возвращается к рассказу, восхищаясь повествовательным

---

6. Разумеется, эта "простота" сложнее любых "сложностей". Не упрощение, не отказ от чего-то, а синтез и высшая реальность, — вершина, восходить на которую приходится в одиночку, познавая тайны искусства и мироздания. Хорошо сказано о трудном пути проростания в простоту Б. Пастернком. Строки из его цикла "Волны" почти идеально перекликаются с признаниями Замятина:

   Есть в опыте больших поэтов
   Черты естественности той,
   Что невозможно, их изведав,
   не кончить полной немотой.

   В родстве со всем, что есть, уверясь,
   И знаясь с будущим в быту,
   Нельзя не впасть к концу, как в ересь
   В неслыханную простоту.

   Но мы пощажены не будем,
   Когда ее не утаим.
   Она всего нужнее людям,
   Но сложное понятней им.

искусством, "импрессионизмом" и психологизмом Чехова:

> "Спать хочется" — один из лучших рассказов Чехова. Тут уже нет описаний. Биографию Вареньки, и почему она в няньках — читатель узнает из сна Варьки. Обстановку автор заставляет все время чувствовать приемом лейтмотива: зеленое пятно и тени... Переход из сна в явь.[7]

Конечно, в лекциях – эта яркая иллюстрация, знакомящая начинающих писателей с законами художественного творчества. Не только, однако. По сути, черновой набросок "Наводнения" Замятина, – рассказа, построенного на сходных импрессионистических образах-пятнах, сквозных лейтмотивах, изнутри мотивированных (постоянных) переходов от снов и бреда к яви.

Художественные принципы прозы Чехова вообще ближе Замятину, чем повествовательное искусство Достоевского (не говоря уже о "дормезных" Толстом и Тургеневе). Тем, впрочем, знаменательнее, что в представлении Замятина рассказ Чехова генетически связан с творчеством Достоевского:

> Чеховская девчонка Варька в великолепном рассказе "Спать хочется" укачивала целые ночи напролет господского младенца и наконец не стерпела и задушила его — это действительно происшедший случай, и об этом случае рассказывает еще Достоевский в *Дневнике писателя*.[8]

И вполне закономерно, что на "чеховское" в рассказе Замятина падает "тень" от *Преступления и наказания* Достоевского. Вздрагивает крючок в дверях – и это как бы отсылает читателя к страницам романа Достоевского: там сотрясается запор и кажется вот-вот дверь не выдержит. И еще одна несомненная параллель, даже реминисценция. Софья в бреду вновь и вновь убивает топором Ганьку, и не может убить (то есть не может убить в себе человеческое, совесть, память о содеянном), подобно тому как в кошмарном сне Раскольников неистово колотит топором по голове смеющуюся процентщицу, бессильный ее уничтожить: "старушонка так вся и колыхалась от хохота" (*ПСС*, VI: 213).

Впрочем, эти "достоевские" детали почти и не воспринимаются как нечто уже бывшее в литературе: столь отличен от романа Достоевского "неореалистический" рассказ о народной драме с преступлением, наказанием и очищением; столь велика, наконец, стилистически-повествовательная дистанция. Детали вроде бы и схожие, а функционируют они в другой художественной системе, где все строго, геометрично вычерчено, слажено, соотнесено, совершенно исключая малейшее подозрение о влиянии и заимствованиях. Но, думаю, и "знаки", "приметы" великой классической

---

7. *Литературная учеба*, № 6 (1968), с. 103.
8. *Там же*, № 5, с. 130.

традиции здесь также входили составной частью в замысел писателя. В рационалистической поэтике Замятина – строителя, математика, инженера, одинаково искусно владевшего пером и логарифмической линейкой, случайностей нет: у него встречаются неудачные вещи, но нет произведений "сырых" или, как говорил Лесков, "необструганных". И как будто между прочим включая в рассказ детали из романа Достоевского, он не сближал, а, скорее, соотносил (и, возможно, отчасти полемически) "Наводнение" и *Преступление и наказание.*

Чрезвычайно важно и другое. "Наводнение" – поздний плод на петербургском литературно-генеалогическом дереве. Рассказ многими родственными, семейными узами связан с *Медным всадником, Шинелью, Преступлением и наказанием*, лирикой Блока, прозой А. Ремизова и А. Белого. Замятин писал в очерке "Москва – Петербург":

> Большая дорога русской литературы до революции проходила через Петербург. [...] Красавица Нева и на берегу ее вздыбивший своего коня медный Петр, петербургские каналы и глядящиеся в зеркало их дворцы, призрачные туманы и сумасшедшие белые ночи, и люди, носящие в себе что-то от безумия этих ночей, от разрушительных буйств Невы, внезапно выливающейся из гранитных берегов и сметающей все на своем пути — все это на века запечатлено в русской литературе, начиная от "золотого" ее века, от Пушкина, Гоголя, Достоевского, Льва Толстого, вплоть до заканчивающих "серебряный" век Блока, Сологуба, Белого, Ремизова.[9]

Замятин, как и А. Белый, был "прямым потомком Гоголя и Достоевского" (*ЗС*: 344), петербургским писателем даже в своих черноземно-почвенных, северных, английских и исторических произведениях. Что же касается "Мамая", "Пещеры", "Наводнения", то это, совершенно бесспорно, шедевры особенной петербургской литературы, в которых отразилось и безумие белых ночей и разрушительное буйство Невы. Старые петербургские картины. Знакомые петербургские герои. И в то же время новые и незнакомые, преображенные огнем мировой войны и революции, когда жизнь отступила в пещерную, мамонтнейшую первобытность и гибнущий, выморочный Петербург превратился в символический корабль, несущийся без руля и вертил в кромешной тьме. Да и в "Наводнении" действие разворачивается в те времена, когда "хлеб был непривычнее и редкостнее, чем смерть" (*ЗИ*: 481).

Замятин в статье "Грядущая Россия" необыкновенно тонко и в то же время деликатно-иронично оценил образ Петербурга в романе А.Н. Толстого *Сестры*: "Сторонний наблюдатель, из какого-нибудь

---

9. *Наше наследие*, № 1 (1989), с. 109.

заросшего липами московского переулка, попадая в Петербург..." – первые строки романа – и они, в сущности, нечаянная авторская исповедь: сторонний наблюдатель из московского переулка – конечно, есть Ал.Н. Толстого.

> Он — москвич, самарец, нижегородец неизлечимый, в его Петербурге не найдешь этой жуткой, призрачной, прозрачной, души Петербурга, какая есть в Петербурге Блока, Белого, Добужинского. Ал. Толстой ходит по Петербургу, как сторонний наблюдатель острый и умный. [...] А ведь Петербург — весь прямой, проспект, геометрия, логика и оттого человек из кривого московского переулка тут непременно в гостях, оттого в *Хождении по мукам* — только эпос, и нет здесь лирики, какая неявной функцией непременно войдет даже в эпос петербуржца, пишущего о Петербурге — о себе.[10]

И далее, развивая мысль, Замятин писал:

> нельзя конечно рассказать всего Петербурга, если в руках у рассказчика набор красок только реалистических, без всякой примеси Гоголя, Гофмана. Нужна острота, гипербола, гротеск, нужна какая-то новая реальность, какая открывается глядящему на кусочек человеческой кожи сквозь микроскоп.[11]

Вот этого особенного, гротескно-фантастического видения Замятин не обнаруживает в романе А. Толстого. Силлогизмы, умные наблюдения, но именно только силлогизмы и наблюдения чужака, постороннего наблюдателя, взгляд извне о Петербурге.

> Плотин говорил: "Тот кто видит — сам становится вещью, которую видит". По-плотиновски, Ал. Толстой Петербурга не увидел; он только написал о Петербурге отличный роман. Он рассказал о Петербурге, но не показал его.[12]

А Замятин давно уже сросся с "жуткой, призрачной, прозрачной душой" Петербурга, стал частью города, заразившись фантастическим безумным "лиризмом", который непременной, явной и неявной функцией вошел во все его петербургские произведения, даже проник в публицистику писателя.

Вот как он начинает эссе о романе А. Белого *Петербург*:

> По весне на петербургских наших дворах жалобно заскулит шарманка, жалостная пичужка озябшая выскочит на ящик — билетики "на счастье" вынимать, звякнет бубенцами кто-то, лохмотами тряхнув, и веселую запоет песню. Но невесело слушать, жутко глядеть на дно колодца-двора, еле терпишь — окно не закрыть. А уж как разложат там коврик, да выскочит на коврик тот — непременный при шарманке гуттаперчевый мальчик, да начнет, голову промеж ног засунув, ходить, — тут уж нету терпенья больше глядеть: и жалко мальчонку,

---

10. Е. Замятин, *Сочинения* (Мюнхен, 1988), т. IV, с. 518-19.
11. *Там же*, с. 519.
12. *Там же*, с. 521.

> хоть плачь, и отвратно — окно захлопнешь.[13]

Такова увертюра к ироническому и жесткому критическому разбору романа (позднее Замятин значительно потеплеет к *Петербургу*, хотя по-прежнему многое в стилистике и поэтике Белого будет ему чуждо). Лирическая увертюра, в которой отчетливо звучат знакомые петербургские мотивы: лирика И. Анненского и А. Блока, знаменитая надрывно-болезненная и поэтическая страница из *Преступления и наказания* (пение под уличную шарманку и странный вопрос-монолог Родиона Раскольникова). Несомненно: это не рассказ о Петербурге, а увиденный Замятиным город, и следовательно исповедь и признание – "о себе".

Среди неопубликованных при жизни Замятина произведений есть и поэтическая миниатюра, собственно, стихотворение в прозе *Белые ночи*. Фантастический Петербург, увиденный глазами не скептика и "металлического человека", а мечтателя и романтика Замятина:

> Но попробуйте только на минуту закрыть глаза — и опять вы во власти белой ночи, и творится что-то странное с днем, с солнцем, вашей волей, землей под ногами. Но падать не страшно — потому что сейчас с вами падает все, бредит с закрытыми глазами все кругом. Вода — разве это ее настоящий цвет — такой сверкающий, режущий, грубый? Не дневная ли это броня, а под нею ночное из нежных полутонов тело, открытое умеющим любить намеки и тени. Деревья — смешны, четкие и звонкие, как глупые воробьи; деревья разве не притворяются? Те, другие, молчаливые, недвижные, лирические, ласково-сумеречные, разве не они — настоящие майские деревья?[14]

Белые ночи Замятина – лирическое эхо сентиментального романа Достоевского. Они ведь тоже – о "минуте блаженства и счастья", "целой минуте блаженства", вместившей вечность. О городе и о себе. Исповедь Замятина. Пейзаж души. Объяснение в любви Петербургу, ушедшему в далекое прошлое.

— II —

Чаще всего Достоевский входит в произведения Замятина петербургской "неявной функцией" наряду (и в нерасчленимом единстве) с Пушкиным, Гоголем, Блоком. Тем более поражает педалируемая самим Замятиным идеологическая и философская близость к Достоевскому *Записок из подполья*, *Бесов*, *Братьев Карамазовых* в романе *Мы*, – близость, которую не заслоняет, а, пожалуй, еще ярче оттеняет различие поэтических систем. *Мы*, подобно научно-фантастическим произведениям Г. Уэллса, – "городская сказка", "механичес-

---

13. *Там же*, с. 497.
14. *Новый журнал*, CLXX (Нью Йорк: 1988), с. 83 (публ. А. Тюрина).

кая, химическая сказка", современный индустриальный миф (*ЗС*: 363). Уэллс, в глазах Замятина, не просто реформатор, а создатель, отец социально-научной фантастики, которого он считает возможным даже отчасти сопоставить с Достоевским:

> ... взяв форму авантюрного романа, Уэллс значительно углубил его и повысил его интеллектуальную ценность, внес в него элемент социально-философский и научный. В своей области — разумеется, в пропорциально-меньшем масштабе — Уэллс сделал то же, что Достоевский, взявший форму бульварного, уголовного романа и сплавивший эту форму с гениальным психологическим анализом (*ЗС*: 391).

А статья Замятина "Генеалогическое дерево Уэллса" интересна тем, что в ней перечислены и почти все литературные источники романа *Мы*. Кроме, пожалуй, самого главного – Достоевского, который, впрочем, упомянут в романе среди других гениев (Пушкин, Шекспир, Скрябин), некогда знаменитых в варварскую эпоху. Свою благонамеренность спешит заявить строитель-повествователь: "К счастью, допотопные времена всевозможных шекспиров и достоевских – или как их там – прошли, – нарочно громко сказал я" (*ЗС*: 35). Но слишком рьяно поторопившийся откреститься от допотопных шекспиров и достоевских строитель, привилегированный "нумер" Единого Государства, воспевая арифметическое счастье жизни в стерильной казарме, то и дело переходит на жаргон "подпольного человека", естественно изменяя модальность его бунта (превращая – в +):

> все великое — просто; поймите же: незыблемы и вечны только четыре правила арифметики. И великой, незыблемой, вечной — пребудет только мораль, построенная на четыре правилах. Это — последняя мудрость, это — вершина той пирамиды, на которую люди — красные от пота, брыкаясь и хрипя, карабкались веками;
>
> Вообще неизвестное органически враждебно человеку и *homo sapiens* — только тогда человек в полном смысле этого слова, когда в его грамматике совершенно нет вопросительных знаков, но лишь одни восклицательные, запятые и точки;
>
> Это противоестественно: мыслящему — зрячему существу жить среди незакономерностей, неизвестных, иксов;
>
> Счастье — когда нет уже никаких желаний, нет ни одного ... (*ЗС*: 81, 82, 119, 124).

И т.д. Цитаты можно до бесконечности умножать, а своеобразное сродство этих мыслей с рассуждениями парадоксалистов Достоевского слишком очевидно. Разумеется, есть в романе *Мы* и стена (реальная и метафорическая). Есть Зеленая Стена. Есть и философское рассуждение о необходимости и спасительности стен. Словом, то и дело в романе Замятина возникает фигура Подпольного героя Достоевского, показывающего язык механизированно-стерильному "раю".

С не меньшем основанием уже первые читатели (и слушатели) романа безошибочно, сразу, почти единодушно сопоставили *Мы* и "поэмку" Ивана Карамазова "Великий Инквизитор". И это бесспорно. Проецируя некоторые современные ему общественно-политические процессы в будущее, Замятин создает модель тоталитарного общества с иероглифической фигуры загадочного и всемогущественного Благодетеля на самом верху. Благодетель – богоподобен (он нисходит с небес) и устрашающие монументален (впрочем, монументальность, возможно, оптический обман, гипнотизирующий трюк). Он – верховный жрец новой религии, или, используя терминологию Замятина-публициста, "нового католичества". Эта новая религия генетически связана со старыми (для еретика Замятина неприемлемы все виды и разновидости религий – старое и новое католичество; теории "народа-богоносца" Достоевского он также не симпатизировал). Сродство нового католичества со старым в романе (и публицистике Замятина) многократно подчеркивается. Сам Благодетель оправдывает свою роль верховного палача евангельской легендой, ссылается на мировую историю, идеалы и природу человека:

> Я спрашиваю: о чем люди — с самых пеленок — молились, мечтатели, мучились? О том, чтобы кто-нибудь раз навсегда сказал им, что такое счастье — и потом приковал их к этому счастью на цепь... Что же другое мы теперь делаем, как не это? Древняя мечта о рае... Вспомните: в раю уже не знают желаний, не знают жалости, не знают любви, там — блаженные с оперированной фантазией (только потому и блаженные) — ангелы, рабы Божьи... (*ЗС*: 143).

В сущности, цитата из романа Достоевского, – правда до чрезвычайности сухая, выхолощенная, механизированная, освобожденная от поэзии и психологических "ненужностей". Благодетель притчи Замятина – "новый Иегова [...] такой же мудрый и любяще-жестокий, как Иегова древних" (*ЗС*: 96). Или – Шигалев. Или – Великий инквизитор Достоевского, но без Шиллера и всяких там страданий и тайн. Впрочем, все они принадлежат к одной касте Благодетелей и Спасителей слабого, поглязшего в пороках и фантазиях человеческого стада, устроителей принудительного "рая" для тех, кто только и ищет освобождения от тягостного, невыносимого ига "свободы".

Благодетель Единого Государства и Великий инквизитор Достоевского поистине мирно "сосуществуют" в историко-литературном пространстве. Их генеалогическое родство Замятин еще более легализовал, обратившись в пьесе *Огни Св. Доминика* к самой мрачной эпохе инквизиции, когда "католичество, уверенное в своей непогрешимости, решило силою оружия затнать непокорных еретиков в свой рай" (*ЗИ*: 685). Рюи, еретик и вольнодумец драмы, произносит исполненные глубокого грустного смысла слова:

> ... я не отрекся от Христа; я только полюбил его — и возненавидел тех, кто снова распинает его, кто заставляет его быть предателем, Иудой. Тюрьмы, казни во имя Христа! Инеса, вы только представьте: Христос — сейчас там, на улицах. Неужели не ясно, что ... (*ЗИ*: 695).

Рюи не договаривает, что ясно, предоставляя догадаться читателю, а, точнее, отсылая его к "поэмке" Ивана Карамазова. Замятин часто пользовался в своих произведениях (в том числе и публицистических) тем, что он называл "приемом пропущенных ассоциаций". В романе *Мы* (и "Рассказ о самом главном") "пропущенных ассоциаций", недомолвок, недосказанных, прерванных мыслей особенно много. Это шифр, тайнопись Замятина, требующая от читателя максимума внимания, соучастия, напряженной работы мысли.

"Присутствие" Достоевского в *Мы* настолько обнажено и, можно сказать, курсивом выделено, что М. Павлова-Сильванская увидела в этом разгадку, почему Замятин называл свой роман шуточным:

> Не писал ли он с самого начала интеллектуальную арабеску? Не была ли его книга вольной игрой ума, вариацией на темы Достоевского? [...] Облекая в вплоть и кровь образов постулаты старика инквизитора, доводя их до абсурда, писатель, видимо, хотел продемонстрировать их безнравственность, антигуманность.[15]

Предположение любопытное, по-своему логичное, но согласиться всецело с которым трудно. "Шутка" получилась у Замятина горькой, зловещей – и очень можно понять А. Воронского, так эмоциально ответившего писателю: "Какая же это «самая шуточная и самая серьезная вещь»? Самая мрачная и мизантропическая". Смущала Воронского, понятно, оппозиционность, ироничность позиции Замятина, и он, явно симпатизируя художнику, ее невольно, неизбежно упрощал, сводя содержание романа к антибольшевистской направленности.[16] Но сам Замятин в *Мы* менее всего руководствовался узкополитическими мотивами. Писатель отстаивал – необыкновенно последовательно, темпераментно, умно – свое право художника на свободное и независимое мнение (а не ангажированное служение старым или новым религиям). Он убежденно писал, бесконечно варьируя одну и ту же мысль:

> ... художник — более или менее крупный — всегда еретик. Художник, как Иегова в Библии, творит для себя свой особенный мир, со своими, особенными законами — творит по своему образу и подобию, а не по

---

15. Это сходное "мы", это коварное "мы". — *Дружба народов*, № 11 (1988), с. 260.
16. Несомненно, однако, отрицательное отношение бывшего большевика Замятина к политике военного коммунизма и красному террору, в самой открытой форме высказанное в политических статьях и заметках 1917-19 гг. ("Елизавета Английская", "Они правы", "Последняя страница", "Великий Ассенизатор", "Беседы еретика").

> чужому. И оттого художника настоящего — никогда не уложить в уже созданный, семидневный, отвердевший мир какой-нибудь догмы. Он непременно выскочит из параграфов этой догмы, он непременно будет еретиком. Или же у него нет своего мира, своего лица — и тогда его, как художника, надо со счетов долой.[17]

Замятину ненавистна была вечная порода "юрких" литераторов, готовых с равной безоглядностью и безпринципностью с холуйским рвением служить "хозяевам". Огосударственное искусство — это конец искусства, превращение его в жалкий инструмент пропаганды, орудие зла и произвола. Знаменитый литературный манифест Замятина "Я боюсь", возможно, определил судьбу Замятина–художника не в меньшей степени, чем роман *Мы*. Несомненно, впрочем, что как роман, так и статьи Замятина проникнуты одним настроением, а эссе "Рай" просто является публицистическим посткриптумом к роману. Образцы "нового" искусства, в которых пророчески угаданы догмы и предписания "социалистического реализма", восторженно прославляются строителем "Интеграла". Это и Ежедневные оды Благодетелю, и "жуткие красные «Цветы Судебных Приговоров»", и "бессмертная трагедия «Опоздавший на работу» и «Шипы»", прославляющие предупреждающую деятельность Ангелов-Хранителей (этот же мотив звучит и в пьесе *Огни св. Доминка*), охраняющих "нежный Государственный Цветок от грубых касаний'" и сонет "Счастье", воспевающий, естественно, "мудрое, вечное счастье таблицы умножения" (*ЗС*: 50–51).[18] Творец становится частицей единого механизма, чиновником "нашего Института Государственных Поэтов и Писателей". А из произведений, созданных в варварские времена, сохранено *Расписание железных дорог* ("величайший из дошедших до нас памятников древней литературы"). Иронией Замятина, переходящей в сарказм, пронизаны все наивно-восторженные суждения Строителя, удивляющегося невежеству, слепоте древних и радующегося победе прогресса над всем стихийным, пестрым, ассиметричным:

> как могло случиться, что древним не бросалась в глаза вся нелепость их литературы и поэзии. Огромнейшая великолепная сила художественного слова — тратилась совершенно зря. Просто смешно — всякий писал, о чем вздумается [...] у нас приручена и оседлана, когда-то дикая, стихия поэзии. Теперь поэзия — уже не беспардонный соловьиный

---

17. Е. Замятин, *Герберт Уэллс* (Петербург, 1922), с. 18-19.
18. Ср. с ироническими перечислениями огосударственных мотивов пролеткультовской поэзии в статье "Рай" (своеобразном публицистическом посткриптуме к роману): "И поучение на тему: «Да здравствует единая трудовая школа!». И поучение на тему: «Сильнее любви, сильнее смерти — долг революционера». И поучение на тему: «Нет старого Бога, которому служат представители тьмы, невежества, суеверия». И поучение в день Пятидесятницы. И поучение в Великий Пяток... И поучение..." — *Дом искусств*, I (Санкт-петербург: 1921), с. 91-94.

> свист: поэзия — государственная служба, поэзия — полезность (*ЗС*: 51).

"Записки" строителя "Интеграла" графически точно фиксируют постепенное "падение" нумера, рождение личности, отпочкование "я" от "мы" и — на последнем витке — окончательное слияние, растворение в "мы", "выздоровление". Закономерны стилистические нервные переходы, исповедальная взвинченность повествования. И жанровая смешанность, с горечью осознаваемая (элемент *selfconscious novel*) самим сочинителем: "Я с прискорбием вижу, что вместо стройной и строгой математической поэмы в честь Единого Государтсва – у меня выходит какой-то фантастический роман" (*ЗС*: 72). Отсюда и необычный, стремительный ритм романа, санкционированные постоянные перебои и "срывы" – стилистические и жанровые – фантастическая аритмичная, синкопированная проза XX века, призванная передать "огромный фантастический размах духа нашей эпохи, разрушившей быт, чтобы поставить вопросы бытия". К этой "синтетической" прозе Замятин приблизился уже в повестях "На куличках" и "Островитяне", но именно лишь приблизился. В романе *Мы* писатель с наибольшей последовательностью воплотил в художественную действительность принципы новой прозы: "*от быта – к бытию, от физики – к философии, от анализа – к синтезу*" (*ЗС*: 432).

Экзистенциалистский быт Парадоксалиста, теория Шигалева – Петра Верховенского, философия Великого инквизитора были органично интегрированы Замятиным, переведены на интеллектуально-международный язык, достигающий иногда удивительной выразительности, яркости, научной ясности во внутренних монологах Строителя и вырождающийся до "эсперанто" в циркулярах, "катехизисах" и газетных статьях (это официально-бюрократический стиль, стерильность и холодная безжизненность которого особенно бросаются в глаза рядом со сказовой, орнаментальной, насквозь метафоричной почвенной и "петербургской" прозой писателя). Поэтика *Мы* ориентирована на модернистскую живопись[19] и архитектуру, строгий научный стиль. И в то же время это традиционный авантюрный (приключенческий) роман, вобравший в себя научно–философский и футурологический трактат. *Мы* – принадлежит постреалистическому искусству, сущность которого Замятин так определял в эссеистике:

> Бытописание — арифметика; единицы или миллионы — разница только количественная. А в нашу эпоху великих синтезо — арифметика уже бессильна; нужны интегралы от нуля до бесконечности, нужен реляти-

---

19. Интересно о словесном кубизме и супрематизме Замятина писал в своих воспоминаниях художников Ю. Анненков.

> визм, нужна дерзкая диалектика, нужно "всякую существенную форму созерцать в ее движении, то есть как нечто преходящее" (Маркс) [...] Сама жизнь — сегодня перестала быть плоско-реальной; она проектируется не на прежние неподвижные, но на динамические координаты Эйнштейна, революции. В этой новой проекции — сдвинутыми, фантастическими, незнакомо-знакомыми являются самые привычные формулы и вещи. Отсюда — так логична в сегодняшней литературе тяга именно к фантастическому сюжету или к сплаву реальности и фантастики (*ЗС*: 432-33).

Роман *Мы* не только одно из самых значительных отражений (преломлений) художественно-философской мысли Достоевского в искусстве XX века, но и своего рода контрапункт различных литературных линий как русской, так и всемирной литературы (от Свифта и А. Франса до Акутагавы, Оруэлла, Домбровского). Именно Замятин создал новый жанр – антиутопию (генезис жанра раскрыт почти с исчерпывающей полнотой самим писателем). Синтез разных жанров, повествовательный сдвиг, "дерзкая диалектика", сплав реальности и научно-философской фантастики – вот художественные, идеологические и эстетические координаты романа Замятина, по мнению П. Фишера, занимающего "ключевую позицию в истории антиутопической литературы".[20]

Сегодня это оценивается везде как самый значительный вклад Замятина в развитие художественного, философского и политического мышления XX века. Но очень долгое время на родине писателя "еретичество" Замятину не прощали. Вот как, например, расправлялся в энциклопедической статье 1964 г. с антиутопией Замятина Олег Михайлов:

> Замятин написал также [это "также" бесподобно — В.Т.] роман *Мы* — злобный памфлет на Советское государство. Его появление за границей (опубл. в 1924 в Англии) вызвало возмущение советской общественности. Роман оказал влияние на западно-европейский антикоммунистический "антиутопический" роман 20 века (О. Хаксли, Дж. Оруэлл).[21]

Трудно объяснить только временем столь стереотипную и всецело политическую, негативную оценку. Недавно, правда, Михайлов предложил новое "актуальное" осмысление романа, которое, на мой взгляд, хотя и несравненно корректней, но в своем роде мало чем лучше традиционного:

> Роман *Мы* сегодня приобретает неожиданную актуальность. Уже сейчас в ячейках электронной памяти США фиксируется каждый шаг рядового американца, что грозит невиданным порабощением насквозь

---

20. *Литературная газета*, № 22 (31 мая 1989).
21. *Краткая литературная энциклопедия* (Москва, 1964), т. II, с. 987.

"просвеченного", "голого" человека: воистину замятинского "номера".[22]

В подтексте такого осмысления: не дай Бог, если эта электронная чума достигняет пределов России. Вот где оказывается гнездится самая большая опасность. Довольно наивно, но вовсе не так уж невинно. Весьма типично для превентивно-догматической критики, с присущей ей презрением к науке и техническому прогрессу, которые квалифицируются как нечто западническое и дъявольское, с традиционным призывом идти своим особым путем развития, с безнравственным, по сути, противопоставлением духовного и материального, экономики и культуры, национальных и общечеловеческих ценностей (а в подноготной вечные поиски "врагов счастья", – и нет этим врагам, судя по всему, конца). Позиция последовательная и давно возникшая, но очень опасная, демагогическая при всей своей архаичности и "допотопности".

Содержание романа Замятина и удивительная судьба его книги противостоят такому узкому и тенденциозному прочтению (и, конечно, "благонамеренному"). Спору нет: Замятин против "машинобожия". Он высмеивает крайности "тэйлоризма". Но видеть в романе только эти мотивы – в высшей степени неточно и несправедливо. Роман *Мы* – о подмене истинных духовных ценностей, великом обмане и дегуманизации общества, чудовищной энтропии, поглотившей и поработившей личность. Наука и техническая мысль выступают в романе послушным орудием зла, служанкой новой религии, основы которой Замятин подвергает беспощадному ироническому анализу, исполняя высокое предназначение художника, верующего в то, что

> настоящая литература может быть только там, где ее делают не исполнительные и благонадежные чиновники, а безумцы, отшельники, еретики, мечтатели, бунтари, скептики. А если писатель должен быть благоразумным, должен быть католически-правоверным, должен быть сегодня полезным, не может хлестать всех, как Свифт, не может улыбаться над всем, как Анатоль Франс — тогда нет литературы бронзовой, а есть только бумажная, газетная, которую читают сегодня и в которую завтра завертывают глиняное мыло (*ЗС*: 411).

---

22. О.Н. Михайлов, 'Мастерство и правда', в кн. Е.И. Замятин, *Повести. Рассказы* (Воронеж, 1956), с. 18. Близка к точке зрения Михайлова и "актуализация", предложенная П.В. Палиевским в послесловии к публикации перевода романа О. Хаксли в журнале *Иностранная литература*. Озабоченный тем, чтобы советский читатель "правильно" понял роман Замятина и Хаксли, критик разъясняет, что речь в них идет не о "тоталитарном социализме", а о так называемой "конвергенции" ("то есть о смешении социальных систем в один технократический котел"), новом "технократическом" рабстве, угрожающем человечеству: "Невидимая смерть, наступающая изнутри, — от перестройки жизни по техническому образцу, — отсечение ее от скрытых источников, объявленных вымыслом, и помещение в быстро растущую функциональную клеть-скорлупу" — *Иностранная литература*, № 4 (1988), с. 125-26.

— III —

Отклики на недавнюю публикацию романа *Мы* в советской периодической печати были естественно и многочисленными и разнохарактерными. Есть среди них и глубокие прочтения, в которых современное осмысление соседствует с бережным отношением к индивидуальному художественному видению Замятина (так именно обстоит дело в статье Р. Гальцевой и И. Роднянской "Помеха – человек"). Немало и попыток использовать роман, вычленяя из него некоторые мотивы, в сегодняшней полемике идей. Это откровенно политизированная критика, где "сегодняшнее" явно преобладает над "современным".

А в целом ряде суждений явственно прозвучали и нотки разочарования и недоумения, почему этот "невинный" роман так долго держали под спудом, в спецхранах. Пожалуй, в наиболее резкой форме разочарование выразил Юрий Нагибин, с суждениями которого согласиться невозможно, но и легкомысленно было бы их расценивать только как случайные и чрезмерно субъективные. Свою точку зрения Нагибин высказал, участвуя в "круглом столе" *Литературной газеты*:

> Надеялся я на *Мы*, но роман мне просто не понравился. Хаксли, чей *О дивный новый мир* издан недавно под одной обложкой с *Мы*, намного лучше, изящней, литературно искусней. Да и прозорливость романа *Мы* тоже не показалась мне убедительной. Авторам антиутопий всегда представляется белый, сияющий, стерильный мир из алюминия, стекла и каких-то еще летуче дивных металлов. А что получилось? Помойка.

Солидаризовался с Нагибиным и другой участник "стола", политолог А. Мигранян: "довольно скучно, неглубоко".[23]

Очевидно, что Нагибину органично чужд Замятин-художник, а политологу Миграняну с его тезисами о спасительности в настоящее время для России разумной автократии не очень по душе принципальное отрицание Замятиным всех видов автократии и деспотии. Но как бы то ни было, совершенно недопустимо мельком и пренебрежительно говорить о "социологических пророчествах" Замятина в романе *Мы*. Замятин нисколько не виноват, что его роман был опубликован так поздно на родине. Не виноват и в том, что его "пророчества" давно уже стали разменной монетой, дошли до советского читателя в отраженном свете бесчисленных романов-притч, романов-парабол, научно-фантастических утопий и антиутопий – после Р. Брэдбери, С. Лема и братьев Стругацких. Г. Адамович еще в статье о Владимире Набокове (давней, естественно, статье) писал о фабуле романа *Приглашение на казнь*, что она

---

23. *Литературная газета*, № 22 (1989).

> не вполне самостоятельна и оригинальна по замыслу, и на ней лежит налет стереотипности, сразу понятной и знакомой, почти что вульгарно-злободневной. Фабула эта достойна бесчисленных романов-утопий, печатаемых в популярных журналах, — и если в те времена, когда Достоевский писал о "шигалевщине", она требовала острого ума и прозорливости, то теперь, разжиженная и измельчанная, она не требует ничего. Это нарочито "кошмарные" картины будущего, с людьми будущего, с людьми под номерами, с чувствами, разделенными на реестры, с регламентированными страстями и прочим, и прочим, — все это стало литературным "ширпотребом", а главное, сколько бы все это ни было занимательно в качестве страшной сказки или кинематографического сценария, пророческая ценность подобных видений крайне сомнительна.

"Ширпотреб" – надо признать – заслонил, затенил в нашем сегодняшнем сознании "дерзкую диалектику" и отточенную иронию Замятина. При беглом и журналистски ориентированном чтении усваиваются практически одни "стереотипы", то, что можно назвать непременными во всех антиутопиях (знаменитых и рядовых, стандартных) сюжетно-психологическими "рифмами". Вновь искажение перспективы – Замятин производит впечатление чего-то очень знакомого до банальности, скучного и "вторичного". В сущности, обычная судьба бестселлера, переведенного (многократно) на газетно–политический язык комиксов. Итак, состоялось, наконец, возвращение романа *Мы* отечественному читателю. Но, пожалуй, еще не состоялось. Роман прочитали наскоро, между прочим, как политический памфлет, показавшийся устаревшим. А *Мы* вовсе не политическая злободневная однодневка, это полисемантическое художественное произведение с характерной для Замятина иронической "тайнописью" и тщательно выверенной, до мелочей продуманной стилистической и композиционной конструкцией. Это трудная литература, которая вовсе не исчерпывается набором всем сегодня известных стереотипов и формул. Искусство Замятина, используя его же терминологию, не "сегодняшнее", а "современное":[24]

> "сегодняшнее" и "современное" — величины разных измерений; у "сегодняшнего" — практически — нет измерения во времени, оно умирает завтра, а "современное" — живет во временных масштабах эпохи. Сегодняшнее — жадно цепляется за жизнь, не разбирая средств: надо торопиться — жить только до завтра. И отсюда в сегодняшнем — непременная юркость, угодливость, легковесность, боязнь копнуть на вершок глубже, боязнь увидать правду голой. Современное — стоит над сегодня, оно может с ним диссонировать, оно может оказаться (или показаться) близоруким — потому что оно дальнозорко, оно смотрит в даль. От эпохи — сегодняшнее берет только окраску, кожу, это

---

24. *Октябрь*, № 1 (1989), с. 197-98.

> закон мимикрии; современному — эпоха передает сердце и мозг, это закон наследственности (*ЗС*: 445).

Странные иногда бывают совпадения. Вот и слова Нагибина о "помойке" и стерильном мире Замятина-Хаксли (то литдело общество сплошного дефицита Оруэлла или Москва 21-го столетия В. Войновича, где стерлась грань между первичным и вторичным продуктом) невольно напомнили претензии председателя Петербургского комитета барона Н.В. Медема к автору *Записок из Мертвого дома*. Барон нашел, что картина быта острожников получилась у Достоевского очень уж "соблазнительной". Достоевский, как известно, разозленный неумными и утилитарными придирками, написал дополнение ко 2-ой главе первой части книги, заодоно бросив, так сказать, первый камень в будущий Хрустальный дворец:

> Попробуйте выстройте дворец. Заведите в нем мраморы, картины, золото, птиц райских, сады висячие, всякой всячины... И войдите в него. Ведь, может быть, вам и не захотелось бы никогда из него выйти. Может быть, вы и в самом деле не вышли бы. Все есть! "От добра добра не ищут". Но вдруг — безделица! Ваш дворец обнесут забором, а вам скажут: "Все твое! Наслаждайся! Да только отсюда ни на шаг!" И будьте уверены, что вам в то же мгновение захочется бросить ваш рай и перешагнуть за забор. Мало того! Вся эта роскошь, вся эта нега еще живит ваши страдания. Вам даже обидно станет, именно через эту роскошь... (*ПСС*, IV: 250).

Так возник мотив или, переходя на математический язык Замятина, один из главных "интегральных образов" творчества Достоевского (художника и публициста), – всесторонне разработанный, обросший другими лейтмотивами, легший в основу бунта против Стены героев писателя, неутомимо показывающих язык Хрустальному дворцу (и чем хрустальней он, тем хуже), с ретроградной усмешкой посылающих в тартарары, к черту – куда же еще? – принудительно-каторжный "рай", в котором нет только одной "малости" – свободы, волюшки, все раз и навсегда расчислено по логарифмической линейке.

Замятин в романе *Мы* подхватывает и развивает с оглядкой на последние политические и научные революции излюбленные мотивы творчества Достоевского. И во многом прав А. Кашин, определяя принципальное отличие *Мы* от *1984* Оруэлла:

> Орвелл, беря за образец сегодняшнюю коммунистическую действительность, рисует тоталитарное государство, не способное выполнить ни одно из своих обещаний. В этом государтсве царят нищета, голод, лишения. Оно все берет и ничего не дает. Это — политика. У Замятина другое. Замятин идет путем Достоевского. Пусть все построено и все идеально, и все обешания выполнены, что тогда? Потому его проникновение значительно глубже. Не выходит, не выходит, а вдруг да

> выйдет! Вдруг заработает по-настоящему промышленность, вдруг в мире, полностью оккупированном, скажем, коммунизмом, воцарится благорастворение воздухов и потекут реки меда и молока. Что тогда? Сможет ли человек за эти дешевые, земные блаженства продать свою свободу (хотя бы только потенциальную)? Согласится ли он на это? Орвелл такого вопроса не ставит, Замятин на него отвечает: нет, не согласится.[25]

Замятин создавал свою городскую сказку в голодном пещерном Петербурге, в ту пору, когда отнюдь не редкостью были газетные сообщения о случаях антропофагии. В Едином Государстве, "счастливом" будущем побежден голод и – в какой-то степени – укрощена, регламентирована, упорядочена любовь. Но это довольно-таки локальная победа: достатка и "стерильности" удалось добиться после невиданных потрясений и Великой Двухсотлетней Войны (погибло почти по шигалевской арифметики 4/5 населения земли) на маленьком клочке, отгороженном от дикого, неуправляемого, стихийного мира Зеленой Стеной (да и ее взрывают в романе). И – что особенно важно – Замятин явно из двух миров предпочитает "старый" со всеми его несовершенствами и стихийно-разрушительными явлениями. "Скифское", дикое, свободное для него бесконечно роднее и человечнее стерильного Единого Государства "идеальной несвободы": пусть уж лучше жуткая, но и "веселая" петербургская зима 1917/18 года, чем скучный прозрачный город с укрощенными солнцем и облаками, розово-талонной любовью и фараоноподобным Благодетелем, отцом "счастья". Замятин – с врагами такого счастья. В этом-то суть и нерв главной постановки вопроса (точнее, вечных и вековечных вопросов), сердцевина этико-философской проблематики романа, прямо и непосредственно перекликающейся с философией свободы Достоевского.

Закономерно, что Замятин вспоминает Достоевского как в интереснейшем диспуте с художником Ю. Анненковым (спровоцированном писателем, остро нуждавшемся в споре, контраргументах для апробации и "обкатки" идей, так и в замечательном письме к нему же, которое тот справедливо назвал "шуточным конспектом" романа. В равной мере этот удивительный "конспект" и серьезен. Здесь Замятин прочерчивает антиутопическую линию и далее, в то будущее, когда любовь уже не просто превратилась в строго регламентированное удовлетворение физиологической потребности, а вообще аннигилирована – дерзко-иррациональный фаллос отпал, как некогда отвалился хвост, и человек окончательно освободился от страстей:

---

25. А. Кашин, 'Художник и человек', в кн. Е. Замятин, *Сочинения* (Мюнхен, 1970), т. I, с. 19.

> Детей изготовляют на фабриках — сотнями, в оригинальных упаковках, как патентованные средства; раньше, говорят, это делали каким-то кустарным способом. Еще тысячелетие — и от соответствующих органов останутся только розовенькие прыщики (вроде того, как сейчас у мужчин на груди справа и слева). Впрочем, пока кое-какие воробьиные, еще уцелели, но любовь заменена полезным, в назначенный час, отправлением сексуальных надобностей; как и отправление прочих естественных надобностей, оно происходит в роскошнейших, благоухающих уборных — нечто вроде доисторических римских терм...[26]

Единое Государство – где-то накануне перехода к "воробьиной" эпохе. Уже упразднены семья и брак, но оставлено время для "любви" с опусканием штор на строго органиченный промежуток времени. Впрочем и этого оказывается достаточным, чтобы внести в механизированный мир нежелательный иррациональный элемент. Еще возможен "роман" со стихийными взрывами страстей, изменами, ревностью, предательством, безумием, любовью-ненавистью. До "рая" по-прежнему далеко. Ведь в "раю" будут погашены все чувства и желания, произойдет окончательное перерождение человечества. Там уже не будет "цели", нечего будет достигать, там "не женятся и не посягают".

> В человеке есть два драгоценных начала: мозг и секс. От первого — вся наука, от второго — все искусство. И отрезать от себя все искусство или вогнать его в мозг — это значит отрезать ... ну да, и остаться с одним только прыщиком [...] Твоя формула искусства — "науки, познающей и организовывающей жизнь" — это формула для скопцов... [...] ты заразился машинобожием. Религия материалистическая, находящаяся под высочайшим покровительством — так же убога, как и всякая другая. И как всякая другая — это только стенка, которую человек строит из трусости, чтобы отгородиться ею от бесконечности. По эту сторону стенки — все симплифицировано, монистично, уютно, а по ту — заглянуть не хватит духу. [...] А дальше, Анненков, дальше, за твоим бесконечным техническим прогрессом? Ну, восхитительная твоя уборная; ну, еще более восхитительная, с музыкой (Пифагоровы штаны); ну, наконец, единая, интернациональная, восхитительнейшая, благоуханнейшая уборная, — а дальше? — А дальше — все из восхитительнейших уборных побегут под неорганизованные и нецелесообразные кусты', — так с нажимом, огрубляя и "симплифицируя", отвечал Замятин Анненкову (а заодно и себе), разъясняя, почему он противник машинобожия и материалистической религии, обслуживаемой легионом Ангелов-Хранителей, т.е. могущественной тайной полицией.[27]

Любопытно, что Замятин – уже после "шуточного" письма – устно добавил: "В дополнение к письму, вспомним фразу из «Балтазара»

---

26. *Литературная учеба*, № 5 (1989), с. 119.
27. *Там же.*

Анатоля Франса: «La science est infaillible; mais les savants se trompent toujours» [«наука непогрешима; но ученые постоянно ошибаются»].[28] Очевидно, что не против науки направлена ирония Замятина, а против жрецов вечных и непогрешимых истин, догматиков и инквизиторов мысли. Ошибки же неизбежны. Без них нет и открытий:

> Пусть ответы неверны, пусть философия ошибочна — ошибка ценее истин: истина — машинное, ошибка — живое, истина — успокаивает, ошибка — беспокоит. И пусть даже ответы невозможны совсем — тем лучше: заниматься отвлеченными вопросами — привилегия мозгов, устроенных по принципу коровьей требухи, как известно, приспособленной к перевариванию жвачки (*ЗС*: 449).

Мозг Строителя – мозг ученого и мыслителя. Ему, разумеется, можно вдолбить, что истинное счастье – это счастье таблицы умножения. Но он просто органически не способен ("электричество человеческой мысли", которое славит Достоевский в *Кроткой*) удовлетвориться столь элементарными, "аксиомными" истинами, так как противоестественно "заниматься отвлеченными вопросами". Каторжно-арифметическое счастье отвергают и мохнатая, "скифская" натура Строителя и его мозг ученого, "Философ – от математики", раз усомнившись в "разумности" и истинности стеклянного рая, далее уже не в состоянии прервать процесс мысли, все больше и больше увязает в логических дебрях и лабиринтах:

> Всякому уравнению, всякой формуле в поверхностном мире соответствует кривая или тело. Для формул иррациональных, для моего $\sqrt{-I}$, мы не знаем соответствующих тел, мы никогда не видели их... Но в том-то и ужас, что эти тела — невидимые — есть, они непременно, неминуемо должны быть: потому что в математике, как на экране, проходят перед нами их причудливые, колючие тени — иррациональные формулы; и математика и смерть — никогда не ошибаются. И если этих тел мы не видим в нашем мире, на поверхности, для них есть — неизбежно должен быть — целый огромный мир там, за поверхностью... (*ЗС*: 71-72).

Но ведь это самый форменный, настоящий бунт. Пошатнулись основы основ мировоззрения Строителя, мозг которого взорван иррациональными формулами. И математика, "до сих пор единственный прочный и незыблемый остров во всей моей свихнувшейся жизни — тоже оторвалась, поплыла, закружилась" (*ЗС*: 72). "Дикая логическая чаща" в романе уподоблена "невидимым и жутким дебрям" за Зеленой стеной. Математические и логические терзания Строителя, очевидно, отражение размышлений самого Замятина – инженера и математика. Фрагмент из записного блокнота Замятина, недавно опубликованный А. Тюриным, представляющий полемический отклик на

28. *Там же*, с. 5.

концепцию "математического идеализма" П.А. Флоренского, конвергенцию математики и христианской апокалиптики, образовавшей фундамент теории "катастрофического прогресса" В. Эрна, по сути, своеобразный научный "комментарий" к роману.[29]

Л. Силард справедливо обратила внимание на то, что в романе Замятина традиционное противопоставление стихийно-природного, естественного начала тоталитарному, машино-арифметическому и химическому устройству Единого Государства углублено другим конфликтом:

> мнимая геометрия используется Замятиным для противопоставления арифметически управляемым, извне детерминируемым сознаниям Д-503 не управляемое арифметикой, иррациональное сознание I-330, несущее в арифметически урегулированный мир Благодетеля взрывные энергии.[30]

Высшая математика в романе восстает против элементарной арифметики.

Замятин писал Анненкову:

> Какой-то мудрый астрономический профессор (фамилию забыл) вычислил недавно, что вселенная-то, оказывается, вовсе не бесконечна, форма ее сферическая и радиус ее — столько-то десятков тысяч астрономических, световых лет. А что, если спросить его: ну, а дальше-то, за пределами вашей сферической и конечной вселенной, — что там?[31]

Замятин слукавил. Он, конечно, не забыл фамилии "астрономического профессора". Ее Замятин назвал в очерке "Белая любовь":

> Миллионы Чичиковых, вероятно, в неистовом восторге от того, что заблудившийся в софизмах Эйнштейн вычислил, что вселенная — конечна и радиус ее равен стольким-то миллиардам миллиардов верст... (*ЗС*: 323).

А следовательно именно с Эйнштейном спорит Замятин. С великим Эйнштейном, открытиями которого были "сорваны с якорей самое

---

29. 'Фрагмент из записного блокнота Е. Замятина' (публ. А. Тюрина), *Studia Slavica Hungaricae*, XXXIII/1–4 (1987), с. 238.
30. Лена Силард, 'Андрей Белый и П. Флоренский (Мнимая геометрия как встреча новых концепций пространства с искусством)', *Studia Slavica Hungaricae*, XXXIII/1-4 (1987), с. 238. Абсолютно права Л. Силард, подчеркивая высокую значимость научного, логико-математического конфликта для понимания художественно-философской концепции романа: "... носителем персонализма, противостоящего тотальной унификации, в романе *Мы* оказывается персонаж, символизирующий внеположность арифметики и эвклидовой геометрии: эта широко внеположность подчеркнута тем, что в характеристике I – 330 сливаются признаки «искомой величины» («икс»), иррационального (первое появление ее в романе приравнивается к встрече с «случайно затесавшимся в уравнение неразложимым иррациональным членом») в то время как имя ее есть символ мнимого числа ($I = \sqrt{-1}$)" (*там же*, с. 237).
31. *Литературная учеба*, № 5 (1989), с. 119.

пространство и время" (*ЗС*: 416). И по сравнению с ними Замятину "маленькими революцийками кажутся все политические перевороты".[32] Не забыл Замятин "заблудившегося в софизмах" Эйнштейна и в романе *Мы*. В сцене, где ирония писателя достигает особенной силы. Замятин "помещает" Эйнштейна (лаконичный портрет ученого, мыслителя: "Лоб – огромная парабола, на лбу желтые, неразборчивые строки морщин") на сиденье рядом со Строителем в одной из благоуханнейших стерильных уборных Единого Государства. Там-то и сообщает он Строителю о своем открытии: уже почти вычислил, что бесконечности нет (осталось лишь подсчитать числовой коэффициент),а следовательно совсем близка уже и "философская победа". Эта "победа" сродни той, о которой язвительно рассуждал Подпольный человек: "настанут новые экономические отношения, совсем уж готовые и тоже вычисленные с математическою точностью, так что в один миг исчезнут всевозможные ответы" (*ПСС*, V: 113).

Однако тоталитарное государтсво не заинтересовано ни в каких "философских победах" и даже благонамеренных "открытиях", тем более, что они влекут за собой (неизбежно) новые вопросы, ведущие к будущим открытиям и т.д. до бесконечности. Единое Государство "идеальной несвободы" зиждится на самых простейших и только поэтому незыблемых началах: здесь уже все и навечно открыто. И в глазах Благодетеля Строитель и его исполненный самых благих намерений сосед – в равной степени еретики, сомневающиеся, что-то пытающиеся доказать, задающие вопросы.

Естественно, что их вместе прямо из благоустроенной уборной поволокут в Операционную, чтобы уничтожить "фантазию", удалить "душу". Эйнштейнам и Строителям в Едином Государтсве нет места. Наука упраздняется. Мозг высыхает. Любовь устраняется как иррациональное и, по сути, преступное старозаветное занятие. И – само собой – преследуется свободное искусство. Так в романе. Так и в письме к Анненкову:

> Люди смазаны машинным маслом, начищены и точны, как шестиколесный герой Расписания. Уклонение от норм называют безумием. А потому уклоняющихся от норм шекспиров, достоевских и скрябиных — завязывают в сумасшедшие изоляторы и сажают в пробковые изоляторы.[33]

Торжествует победу "футурология" Шигалева–Петра Верховенского:

> Первым делом понижается уровень образования, наук и талантов. Высокий уровень наук и талантов. Высокий уровень наук и талантов доступен только высшим способностям, не надо высших способностей.

---

32. Замятин, *Сочинения* (Мюнхен, 1988), т. IV, с. 523.
33. *Литературная учеба*, № 5 (1989), с. 119.

> [...] Цицерону отрезывается язык, Копернику выкалывают глаза, Шекспир побивается каменьями — вот шигалевщина! Рабы должны быть равны: без деспотизма еще не бывало ни свободы, ни равенства, но в стаде должно быть равенство, и вот шигалевщина (*ПСС*, X: 322).

Замятин сказал об А. Белом:

> Белый был сыном этой эпохи [начала XX века — В.Т.], одной из тех, родственных героям Достоевского, беспокойных русских натур, которые никогда не удовлетворялись достигнутым. Быть модным поэтом, даже одним из вождей новой литературной школы — для него скоро оказалось мало: он искал для себя ответов на самые мучительные "вечные" вопросы. Он искал их всюду: на заседаниях петербургского "религиозно-философского общества"; в прокуренных студенческих комнатах, где спорили всю ночь до утра; в молельнях русских сектантов и на конспиративных собраниях социалистов; в чайных и трактирах, где под выкрики подвыпивших извозчиков вел тихую беседу какой-нибудь русский странник с крестом на посохе... (*ЗС*: 345).

Жизненный и творческий путь Замятина во многом, очень во многом был иным, хотя и неоднократно пересекался с дорогой А. Белого.[34] И ответы на "самые мучительные «вечные» вопросы" он искал в других местах. Но поиски эти отличались тем же максимализмом, тою же ненасытностью, невозможностью успокоиться на достигнутом, поставить точку. "Идеал" же Единого Государства – именно последняя и окончательная точка (даже восклицательный знак подозрителен своей эмоциональностью). Потому-то так страшен и трагичен финал романа *Мы*:

> Но на поперечном, 40-м проспекте удалось сконструировать временную стену из высоковольтных волн. И я надеюсь — мы победим. Больше: я уверен — мы победим. Потому что разум должен победить (*ЗС*: 154).

Но лишенный "души", "фантазии" Строитель уже не ученый, а скопец и робот с погашенными желаниями и заряженным на простейшую арифметическую программу мозгом. И он уже не имеет права рассуждать о разуме. "Победа", в которой уверен герой, равнозначна смерти, коллективному самоубийству. Точка в романе – это насильственно прерванный процесс бесконечного познания, попрание "живой жизни".

Есть в романе и другой финал, который несправедливо было бы назвать "предварительным": ликующий вопрос Строителя, обращенный к Соседу-Эйнштейну, вопрос свободного человека с "душой" и "фантазией": "Вы должны – вы должны мне ответить: а там, где кон-

---

34. Думаю, что Л. Силард сильно преувеличивает, утверждая, что "роман *Мы* откровенно ориентирован на «Петербург» как на прототекст..." — Силард, 'Андрей Белый и П. Флоренский', с. 237.

чается ваша конечная вселенная? Что там – дальше?" (*ЗС*: 153). Не просто вопрос, а, так сказать, вопрос вопросов, прозвучавший и в письме к Анненкову и в статье-манифесте "О литературе, революции, энтропии и прочем".

Замятин на протяжении многих лет предпринимал энергичные попытки добиться публикации романа в СССР. Они не увенчались успехом. Но писатель не отчаивался, продолжал пропагандировать роман, многократно выступая перед различными аудиториями Ленинграда и Москвы с чтением глав из *Мы*. Чтение сопровождалось докладами Замятина, разъяснявшего смысл романа. Допустить смерть любимого детища писатель не мог. И он с вызовом предпосылает статье "О литературе, революции, энтропии и прочем" эпиграф из текста ненапечатанного романа. А далее исключительно сжато, но в то же время эмоционально, ярко развертывает проблематику *Мы*, посылая тревожные *SOS* с мачты петербургского корабля:

> Сейчас можно смотреть и думать только так, как перед смертью: ну, вот умрем — и что же? прожили — и как? если жить — сначала, по-новому, — то чем, для чего? (*ЗС*: 448).

Вопросы, устремленные в завтра, равно "детские" и вечные:

> Так спрашивают дети. Но ведь дети — самые смелые философы. Они приходят в жизнь голые, не прикрытые ни единым листочком догм, абсолютов, вер. Оттого всякий их вопрос нелепо-наивен и так пугающе-сложен. Те, новые, кто входит сейчас в жизнь, — голы и бесстрашны, как дети, и у них нет, так же, как у детей, как у Шопенгауэра, Достоевского и Ницще, — "зачем?" и "что дальше?". Гениальные философы, дети и народ — одинаково мудры: потому что они задают одинаково глупые вопросы (*ЗС*: 448-49).

Вот на пересечении "глупых", "детских", "гениальных" вопросов, поставленных у самых последних Стен (зеленых, высоковольтных, бетонных и др.) и состоялась встреча Замятина-Строителя с Достоевским. "В какой-то мере вся человеческая культура до сих пор остается протестом против смерти и разрушения, против увеличивающегося беспорядка или увеличивающегося единообразия – энтропии", – писал Вяч. Вс. Иванов.[35] Мощно звучит этот протест в творчестве Достоевского и Замятина.

---

35. Вяч. Вс. Иванов, 'Категория времени в искусстве и культуре XX века', в кн. *Structure of Texts and Semiotics of Culture* (Mouton, 1973), с. 149.

23.

ANOTHER LITERARY PARODY IN *THE POSSESSED*?

HENRIETTA MONDRY

A fair number of literary prototypes in Dostoevsky's novels owe their existence to the writer's not indifferent attitude towards his "brothers of the pen", both predecessors and contemporaries. Consequently Dostoevsky is associated not only with the dramatic, prophetic and apocalyptic element in literature, but at the same time is considered a master of literary parody.[1] Famous among his literary *pastiches*[2] are the parody of Gogol in his novella *The Village of Stepanchikovo and Its Inhabitants*,[3] of Chernyshevsky in "The Crocodile" and of Turgenev in *The Possessed.*

In *The Village of Stepanchikovo* Dostoevsky "settles accounts with his Gogolian period".[4] Here he ridicules Gogol's personal *traits*, his style of writing and, more importantly, the writer's religious and philosophical thought. In this way Dostoevsky parodies the writer whom he had imitated in order to achieve his first literary success, *Poor Folk*, and whose religious and social ideas he plundered to considerable advantage. In the satirical piece "The Crocodile" (published in *Epokha*, 1865) Dostoevsky gives a parody (in the grotesque tradition of Gogol's writing) of Chernyshevsky and his novel *What is to be done?*

The resemblance between a civil servant swallowed by the crocodile and Chernyshevsky himself, is striking. However Dostoevsky actually denied any intention of mocking his adversary from the democratic camp. The latter, incidentally, was imprisoned at the satire's date of publication.

In the novel *The Possessed* Dostoevsky offers a parody of Turgenev in the figure of the writer Karmazinov. Here Dostoevsky mocks Turgenev's aristocratic and affected mannerisms. He also caricatures the literary style and

1. Iurii Tynianov, *Dostoevski i Gogol' (K teorii parodii)*, 'Russian Titles for the Specialist, W65' (Letchworth, Prideaux Press, 1975), p. 26.
2. About one of the recently discovered literary parodies in Dostoevsky's writing, see my article in *Dostoevsky Studies*, VI (1985), pp. 103–13.
3. See Tynianov's famous work, *ibid.*
4. K. Mochulsky, *Dostoevsky: His Life and Work* (Princeton, Princeton U.P., 1971), p. 176.

pessimistic philosophy that emerge from these mannerisms. Likewise he caricatures the literary style and pessimistic philosophy that emerge from Turgenev's novellas "Phantoms" and "Enough". Typical of the literary parodies mentioned so far is what Joseph Frank calls *reductio ad absurdum*, a mixing of ridicule of other writers' personality and literary style on the one hand and of polemic against their religious, social and philosophical notions on the other. Clearly the most famous of all these is the parody aimed at Turgenev in *The Possessed*. Now the relationship between the two of them was always strained during the many years of their acquaintances. It included periods of admiration by the young Dostoevsky towards the youthful, rich and well-born Turgenev and also times of mutual bitterness. In 1881, the year of Dostoevsky's death, a final reconciliation took place. In *The Possessed* Dostoevsky employed the device of the verbal parody (or what Tynianov calls *словесная пародия*) in mocking Turgenev's language. But he also returns to the victim of his early literary years – Gogol. It is in the pathetic stylistics and rhetoric of Captain Lebyadkin's poems Tynianov noticed elements of parody on Gogol's vocabulary in his *Selected Passages from a Correspondence with Friends*. Ogarev's poems, Granovsky's letters, Senkovsky's style of polemics, are also parodied in *The Possessed*.

Nonetheless, there is an interesting and more important figure in *The Possessed*. This is Stepan Verkhovensky, who, like the Karmazinov–Turgenev character, is also a writer. Stepan Trofimovich did not escape the attention of Tynyanov, who calls him "another parody character" (*другой пародийный характер*) in the line of the "hanger on" (*приживальщик*) types in Dostoevsky's writing.[5] From notebooks and early drafts for *The Possessed* Dostoevsky scholars have discovered the names of this figure's literary prototypes: among them are those of T. Granovsky, V. Botkin, B. Chicherin, A. Herzen and V. Belinsky. Verkhovensky thus emerges as a synthesis of the typical man of the forties.

R. Feuer-Miller has pointed to the resemblance between Stepan Verkhovensky and Jean-Jacques Rousseau. Her study is based on a comparison between Verkhovensky and Rousseau, both as a historical figure and as the author of *Confessions* and *La Nouvelle Heloise*.[6]

The comparison between Verkhovensky and Rousseau should actually be taken a step further. If one considers that Verkhovensky is a spiritual father of the revolutionaries in the novel, and that Dostoevsky thought of Rousseau as the

---

5. Yury Tynyanov devotes a special footnote to Stepan Trofimovich, where he remarks on the parallelism between Foma Opiskin and Verkhovensky. He notes that both of them, being "literary" and preachers, have a lot in common: "it is interesting that the other 'parody character' – Stepan Verkhovensky – is also a 'hanger on'; the same wandering, the same bundle" (*ibid.*, p. 32).
6. See R. Feuer-Miller, 'Imitations of Rousseau in *The Possessed*', *Dostoevsky Studies*, V (1984), pp. 77–91.

father of the French revolution, then the Rousseau line in *The Possessed* acquires acute political and philosophical significance. In this light Verkhovensky can be seen, indeed, as a projection as well as a literary parody of such historical figures as Herzen, Belinsky, Granovsky and Jean-Jacques Rousseau.

Yet there was a famous contemporary writer, and a great rival of Dostoevsky's, whom he never met in person but about whom he knew, whose literary success he envied, whose attitudes he attacked in practically each of his novels; somebody whom his journalistic polemics of the last decade of his life centre.[7] He regarded this figure as a Russian counterpart of Rousseau: of course, this is Tolstoy. By introducing into *The Possessed* the two writer-figures Karmazinov and Verkhovensky, Dostoevsky gives a literary parody of his two great contemporaries, Turgenev and Tolstoy. Only the former has so far been noticed by critics and scholars.

If we look at Dostoevsky's private correspondence at the time of his work on the plans for what later became *The Possessed* and *The Adolescent*, we come across some curious evidence for the hypothesis in this paper. Thus, Dostoevsky's interest in both the work of Tolstoy (*War and Peace*) and his personality acquire dimensions of polemics with the latter which coexist with the polemics with Herzen, Granovsky and Turgenev as "Westernisers". Thus, in his letter to N. Strakhov (April 1870), in the midst of polemics with Herzen, we come across the following reference to the plans for *The Possessed*, referring to *War and Peace*:

> The whole idea will demand the realisation in a big volume (*размер*), at least of a size of Tolstoy's novel.

And a few lines later:

> To arrive with War and Peace is to arrive after the "new word", already said by Pushkin.[8]

And a few months later, in a letter to Strakhov (June 1870), Dostoevsky again returns to Tolstoy, this time expressing interest in Tolstoy's personality:

> And something else I wanted to find out from you for a long time: aren't you acquainted with Tolstoy personally? If you are, please write to me, what sort of a man is he? *I am terribly interested in finding out something about him.*[9]

Again, two months later, in a letter to his niece K. Ivanova (August 1870) Dostoevsky, complaining bitterly about the slowness of his work on *The Possessed*, brings this time the names of Tolstoy and Turgenev together:

> Do you know that I am absolutely aware that if I could have spent two or three

---

7. Nina Perlina maintains that in the last decade of Dostoevsky's life he found a new opponent in the figure of L. Tolstoy. For this discussion, see N. Perlina, 'Vozdeistvie Gertsenskogo zhurnalizma na arkhitektoniku i polifonicheskoe stroenie *Dnevnika pisatelia Dostoevskogo*', *Dostoevsky Studies*, V (1984), pp. 129–41.

8. F.M. Dostoevskii, *Pis'ma*, pod red. A.S. Dolinina (Moskva, Gos. Izd., 1930), Vol. II: *1867–71*, № 345, p. 260.

9. *Ibid.*, no. 349, p. 272.

> years on that book – as Turgenev, Goncharov, Tolstoy can – I could have produced a work of which men would still be talking a hundred years from now?[10]

The evidence of polemics with Tolstoy and Turgenev continues in the letter to N. Strakhov of May 1871, where Dostoevsky returns to the "new word" and expresses his opinion about the end of the period of "landowner literature" (*помещичья литература*) in Russian literature, whose last representatives were Turgenev and Tolstoy. It is precisely in this letter that Dostoevsky gives his negative views on Turgenev's pessimistic novellas. The list of evidence of Dostoevsky's polemics with Tolstoy in *The Diary of a Writer* and his correspondence could be continued. But for the sake of the principle of "historicity" it must be discontinued here, since our main concern is the period of Dostoevsky's work on *The Possessed*.

In *The Possessed* Verkhovensky and Karmazinov are depicted as two writers who used to meet in the same literary circles in the years of their youth, but whose ways have since parted. One of them, Karmazinov, spends most of his life in Europe, the other, Verkhovensky, prefers to live alone, in a provincial town, that is, in self-imposed exile.

They dislike each other intensely and, despite all the efforts of their mutual friends, they cannot bring themselves to like each other, because of differences in their character, ideals, and way of life. This suggests the relationship between Turgenev and Tolstoy in real life.

They had met, while still young, in Petersburg and Moscow literary circles; they were neighbours as their estates were situated close to each other. Their relationship during their entire lives was strained, consisting mainly of arguments followed by reconciliation, because of their constant clash of personalities and difference of ideals.

Turgenev spent most of his life in Europe, Tolstoy in his secluded estate Yasnaya Polyana. Turgenev wrote about Tolstoy and their relationship: "I cannot establish any lasting relationship with Tolstoy, our views are too different".[11] "No, after all my attempts to get along with Tolstoy, I have to give up. We are put together too differently". Tolstoy noted about Turgenev in his diary: "Turgenev doesn't believe in anything, that is what's the matter with him. He doesn't love, he is in love with love", and further: "He is a cold and useless man, but intelligent, and his art is inoffensive".[12]

The relationship between Turgenev and Tolstoy developed in the same way as the relationship between Karmazinov and Verkhovensky in *The Possessed*. Karmazinov seeks to maintain their friendship more energetically than Verkh-

---

10. *Ibid.*, no. 353, p. 283.
11. Quoted from H. Troyat, *Tolstoy* (Harmondsworth, Penguin Books, 1987), p. 237.
12. *Ibid.*

ovensky. Dostoevsky, who knew Turgenev personally, and who used to visit him in Europe after Tolstoy had visited Turgenev in Switzerland, could well have heard about Tolstoy's odd behaviour from Turgenev himself, or from friends the three of them had in common.

In a letter to Annenkov (1857) Turgenev wrote about Tolstoy:

> He is an odd fellow, I've never met his like, and I don't fully understand him. A mixture of poet, Calvinist, fanatic and aristocrat, he reminds me of *Rousseau*, only more honest – sternly moral and at the same time somehow unattractive.[13]

Thus, Turgenev associated Tolstoy with Rousseau, and, as we already know, Verkhovensky in *The Possessed* owes much to the French philosopher. In real life Tolstoy, as we know from V. Shklovsky's works, was a great admirer and disciple of Rousseau. From the years of his youth, he wore Rousseau's portrait on a chain round his neck. He read twenty volumes of Rousseau's works, and was influenced by many of the ideas of the French philosopher, including his views on the originally perfect nature of a human being, on the necessity for a natural environment for the harmonious development of human personality, on freedom, on education, on history.

On his first trip to Europe, Tolstoy went to Switzerland to follow the footsteps of Rousseau's heroes. Pursuing Rousseau's philosophy, Tolstoy believed in the striving for perfection and self-improvement, designed ultimately to help mankind to achieve happiness on Earth. These latter points tend to work against the essence of Dostoevsky's eschatological views, which were notoriously free of any form of secularism. The depiction of Tolstoy's secular religious outlook can actually be found in the following words:

> I feel capable of devoting my life to it – (grandiose idea) – it is a founding of a new religion, suited to the present state of mankind, the religion of Christ but *divested* of faith and mysteries, a practical religion; not promising *eternal bliss* but providing bliss *here on earth*. I realise that this idea can only become a reality after several *generations* have worked consciously towards it. One generation will pass on the idea to the next, and one day, through fanaticism or *reason*, it will prevail.[14]

This pragmatic religion, Christianity without Christ, was the target for Dostoevsky's polemics, incorporated in the figure of Kirillov in *The Possessed*. Verkhovensky expounds the nature of freedom as follows:

> Let us suppose that I do make a mistake, but I still possess my human, eternal, *supreme* right of *freedom* of conscience, don't I? I have the right to refuse to be a bigot and a religious fanatic if I want to, for which I shall naturally be hated by all sorts of people to the end of time.

In the novel, Verkhovensky is depicted as a great educationalist, as a man who has devoted his life to instructing the young. His "Genevan ideas", according to Dostoevsky, were responsible for, and brought to life, the revolutionary

---

13. *Ibid.*, p. 233.
14. *Ibid.*, p. 169.

notions of the younger generation.

Verkhovensky's pupils (Stavrogin, his own Peter Verkhovensky, Dasha, Liza) have all lived for some time in Switzerland. Their ideology is manifestly influenced by Verkhovensky's pragmatic faith, about which he comments:

> My immortality is necessary, if only because God would not do anything unjust to extinguish completely the flame of love for him once kindled in my heart [...] If God exists, then I, too, am immortal.

This pragmatic faith, which is so typical of Tolstoy and of Verkhovensky in the novel, is intimately linked to the Tolstoyan idea (of the period prior to the influence of Schopenhauer's pessimistic philosophy on Tolstoy) that Man has been brought into this world to be happy. Pierre Bezukhov, in *War and Peace*, a novel carefully studied by Dostoevsky, is a champion of Tolstoy's most sacred thought, especially, when he says:

> Man was built to be happy, he carries his happiness inside him, in the satisfaction of his natural desires [...] There is really nothing terrifying in life. [...] There is no situation in which Man cannot be perfectly *happy* and *free.*[15]

Furthermore, in the preparatory drafts to *The Possssed* we meet the figure of old-believer Golubov, who was supposed to play the role of opponent to the ideas of "Westernisers". It is also possible that he was intended to become the "Platon Karataev" of *The Possessed.* Golubov's ideas were transferred in part to Shatov, and in part to Verkhovensky in the final version of the novel. Striking is their affinity to Tolstoyan ideas of self-perfection:

> Golubov's ideas are *humility* and *self-mastery* and that God and the *Kingdom* of *Heaven* are inside us in self-mastery, and fredom is there too.[16]

Now, the idea of self-mastery as a means for achieving Paradise on Earth is a keystone of Tolstoy's eschatology. It is also the main point of difference between Tolstoyan and Dostoevskian eschatological views, for Dostoevsky believed chiefly in the concept of the New Jerusalem and a new post-apocalyptic Earth.[17] Tolstoyan pragmatism and rationalism are also hinted at in the words of Granovsky, who, in common with Golubov, later became a part of Verkhovensky in the novel:

> Let us suppose, one can still argue about this, yet what prevents you, without believing the Christ as God, from looking upon him as the ideal of perfection and moral beauty?[18]

---

15. *Ibid.*, p. 437.
16. Dostoevsky was interested in Golubov and his teaching, of which he learned through N. Subbotin's article, 'Russkaia staroobriadcheskaia literatura za granitsei', *Russkii vestnik*, (August 1968).
17. See K. Leontev who, in his critical essay on Tolstoy, compared the eschatological views of Dostoevsky and Tolstoy — K. Leontiev, *Analiz, stil' i veianie. O romanakh gr. L.N. Tolstogo* (Providence, Brown U.P., 1980), p. 89.
18. Mochulsky, *op. cit.*, p. 416.

Tolstoy's aspiration to earthly happiness is brought out by Verkhovensky in the last words before his death:

> Oh, I'd like to live my life again. Every minute, every second of life ought to be a blessing to man – they ought to be – they must be! It is a *duty* of every man to make it so. This *is the law* that is hidden down in his nature, a law that most certainly exists.

Probably, these words act as an expression of Tolstoy's pagan philosophy, which found its reflection in his writing, especially in the death scenes of his heroes. These, in turn, reflect the fear of dying which haunted Tolstoy all his life.

What is more striking in this context is that Verkhovensky considers himself to be more pagan than Christian:

> I believe in God, *mais distinguons*, I believe in him as a being who is conscious of himself in me only... As for Christianity, however much I respect it, I'm not a Christian. I'm rather an ancient pagan, like a great Goethe, or like an ancient Greek.

This latter *motif* in Verkhovensky's characterisation, that is of a pagan and an ancient Greek, can be regarded as a comment on Tolstoy for various reasons: Tolstoy was a great admirer of Homer's *Iliad*, considering it to be a masterpiece. His *War and Peace* was compared with the *Iliad* by many critics and readers. He also studied ancient Greek in order to be able to read Greek poets in the original. And, finally, his Christianity had many heathen elements. These were brought to light by the symbolist critic, Merezhkovsky, in his essay "Dostoevsky and Tolstoy" in which Dostoevsky was called a "seer of the spirit" and Tolstoy "a seer of the flesh".

The incorporation of theoretical ideas from Rousseau on the necessity of total freedom for the education of the younger generation found its outlet not only in Tolstoy's writing but also in practice. He opened schools for peasant children at Yasnaya Polyana, and here he applied theoretical concepts taken from Rousseau. Children were taught according to a new free system of education, which was supposed to inculcate an independent way of thinking. Posters with the words "Do as you like" were fixed to the walls of his school. Tolstoy believed that the teacher is a guide to the child who is naturally harmonious. He wrote:

> Man is born perfect, these are great words spoken by Rousseau, and they will remain firm as a rock and true. Man is born as a model of *harmony, truth, beauty* and *goodness*.

Tolstoy edited books and articles on "Popular Education" and Dostoevsky was aware of his pedagogical activities.[19] Verkhovensky is depicted in *The Possessed* as a tutor, an educationalist and as a guide to the younger generation. He also believed that man is born perfect, that the future belongs to the younger generation which, if directed along the correct path, will achieve happiness on earth.

---

19. Thus, for instance, in the preparatory materials for *The Brothers Karamazov* we find: "about Pestalozzi, about Fröbel"; the article by Tolstoy on contemporary school education in *Otechestvennye zapiski*;. *PSS*, XV: 199.

Even after he realised that the ideas which he preached throughout his life had been distorted by the younger generation, he remained fanatically firm in his beliefs. In his speech at the Fête, which is his final address to the younger generation, he says the following:

> Ladies and gentlemen, my last word in this business is *universal forgiveness*. I, an old man who expects nothing from life, I solemnly declare that the spirit of life still breathes in us, and that the younger *generation* has not yet lost its living strength. The *enthusiasm* of our modern youth is as bright and pure as it was in our time.

There is another resemblance in the educational activities of Tolstoy and Verkhovensky. This is their teaching of history. Tolstoy taught history at the Yasnaya Polyana school. His lessons on the history of Russia were not systematic, as he did not believe in the traditional method of learning by heart. His lectures were imaginative, he gave them in the form of a dialogue. The important elements here were not the facts of history,[20] but the influence of epic stories on the moral and intellectual development of children.

In *The Possessed* we find an account of Verkhovensky's lessons, given by his former pupil Liza. She recalls:

> You see, I remember all your lessons by heart. Maurice, if you only knew what faith he preached to me at that time [...]. And do you remember your stories about how Columbus discovered America and how all of them cried: Land! Land! And do you remember how you described to me how the poor emigrants were transported from Europe to America? And it was not true at all [...]. But how well he lied to me, Maurice! It was almost better than the truth.[21]

Students from Petersburg who were expelled from the University for their anti-government and revolutionary activities, were employed at Yasnaya Polyana, which became a haven for Nihilists. Among the young people, there was a Frenchman, Niet, who took part in the Paris Commune, Bibikov, a member of the Narodnik circle, Alekseev, who had spent time in America. He was a friend of Malikov, who was involved in the Karakozov affair. All these people were welcomed by Tolstoy on his estate.

The Possessed, which was planned by Dostoevsky as an anti-nihilist and an anti-revolutionary pamphlet, is peopled by emanations of the *devil*. All of them in some way or another are derived from Verkhovensky's philosophy of education. Among the devils there are the figures of Kirillov, Shatov, Stavrogin and Peter Verkhovensky. Shatov and Kirillov (the last is a spokesman of the Man-God philosophy which, as has been shown by G. Steiner, is a reflection of Dostoevsky's polemics with Tolstoyan philosophy) lived for some time in

---

20. It is widely known that Tolstoy's depiction of Napoleon in *War and Peace* was always considered to be highly unhistorical. For an interesting discussion, see the study of *Napoleon* by Dutch historian Pieter Geyl, who wrote in *For and Against*: "Tolstoy's views on Napoleon are fundamentally unhistorical" (London, 1964), p. 55.
21. F. Dostoevsky, *The Possessed* (Harmondsworth,Penguin, 1982), p. 483.

America, while Stavrogin and Peter Verkhovensky lived in Switzerland. The geographical similarities of the places of pilgrimage of Tolstoy's young friends and Verkhovensky's disciples could be a coincidence, or a proof of Dostoevsky's interest in the situation at Yasnaya Polyana.

The following similarities between the characters of Tolstoy and Verkhovensky will show that it is not mere coincidence: Verkhovensky became famous at the beginning of his career by writing on historical topics, about the Crimean War (in the preparatory drafts) and about Arabic culture.

Tolstoy studied Arabic at the University of Kazan, wrote his Master's thesis on a historical topic ("Comparison between Catherine's *Instructions* and Montesquieu's *De L'Esprit des Lois*") and became famous in literature after he published his Sevastopol tales about the Crimean War.

* * *

Verkhovensky spent his life being dependent on a practical woman, Varvara Petrovna, who demanded from him achievements in intellectual and literary activities, who badgered him continuously, who arranged all his financial affairs and also dabbled in literature. Verkhovensky says about women and marriage:

> My poor friend, you don't know women, whereas I have spent all my life studying them... Oh, my dear friend, marriage is the *moral death* of every soul, of all independence. Married life will corrupt me, will rob me of my strength, my courage to serve our cause.

Tolstoy was married to a woman whose domestic interests and practical mind tormented him all his life. Tolstoy's wife also expected great literary achievements from him. She used to write little works herself, as does Varvara Petrovna in *The Possessed*.

Tolstoy demonstrated his attitude to women and marriage in his novels. His hero Prince Bolkonsky says in *War and Peace*:

> Never, never get married, my friend, this is my advice, don't get married until you can tell yourself that you have done everything you could. Get married when you'll be an old man, a good for nothing. Otherwise everything good and noble will perish in you.

* * *

Verkhovensky is passionately fond of writing letters. He used to send three letters a day to his friend Varvara Petrovna, in which he gave vent to his emotional problems, expressing his private feelings and frustrations.

Tolstoy was famous for putting his most secret thoughts to paper. He kept diaries from his childhood, he preferred to exchange letters with his wife and children rather than to speak to them at his own house. He even had a "Home Journal" in which he wrote to his wife and she in her turn to him, of things which they did not speak.

* * *

Tolstoy was easily moved to tears being a very sensitive person. Art and beauty moved him deeply. Being impressionable by nature, he was afraid of dreams, was preoccupied with his health, was tormented by nightmares, and had an all-pervading fear of death. Death haunts Tolstoy's heroes in "Childhood", in "Sevastopol Sketches", in "Three Deaths", *War and Peace*, *Anna Karenina*, "The Death of Ivan Ilich". Here is the description of Stepan Verkhovensky's sensitivity:

> ... was more easily moved to tears, and his nerves grew weaker. He had become far too sensitive to everything of artistic value [...]. He seemed to be full of foreboding, afraid of something unexpected and inevitable, he became apprehensive and began to pay great attention to his dreams.

* * *

Verkhovensky's limitless and over-indulgent usage of French phrases reminds one of Tolstoy's language in *War and Peace*, the novel about which Dostoevsky wrote:

> To arrive with *War and Peace* is to arrive too late, after the new word of Pushkin; and however far, however high Tolstoy may go, he cannot change the fact that the new word was uttered before him, and the first time, by a genius.[22]

* * *

These similarities substantiate the considerable parallelism between Verkhovensky in the novel and Tolstoy in real life. To return to these major points, the concept of beauty is of primary significance. Verkhovensky expresses his concept of beauty in his speech at the Fête, where Karmazinov–Turgenev is incidentally saying his purportedly final farewell to the public, reading his work "Merci". The aesthetic views expressed by Verkhovensky resemble the main points of Dostoevsky's ideas on the question. Dostoevsky's famous words "Beauty will save the world" are akin to Verkhovensky's aesthetic doctrine. Hence the question arises: Would it be possible that Dostoevsky made the Verkhovensky–Tolstoy figure into the mouthpiece of his own philosophical views?

In my view there are two sides to this issue. Throughout the novel, Verkhovensky repeats Dostoevsky's polemical words about Raphael and Shakespeare being more important than a pair of boots. The Tolstoy we know as the author of the pamphlet "What is Art?" had a utilitarian approach towards art and beauty. This makes it questionable that Verkhovensky as Tolstoy could express the above-mentioned opinions on art and beauty.

However, and most importantly, the Tolstoy Dostoevsky knew (up to the year 1873, when *The Possessed* was published) was Tolstoy before the period of the re-evaluation of his aesthetic ideas (which took place only after the novel

---

22. Troyat, *op. cit.*, p. 417.

Anna Karenina was completed, i.e. before the formulation of his utilitarian theories on art). This Tolstoy was the propagator of the idea of "art for art's sake".

This Tolstoy delivered a crucial speech at Moscow University, when he was elected, together with Turgenev, to the Society of Friends of Russian Literature in 1859.

> However important a political literature may be, a literature that reflects the passing problems of society, and however necessary to national progress, there is still another type of literature that reflects the eternal necessities of *all mankind*, the dearest and deepest imaginings of a whole race, a literature which is accessible to all and every age, one without which no people has been able to grow powerful and fertile.[23]

Verkhovensky's concept of beauty is expressed in the following passage:

> Only one thing has happened (he says about problems raised by the young generation) a shift of aims, the substitution of one beauty for another! The whole question has arisen only around the question of what is more beautiful: Shakespeare and Raphael are higher than the emancipation of the serfs, higher than nationalism, higher than socialism, higher than chemistry, higher than almost all humanity *for they are* all the fruit of *mankind*, and perhaps the *highest fruition that can possibly exist.*

In these final words ("they are all the fruit of mankind, and perhaps the highest fruition that can possibly exist") lies the main difference between the Dostoevskian and the Tolstoyan understanding of beauty. For Dostoevsky beauty is God's bliss, it is also the positive element in the ambivalence which surrounds the ideal of the Madonna and of Sodom. As D. Karamazov in *The Brothers Karamazov* states: "Beauty is an awful and terrifying thing. Here God and Devil are fighting, and the place of the struggle is the human heart". For Tolstoy beauty was on the Madonna side of Dostoevsky's dichotomy.

Beauty was furthermore the creation of mankind, "the reflection of the eternal necessities" of the human being. The last, in Tolstoy's eschatology, meant the achievement of total happiness on Earth, an earthly Paradise.

In order to perceive this Tolstoyan trend in Verkhovensky's aesthetic views, one should mention two statements by Tolstoy: "*Beauty* is the sole and incontestable *good* of this world" and "The *Good* of the tree is first of all in its *beauty*".

I suggest that the concept of beauty, where *beauty* and *good* are interdependent and nearly equal, should be examined within the concept of Beauty in ancient Greek philosophy. Two factors make this approach substantial. Verkhovensky calls himself "a pagan, an ancient Greek" in the novel. Tolstoy was interested in Greek literature, language and philosophy. Greek philosophical and aesthetic thought did not make a distinction between what was beautiful and what

---

23. *Ibid.*, p. 268.

was good. In the language of that time, the combined word was used, which consisted of two roots, "beauty" and "good": found in the works of Aristotle, Socrates and Plato.

When Verkhovensky speaks about the social importance of the correct understanding of the ideal of beauty, beauty for him is an equivalent of God, as it was for Tolstoy. In Dostoevsky's Christian aesthetics beauty and the good were not equivalent or interdependent concepts, but often mutually contradictory.

So Dostoevsky, making Verkhovensky pronounce his own favourite words on Shakespeare and Raphael being more important than a pair of boots, could polemicise with Tolstoy's concept of beauty. Both thinkers, Tolstoy and Dostoevsky, believed that "Beauty will save the world", but their concepts of beauty were different.

The following passage from the novel rhetorically confirms how well Dostoevsky knew the man he parodied in *The Possessed*:

> Though he had left his house in daylight, when a nervous man is always more courageous, I am convinced that *he* could never have imagined himself alone on the highway without horror. No doubt a certain feeling of desperation at first softened the blow of that terrible sensation of solitude in which he suddenly found himself as soon as *he* had left Stasie and the comfortable home in which *he* had spent twenty years. But that made no difference: however clearly *he* realized the horrors awaiting him, he would have gone out and taken the road! There was a feeling of pride in what *he* had undertaken that fascinated him in spite of everything.[24]

Is this Leo Tolstoy? And is this passage a description of the last pilgrimage of the great writer from Yasnaya Polyana, the place where He left behind His disciples, being disappointed in his children, in the woman who, He thought, was torturing him all his life? No, not quite. This is Stepan Verkhovensky, and the passage is taken from the last chapter of *The Possessed*, which constituted a description of the last pilgrimage of Stepan Verkhovensky. Is it also possibly one of the ironic prophecies, made by Dostoevsky? Whatever the case might be, this passage serves as a fine rhetorical ending for the hypothesis above. It serves as a dramatic description of the final step, which the "madman" Tolstoy would undertake twenty-five years after Dostoevsky's death. The "madman", about whom Dostoevsky wrote in the last year of his life: "As for Leo Tolstoy, Katkov *also* confirmed that according to reports he has gone quite out of his mind".

---

24. Italics mine throughout the passage.

24.

LES ESSAIS D'ORTEGA Y GASSET SUR DOSTOEVSKIJ[1]

SOPHIE OLLIVIER

La découverte de la littérature russe en Espagne date essentiellement comme en France de la deuxième moitié du 19ème siècle. L'analogie avec la France n'est pas fortuite. Pôle d'attraction de l'intelligentsia espagnole, la France joue dans cette découverte un rôle de premier plan. Les Espagnols font la connaissance de la littérature russe à travers les traductions françaises (les traductions espagnoles seront pendant longtemps faites à partir du français) et les travaux critiques français dont une grande partie paraît dans la *Revue des deux Mondes*, très lue en Espagne (articles de Mérimée, Leroy-Beaulieu et surtout ceux du Vicomte de Vogüé, publiés de 1883 à 1886, date de la parution de son fameux livre *Le Roman russe*). L'intérêt de l'Espagne pour la littérature russe a aussi ses racines espagnoles: les 45 *Lettres de Russie* de Juan Valera, écrivain et diplomate à Saint-Pétersbourg de 1856 à 1857, *La Russie contemporaine* (1881), d'Emilio Castelar, un des chefs du parti républicain, et surtout les conférences que donne la comtesse Pardo Bazán en 1887 à l'Ateneo, club littéraire possédant une université libre, et qui furent publiées en trois tomes sous le titre *La Révolution et le Roman en Russie*. Cet ouvrage, qui a indubitablement subi l'influence de celui de Vogüé dont il a parfois été considéré comme une copie, a toutefois une originalité certaine et marque une étape importante dans l'histoire des relations culturelles entre l'Espagne et la Russie. Pardo Bazán, qui est la théoricienne espagnole du réalisme, donne la préférence à Tol'stoj, l'écrivain russe le plus à la mode à l'époque. Mais son attention est aussi attirée par Dostoevskij qu'elle avait découvert lors d'un séjour en France: "Je me souviens, écrit-elle, que ce fut en mars 1885 que me tomba dans les mains un roman russe qui produisit sur moi une très profonde impression: *Crime et Châtiment* de Dostoevskij'.[2] Dans le

---

1. L'idée de faire un travail sur Ortega et Dostoevskij m'est venue à la lecture d'un article du comparatiste américain William B. Edgerton: 'Spanish and Portuguese Responses to Dostoevskij', *Revue de Littérature comparée*, Nº 3–4 (Juillet–Décembre 1981), pp. 419–39. Qu'il me soit permis ici de le remercier.
2. E. Pardo Bazán, *La Revolución y la novela en Rusia. Lecturas en el Ateneo de Madrid* (Madrid, 1887), p. 3. Tous les ouvrages espagnols cités dans cet article ont été traduits par nos soins.

chapitre de son livre consacré à Dostoevskij, Pardo Bazán exalte le réalisme mystique de l'écrivain, la profondeur de son analyse psychologique et de son humanisme, mais elle critique ses personnages bizarres, éloignés des goûts de la civilisation européenne, son esthétique de l'horreur et de la bassesse. Son interprétation de Dostoevskij a certainement exercé une influence sur la perception de l'écrivain en Espagne et a contribué quelque peu à réduire son image. *Le Roman russe* a eu les mêmes conséquences en France. Il faut noter que Pardo Bazán semble peu sensible à l'art de Dostoevskij alors que de Vogüé s'intéresse à la technique narrative de l'écrivain à laquelle il consacre des pages extrêmement fines, passées en général inaperçues du public.

C'est après la parution du livre de Pardo Bazán, à partir de 1887–88, qu'on peut véritablement situer l'entrée de la littérature russe en Espagne. Dans la première étape de sa diffusion qui va jusqu'en 1903,[3] c'est Tol'stoj qui a le plus de succès, tandis que Dostoevskij reste à l'arrière-plan. Les traductions des oeuvres de Dostoevskij restent encore peu nombreuses: *Souvenirs de la Maison des morts*, *La Centenaire*, *Moujik Marej*, *Le Joueur*, *Les Nuits blanches*, *Crime et Châtiment*, *L'Arbre de Noël du Christ*.[4] Elles sont faites, comme celles des autres écrivains russes, à partir des traductions – fort mauvaises – de Halperin-Kaminskij. C'est au début du siècle que la renommée de Dostoevskij commence à monter en Espagne, comme dans toute l'Europe. Les traductions de ses oeuvres, faites cette fois à partir du russe, vont se multiplier après la guerre.

Après l'ouvrage de Pardo Bazán un article paraît sur Dostoevskij[5] avant 1910, date à laquelle Ortega y Gasset écrit "La Volonté du Baroque", dont le deuxième chapitre est consacré à Dostoevskij et au Greco. Selon des recherches récentes (nous nous appuyons sur les notes de Paulino Garagorri dans la nouvelle édition des *Méditations de Quichotte* de 1981),[6] il apparaît que "La Volonté du Baroque" constituait la suite de l'Agonie du Roman. Les deux textes, ainsi qu'un troisième, avaient éte écrits originellement comme la continuation de l'essai *Pio Baroja: Anatomie d'une Ame en Déroute*. Cet essai devait constituer le troisième chapitre d'un livre d'essais qui devaient s'intituler *Saluts*, puis *Méditations*, le premier chapitre étant intitulé "Méditations du Quichotte". Par la suite, *L'Agonie du Roman* fut appelé *Bref traité du roman* et devint la première Méditation du Quichotte; les autres ne furent pas écrites. *Les Méditations du Quichotte*, qui paraissent en 1915 et sont le premier livre publié par Ortega, comprennent cette première Méditation, précédée d'une Note au lecteur et d'une

3. Nous nous appuyons sur l'ouvrage de George Portnoff, *La literatura rusa en España* (New York, Instituto de las Españas, 1932).
4. *Le Roman du Bagne* paraît en 1888 en même temps qu'*Anna Karenina* à Madrid. Le livre le plus traduit est *Souvenirs de la Maison des Morts* qui paraît à Madrid et à Barcelone.
5. J. Juderías, 'Dostoevsky y Nietzsche', *La Lectura*, (sep. 1903).
6. Ortega y Gasset, *Meditaciones del Quijote con un appendice inedito* (Madrid, Revista de Occidente en Alianza Editorial, 1981).

Méditation préliminaire. Le deuxième chapitre de "La Volonté du Baroque" fut publié à part le 12 août 1915 dans la revue *España*, avec quelques corrections sous le titre: "La Volonté du Baroque". La nouvelle édition des *Méditations du Quichotte* contient en annexes "La Volonté du Baroque" en entier ainsi que *Variations sur la Circonstance*, textes qui initialement avaient été écrits en même temps que la première Méditation du Quichotte. L'histoire de la genèse de "La Volonté du Baroque" montre que la réflexion d'Ortega sur Dostoevskij est intimement liée à sa réflexion sur les romans de son ami, le grand écrivain Pío Baroja et sur *Don Quichotte*.[7]

Ortega y Gasset est un représentant de la génération de 1898. Celle-ci s'attache à définer, au moment tragique de la perte des colonies, la spécificité de l'Espagne, sa place dans l'histoire culturelle de l'Europe. Pío Baroja appartient avec Azorín, Ramón des Valle-Inclan, Antonio Machado à la première génération de 1898 dont le maître à penser est Unamuno. Ortega avec Eugenio d'Ors, Juan Ramón Jiménez, Ramón Gomez de la Serna appartient à la deuxième. Animé, comme ses aînés, par le besoin de retrouver la vérité historique de l'Espagne, il entreprend une analyse très personnelle du destin de sons pays et prend ses distances par rapport à la première génération. La polémique avec Baroja sur le roman s'inscrit dans cette quête qui prend, dans sa première oeuvre, la forme d'une méditation philosophique et esthétique sur *Don Quichotte*.

Ortega écrit "La Volonté du Baroque" à l'époque où Dostoevskij commence à être lu et apprécié en Espagne. En Russie ce renouveau date de la parution en 1901 du livre de Merežkovskij, *Tolstoj et Dostoevskij*, qu'avait lu Ortega dans sa traduction française de 1903.[8] A peu près au même moment André Gide publie un article important "Dostoevskij d'après sa Correspondance" (1908) dans lequel il déplore que l'écrivain soit méconnu.[9]

Dans le premier chapitre de son essai, Ortega s'attache à analyser le tournant radical qui se produit dans l'atmosphère européenne: le 20ème siècle se caractérise par le rejet du matérialisme du siècle passé, représenté par Taine et Marx qui "dissolvent l'homme dans le milieu",[10] et par la renaissance de l'idéalisme, sans qu'il s'agisse d'un pas en arrière et d'un "renoncement aux sciences naturelles". Il observe ensuite des changements parallèles dans le domaine de la sensibilité littéraire: les livres de Daudet et de Maupassant engendrent l'ennui tandis que ceux de Stendhal et de Dostoevskij "conquièrent de plus en plus la préférence du public".[11] Cette évolution du goût littéraire doit être liée selon Ortega à

---

7. Ecrivain basque d'une grande fécondité, peint en une immense fresque les tares et la grandeur de la société de son temps.
8. L'ouvrage de Merežkovskij se trouve dans la bibliothèque d'Ortega à Madrid.
9. Lire l'article de Michel Cadot, "Les lectures stratifiées de Dostoevski par André Gide", publié dans ce volume (pp. 197–208).
10. Ortega y Gasset, *Meditaciones del Quijote*, *op. cit.*, 'La voluntad del Barocco', p. 146.
11. *Ibid.*, p. 148.

l'intérêt naissant des arts plastiques pour le baroque. Alléguant que le baroque commence à peine à être compris et qu'il est difficile à analyser parce qu'il existe peu de grands artistes baroques, Ortega se refuse à prendre sa défense et lui reconnaît certains défauts. En fait, il se situe dans la lignée de Wölfflin (auquel il fait allusion), qui considère le baroque non comme un prolongement aberrant de la Renaissance mais comme une totalité esthétique originale.[12] Dans les chapitres III–V, Ortega approfondit sa vision du baroque. Celui-ci est à la fois un mouvement historique, une tendance générale qui se manifeste dans tous les domaines, peut être reconnue à toutes les époques et apparaît à des moments de remise en question des valeurs traditionnelles, une attitude à l'égard des choses qui consiste non à les contempler comme aimait à le faire le quatrocento, mais à les dépasser, à les dominer. Ortega définit l'objet esthétique créé par le baroque comme "un pur dynamisme". L'expression qu'il emploie "volonté du baroque" signifie volonté de s'arracher aux choses, de sortir de leur prison.

C'est cette "volonté du baroque" qu'Ortega retrouve chez Dostoevskij (ainsi que chez Stendhal auquel il se référera plusieurs fois dans son oeuvre). L'attirance du public moderne pour ces deux écrivains s'inscrit donc, selon lui, dans le rejet du materialisme, du déterminisme, le refus de l'inerte, dans un besoin nouveau non plus de s'adapter aux choses mais de s'en détacher. Prenant le contrepied de la critique de Pardo Bazán il affirme que dans un siècle soucieux de réalisme Dostoevskij se situe tout à fait à part parce que le monde extérieur n'est pas l'objet de sa peinture et ne constitue qu'un tremplin. A la différence des écrivains réalistes Dostoevskij ne trouve pas dans la vie un principe d'unité, mais crée une unité originale qui posséde ses lois spécifiques. Pris isolément, chacun des éléments de ses romans peut paraître réel, en fait "au sein de cette unité" ils perdent leur importance. Dostoevskij s'en sert comme tremplin pour créer un tourbillon de passions, délaissent les choses finies décrire le mouvement giratoire des âmes.

Afin d'illustrer sa thèse, Ortega se réfère à *L'Idiot*. Il étudie comment à partir d'un cas, celui d'un homme mûr qui aurait gardé une âme d'enfant, Dostoevskij s'attache non aux composants de l'innocence, comme l'eût fait un Paul Bourget, ce maître du "réalisme psychologique" que méprise le philosophe espagnol, mais au "mouvement vivant" qui lui est inhérent. Ainsi l'innocence est-elle conçue par Ortega comme un matériau, "une chose du monde extérieur", à partir duquel Dostoevskij construit en monde poétique, comme un moyen qui sert à "déchaîner un tourbillon sentimental", voire comme un "prétexte" à ce tourbillon. Ortega conclut sa démonstration par une définition brillante du roman dostoevskien: "La définition la plus exacte d'un roman de Dostoevskij

---

12. Ortega cite les essais de Gurlitt, de Schmarsow et de Burckhardt. Celui-ci avait présenté le baroque comme une altération du style de la Renaissance, puis était revenu sur cette opinion.

serait de dessiner en l'air, d'un geste impétueux, une ellipse".[13]

Ortega retourne ensuite au baroque artistique. Par un mouvement insensible il passe de Dostoevskij au Greco, ce peintre qui, après une longue éclipse, sort de l'oubli au moment où le baroque commence à être à l'honneur. Devançant Eugenio d'Ors, qui écrit une bruyante défense du baroque en 1922, Ortega définit le Greco comme un peintre baroque, l'opposant à Velázquez (Eugenio d'Ors l'opposera à Poussin): sur ses toiles les corps ondulent et vibrent, tout entre en convulsion, "tout se convertit en geste". Le chapitre s'achève sur l'éloge du Greco qu'Ortega présente comme un successeur de Michel-Ange (le Michel-Ange de la dernière période) et comme "le sommet de l'art dynamique".[14]

L'approche d'Ortega relève de l'esthétique comparée. Il serait intéressant de la comparer à celle d'un critique soviétique A.V. Čičerin, qui dans un essai écrit en 1973 et intitulé *Dostoevskij et la baroque* décèle dans la forme des romans de Dostoevskij, dans les structures des images et des personnages "une ligne courte et serpentine", "un rythme impétueux", semblables à ceux qu'il a pu observer dans les peintures et sculptures de Michel-Ange.[15] Toutefois le baroque n'est pas seulement pour Čičerin l'art du mouvement mais aussi celui des contrastes, du désordre, de la disharmonie. Ortega s'intéresse surtout aux rapports de distanciation qui peuvent exister entre l'art et le réel: le monde baroque rompt avec le monde réel et un écrivain baroque tel que Dostoevskij tourne le dos aux réalistes du 19ème siècle. Le baroque, tel que le conçoit Čičerin, fait partie du réalisme de Dostoevskij, est "absorbé" par lui, lui sert en quelque sorte d'"amplificateur".[16] Selon le critique soviétique Dostoevskij appartient au 19ème siècle. Selon le philosophe espagnol il appartient au 20ème.

Mais la différence essentielle entre les deux approches réside dans leur finalité. Čičerin jette un éclairage nouveau sur Michel-Ange et Dostoevskij en comparent deux langages, deux époques, deux grandes oeuvres. Le parallèle entre Dostoevskij et Le Greco a une autre signification. L'essai d'Ortega s'inscrit en effet dans la période de redécouverte du Greco. Après 1900 un groupe d'écrivains espagnols fait le pèlerinage à Tolède. C'est alors que commence le culte du Greco et que se forme son image mythique. La résurrection du Greco tient à divers éléments. Européens: la soif d'évasion, l'esthétique symboliste créent climat favorable à la révélation d'un peintre irréaliste. Proprement espagnols: L'Espagne, après la défaite et la perte ses colonies, est à la recherche d'elle-même. Le problème de la Castille et de ses villes est au centre des préoccupations de la génération de 1898. Elle se tourne vers Tolède, et c'est là qu'elle se trouve face au Greco. Celui-ci lui apparaît comme le plus espagnol des peintres

13. Ortega y Gasset, 'La voluntad del Barocco', *op. cit.*, p. 150.
14. *Ibid.*, pp. 151, 152.
15. A.V. Čičerin, *Ritm obraza* (Moscou, 1973), pp. 186, 188.
16. *Ibid.*, p. 187.

espagnols par sa tristesse, son style qui unit Orient et Occident, ses visions mystiques, enfin par son immatérialité. C'est ce dernier élément qui attire Ortega comme Eugenio d'Ors pour lequel Le Greco est le peintre des choses qui "volent, s'émancipent, se libèrent de l'attraction terrestre".

Ce n'est pas par hasard qu'Ortega rapproche Dostoevskij d'un peintre qu'il considérait comme l'incarnation de l'âme espagnole. De Vogüé estimait que la littérature russe représentait une arme contre le matérialisme et qu'elle devait insuffler à la littérature française l'esprit religieux qui lui manquait. Dostoevskij était pour lui le peintre de la souffrance, plein de pitié pour les humbles. La dimension religieuse et mystique de Dostoevskij et du Greco ne semble pas intéresser Ortega. Ses préoccupations sont d'une autre ordre. Sa notion de dynamisme doit être comprise à la lumière de sa philosophie, fondée sur la doctrine du ratio-vitalisme et exposée en 1925 dans le *Thème de notre temps*. "La réalité radicale" est la vie humaine, c'est-à-dire le moi devant sa circonstance: "Je suis moi et ma circonstance".[17] Le moi fait partie de la circonstance qui est la situation de l'homme dans son contexte géographique et culturel et la circonstance acquiert sa valeur grâce au moi. Rejetant vitalisme (Nietzsche, Unamuno) et rationalisme (Socrate, Kant) Ortega affirme que "la raison pure doit céder son empire à la raison vitale".[18] Celle-ci est l'instrument qui permet à l'homme de s'assimiler l'univers, de chercher, d'assumer, de réabsorber sa circonstance afin que se produise une union organique entre les choses et lui. "Chaque vie est un point de vue sur l'Univers".[19] Chaque individu, que se soit une personne, un peuple, une époque, est "un pouvoir créateur de différences" grâce à "un mouvement impétueux par lequel il sort des choses et les retrouve l'une derrière l'autre, sans perdre la première alors qu'il est déjà dans la seconde", grâce à "une passion unificatrice",[20] qu'Ortega appelle l'amour. Ainsi le pouvoir créateur n'est pas dans la matière qui est figée mais dans l'individu, conçu comme une virtualité dynamique.

Ortega établit un parallèle entre la vie et l'art: la formation de l'individu est semblable à la création de l'oeuvre baroque qui naît aussi d'une puissance unificatrice. On voit que l'étude formelle du baroque n'est pas pour Ortega une fin en soi et qu'elle doit nécessairement aboutir à une reflexion sur le rôle du baroque dans la société moderne, et plus particulièrement dans la société espagnole. Torturé par "l'obsession de l'Espagne comme problème",[21] le philosophe madrilène estime que le dynamisme, qui caractérise selon lui les oeuvres de Dostoevskij et du Greco, est nécessaire à un pays qui, après la Restauration, a

17. *Meditaciones del Quijote*, *op. cit.*, p. 25.
18. Ortega y Gasset, *El Tema de Nuestro Tiempo* (Madrid, Revista de Occidente en Alianza Editorial, 1981), p. 149.
19. *Ibid.*, p. 148.
20. Ortega y Gasset, 'La Voluntad del Barocco', *op. cit.*, p. 159.
21. Ortega y Gasset, *El Tema del Nuestro Tiempo*, *op. cit.*

connu une ère de calme et d'adaptation et qu'il répond aux aspirations de l'individualisme espagnol: "Quand notre nation cesse d'être dynamique, écrit-il dans la première Méditation du Quichotte, elle tombe dans une léthargie profonde et n'exerce plus d'autre fonction vitale que celle de rêver qu'elle vit".[22]

Le second essai d'Ortega que nous nous proposons d'étudier "Dostoevskij et Proust" constitue le quatrième chapitre de l'ensemble d'essais intitulé *Idées sur le Roman*, publié en 1925 en même temps que *Déshumanisation de l'Art*. Dans la nouvelle édition d'*Idées sur le Roman*, Paulino Garagorri souligne les liens qui unissent cet ouvrage aux *Méditations du Quichotte*: toujours incité par l'oeuvre de Pío Baroja, Ortega reprend et approfondit son analyse formelle du genre romanesque.[23]

A la différence de Croce et en réponse à ce dernier (*l'Esthétique* date de 1901), Ortega affirme dans les *Méditations* sa croyance au genre littéraire, qui est pour lui un point de vue sur le monde. Le genre épique décrit le passé, l'idéal, le mythe, l'héroïsme tandis que le roman s'intéresse au présent, crée des personnages typiques et regarde le réel de façon ironique et oblique. A la même époque Lukács élabore, à partir d'une démarche différente, une théorie du roman qui, par certains aspects, se rapproche de celle d'Ortega, et applique ses méthodes d'analyse à des écrivains tels que Dostoevskij et Cervantès. Le point de départ de la réflexion d'Ortega est ce qu'il appelle la "décadence" du genre romanesque. On se souvient que le *Bref Traité du roman* devait s'appeler initialement *Agonie du roman*. Ortega ne cesse, comme d'ailleurs tous les représentants de la génération de 1898, de s'insurger contre le réalisme du 19ème siècle et de critiquer les romans qui donnent trop d'importance à l'action, à la narration des faits, aux descriptions. A ce type de romans dont la surabondance témoigne selon Ortega d'une décadence du genre il oppose celui qui met l'accent sur la forme.

Au moment où s'affirme le succès de Dostoevskij et où les traductions de ses oeuvres se font plus nombreuses, Ortega se penche à nouveau sur un écrivain dont les romans répondent à ses critères esthétiques. Soulignant le "triomphe" que connaît Dostoevskij il estime insuffisantes les raisons émises pour l'expliquer: "dramatisme mystérieux de l'action, caractère extrêmement pathologique des peronnages, exotisme de ces âmes slaves si différentes par leur nature chaotique des nôtres, polies, nettes et claires".[24] Il y a là une allusion ironique à l'interprétation de Pardo Bazán et de Pío Baroja. Conformément à ses idées esthétiques selon lesquelles l'oeuvre d'art existe en tant qu'oeuvre d'art grâce à une structure formelle imposée à la matière, Ortega soutient que pour analyser "la genèse du plaisir" provoqué par les romans de Dostoevskij il faut se tourner

22. Ortega y Gasset, *Meditaciones del Quijote*, *op. cit.*, p. 44.
23. Ortega y Gasset, *Ideas sobre el teatro y la novela* (Madrid, Revista de Occidente en Alianza Editorial, 1982), pp. 9, 10.
24. *Ibid.*, p. 30.

non vers leur matière mais vers leur forme er définit l'écrivain comme un véritable technicien du roman, fruit d'un travail élaboré et non d'une "extase démoniaque", comme "un des plus grands novateurs dans le domaine de la forme romanesque".[25]

Désireux de prouver à Pío Baroja sa méconnaisance de la technique romanesque de Dostoevskij, Ortega s'attache à en donner les caractéristiques essentielles: densité interne, qu'il appelle "pression atmosphérique". Elle s'obtient par la concentration de la trame de l'action dans le temps et dans la lieu, comme dans les tragédies classiques (Merežkovskij, qu'avait lu Ortega, puis V. Ivanov avaient formulé la notion de roman-tragédie à propos du roman dostoevskien), par une non-coïncidence (une "isochronie" selon la terminologie de Genette) entre temps du récit et temps de l'histoire, enfin par la dilatation de chacun des événements qui se produisent dans le roman et non par leur accumulation.

Importance donnée aux dialogues dont la fonction est de conférer une certaine "corporéité" aux personnages afin de "saturer" le lecteur de leur présence.

Création de personnages différents de l'auteur. Ortega dénonce l'illusion d'optique qui consiste à attribuer à Dostoevskij le caractère de ses personnages. C'est encore à Pío Baroja qu'il fait allusion.

Tactique de l'écrivain à l'égard du lecteur qui consiste, non sans "cruauté",[26] à mener celui-ci sur une fausse piste. Dostoevskij présente d'abord son personnage, donne sa biographie et définit son caractère. Ensuite il le fait vivre. C'est alors que le lecteur s'aperçoit que le comportement du personnage ne correspond pas à la définition qui en a été donnée. Il est ainsi placé devant une tâche difficile: il doit redéfinir lui-même le caractère du personnage. Aiguillonné par l'écrivain, il se voit forcé de "reconstruire" le "profil" de ces "créatures changeantes" qui se forment en quelque sorte "sous ses yeux". Tactique qu'Ortega apprécie au plus haut point parce qu'elle place le lecteur devant le même problème auquel celui-ci est confronté dans la vie lorsqu'il se trouve devant des personnes réelles: elles lui échappent sans cesse car elles ne coïncident pas avec l'idée qu'il se fait d'elles.

Enfin le tempo très lent (*morosidad*) qui doit être pour Ortega le trait essentiel du genre romanesque et qu'il retrouve chez Stendhal et chez Proust. S'il tient *Le Rouge et le Noir* pour un modèle auquel doit se référer la littérature occidentale, il estime que la lenteur du roman proustien est exagérée et qu'elle détruit l'intensité dramatique de l'oeuvre.

Le roman objectivé, déréalisé que défend Ortega est à l'opposé des romans de

---

25. *Ibid.*, p. 32.
26. *Ibid.*, p. 34. Pour N.K. Mihajlovskij, "la cruauté du talent" de Dostoevskij réside dans l'amour avec lequel l'écrivain "fouille l'âme des loups" – *F.M. Dostoevskij v russkoj kritike* (Moscou, Hudožestvennaja literatura), p. 311.

Pío Baroja. Tout de long de sa fameuse polémique avec son ami, Ortega ne cesse de lui reprocher une tendance à écrire pour satisfaire son culte du moi, "marque de l'hystérie nationale", le manque d'indépendance de ses personnages, son intérêt pour la realité au détriment du monde imaginaire, le rôle trop important accordé à l'action, bref des carences esthétiques graves. Dans ses réponses, Pío Baroja soutient qu'un art qui accorde la primauté à la forme ne peut satisfaire les exigences de la société espagnole et défend les romans qui sont fondés sur une vision subjective de la réalité de l'époque et s'adressent à un public populaire. Dostoevskij est au coeur de la polémique entre Ortega et Pío Baroja. Ce dernier, comme Pardo Bazán, nie la dimension esthétique de l'oeuvre de Dostoevskij et souligne la mysticisme de l'écrivain, "sa sensibilité excessive alliée au sadisme et à la cruauté", "sa fantaisie maladive".[27] Plusieurs années plus tard il découvre que Dostoevskij crée des personnages indépendants de lui-même, mais il attribue à cette création des causes pathologiques.[28] Rien n'est plus opposé à la conception d'Ortega selon laquelle il s'agit là d'une technique romanesque originale, fondée sur le distance que prend l'écrivain par rapport à lui-même et à l'objet de sa création.

L'approche d'Ortega se situe dans le courant anti-historique du début du siècle qui revendique la valeur esthétique de l'oeuvre d'art, refuse l'interprétation historico-sociale du texte dont il se propose d'étudier la construction formelle. Elle présente des affinités avec celle de James (auquel Ortega a été souvent comparé) et de Forster qui veulent conférer au roman un statut esthétique et soulignent la distance du romanesque par rapport à la réalité. Mais elle en diffère sensiblement dans la mesure où Ortega ne met pas l'accent sur l'ordre et la cohérence du monde romanesque. Comme Joyce et V. Woolf à la même époque il pense au contraire que le roman traduit le mouvement, la non-finitude de la vie, l'impossibilité de saisir le caractère contradictoire des hommes.

Dans le domaine de la critique dostoevskienne, l'approche d'Ortega peut se situer dans la lignée des recherches de V. Ivanov, Ju. Tynjanov, V. Grossman et surtout M. Bahtin (qu'il ne connaissait certainement pas) et dans une certaine mesure de Gide (qu'il connaissait probablement), qui visent à explorer la technique romanesque de l'écrivain. On retrouve chez Ortega quelques-unes des idées maîtresses de Bahtin: le mouvement tourbillonnant, la non-finitude, l'indépendance des personnages, l'opposition du roman et de l'épopée. Toutefois les différences sont profondes. Ortega souligne l'inconscience des personnages dostoevskiens. L'absence de stylisation des personnages qu'il observe chez Dostoevskij a pour but d'obliger le lecteur à reconstruire leur caractère. L'auteur est au-dessus d'eux et, dans une moindre mesure, puisqu'il est manipulé, le lecteur, lui aussi, leur est supérieur. La notion orteguienne d'indépendance

27. Pío Baroja, *Obras completas* (Madrid, Biblioteca nueva, 1948), t. IV, p. 319.
28. 'El desdobliamento psicológico de Dostoevski', *ibid.*, (1943), t. V, p. 1066.

des héros ne saurait se confondre avec celle de Bahtin pour lequel le romancier abdique sa toute-puissance en faveur de ses héros. Ceux-ci se développent et agissent de façon inattendue parce qu'ils sont libres. Leur liberté est liée à la structure polyphonique des romans dostoevskiens, fondée sur "la multiplicité et la coexistence des voix et consciences indépendantes".[29]

Une des différences essentielles entre Ortega et Bahtin réside dans leur manière de concevoir les rapports entre l'art et la vie. Bahtin ne sépare pas l'art de la vie. Il tient la pensée humaine pour éminemment dialogique et trouve une confirmation de sa théorie dans les oeuvres de Dostoevskij et d'autres écrivains auxquels il les rattache. Ortega souligne l'irréductibilité du monde de l'art à celui de la vie. La loi des faits n'est pas celle de la vie, comme la psychologie qui existe dans la vie n'a rien de commun avec celle qui existe dans l'art. L'auteur isole le lecteur de la vie et l'enferme dans un monde imaginaire. Le mot "touffu" (*tupido*)[30] qu'emploie Ortega pour définir le genre romanesque ne semble pas avoir la même acception que chez Gide.[31] "Tupido" veut dire impénétrable, fermé, hermétique, "incompatible avec la réalité extérieure", "entouré de roman de toutes parts".[32] Mais si le rôle du romancier est d'isoler de la vie, il doit aussi au sein du monde imaginaire donner l'illusion de la vie. C'est ainsi qu'un lecteur originaire de Seville qui n'a jamais connu de personnes semblables aux Frères Karamazov comprendra le mécanisme psychique de leurs âmes.[33] Le "réalisme" d'un roman dostoevskien, qu'Ortega écrit entre guillemets pour le distinguer du réalisme du 19ème siècle ("Appelons-le ainsi pour ne pas compliquer les choses"),[34] réside dans la manière de traiter les choses: "Ce n'est pas la matière de la vie qui constitue son «réalisme» mais la forme de la vie".[35] La forme est une notion ambiguë. Elle semble désigner ici à la fois le mouvement, le dynamisme, caractéristiques de la structure romanesque mais aussi le système inhérent à l'oeuvre, conçue comme un cosmos complet, fermé et rond à la fois semblable à la vie et différent d'elle. Ortega semble, comme les formalistes russes, s'être inspiré des travaux de Wölfflin.

Enfin, la notion de polyphonie est inexistante chez Ortega. Si chaque individu est "un point de vue" sur le monde (on retrouve la même expression chez Bahtin), c'est un point de vue qui ne discute pas avec d'autres points de vue. Selon la doctrine du perspectivisme, la vérité est la synthèse des points de vue et non un dialogue entre eux. Chaque point de vue doit être écouté, respecté mais

---

29. M. Bahtin, *Problemy poetiki Dostoevskogo* (Moscou, Sovetskij pisatel', 1963), p. 7.
30. Ortega y Gasset, *Ideas sobre el teatro y la novela*, *op. cit.*, p. 49.
31. Selon M. Cadot la "forme touffue", la "composition symphonique" est "la version gidienne de la «polyphonie» bakhtienne" (*op. cit.*, p. 22).
32. Ortega y Gasset, *Ideas sobre el teatro y la novela*, *op. cit.*, p. 49.
33. *Ibid.*, p. 54.
34. *Ibid.*, p. 33.
35. *Ibid.*, p. 34.

non discuté. Le dialogue, nous l'avons vu, n'est qu'un procédé romanesque.

Pour conclure ce très bref rapprochement entre la pensée esthétique d'Ortega et celle de Bahtin on peut dire que l'approche d'Ortega est plus formaliste que celle de Bahtin. En même temps, comme nous l'avons vu précédemment, Ortega confère au roman dostoevskien une fonction sociale. Par leur forme elliptique, les romans de Dostoevskij ainsi que les tableaux du Greco donnent aux Espagnols une leçon de dynamisme. De plus, bien qu'il n'existe pas dans l'oeuvre d'Ortega de parallèle entre l'oeuvre de Dostoevskij et *Don Quichotte* on peut remarquer que l'analyse des romans de Dostoevskij n'est pas sans rappeler celle que fait Ortega du roman de Cervantès dans la première Méditation: le héros de Cervantès est distinct de l'auteur qui ne dit pas comment il est, mais le montre et sature le lecteur de sa seule présence. Quant à Don Quichotte, n'est-il pas proche des héros dostoevskiens définis par Ortega dans la mesure où ce dernier présente comme un héros qui ne se laisse pas mener par les choses et résiste à sa condition biologique? Il semblerait qu'Ortega attribue à l'art de Dostoevskij un rôle semblable à celui qu'il attribue à l'art de Cervantès: arracher l'Espagne à la contemplation de ses malheurs, permettre à "l'Espagne invertébrée" de retrouver son axe, sa colonne vertébrale.

La conception orteguienne d'un lecteur non aliéné par la lecture et créateur rappelle les conceptions de Wayne C. Booth et de Wolfgang Iser. Mais ces derniers, redevables de Husserl, considèrent le lecteur comme producteur de sens. Ortega envoie le terme de conscience "au lazaret". Comme il met en avant le caractère second de la pensée par rapport à la réalité, de même il souligne la primauté du texte par rapport au lecteur. La maïeutique du lecteur chez Ortega ne transforme pas le lecteur en "producteur de texte" (Claude Simon, Barthes). Enfin il faut noter le mot "reconstruction" employé par Ortega. Poussée par l'auteur, le lecteur refait ce qu'a fait ce dernier. Il ne "déconstruit" pas un texte pour y déceler des contradictions. Il est soumis à la volonté de l'auteur et recrée le texte.

Représentant d'une génération qui considère l'art comme un moyen de mieux comprendre l'histoire de l'Espagne, comme une ancre de salut, se tourne vers la littérature russe et y trouve des analogies entre le destin de la Russie et celui de l'Espagne, Ortega apporte une contribution originale à l'étude de Dostoevskij en alliant des approches formaliste, sociologique et philosophique. Quelque peu oubliés, ses essais sur Dostoevskij méritent de prendre place de choix dans l'abondante critique dostoevskienne.

LIST OF CONTRIBUTORS

Halina Brzoza	*Torun (Poland)*
Michel Cadot	*Paris (France)*
Gary Cox	*Dallas, TX (U.S.A.)*
Caryl Emerson	*Princeton, NJ (U.S.A.)*
Mladen Engelsfeld	*Zagreb (Croatia)*
Georgii M. Fridlender	*St Petersburg (Russia)*
Horst–Jürgen Gerigk	*Heidelberg (Germany)*
D. Kopeliovich	*Jerusalem (Israel)*
Svetlana Kuz'mina	*(Russia)*
Ilona Lakov	*Leipzig (Germany)*
Henrietta Mondry	*Johannesburg (South Africa)*
Sophie Ollivier	*Saint-Hilaire-de Beauvoir (France)*
Konrad Onasch	*Halle (Germany)*
Richard W.F. Pope	*Downsview, Ontario (Canada)*
J.L. Rice	*Eugene, OR (U.S.A.)*
Jean Paul C.J. Selten	*The Hague (The Netherlands)*
Aleksander Skaza	*Ljubljana (Slovenia)*
Victor Terras	*Providence, RI (U.S.A.)*
Claudia Moscovici Troyka	*Providence, RI (U.S.A.)*
V. Tunimanov	*St Petersburg (Russia)*
Bruce K. Ward	*Sudbury, Ontario (Canada)*
Michael Wegner	*Jena (Germany)*
Halina Chałacińska-Wiertelak	*Poznan (Poland)*
Vladimir Zakharov	*Petrozavodsk (Russia)*

ASTRA PRESS PUBLICATIONS

Monica Partridge: *Alexander Herzen: Collected Studies*, 2nd enl. & rev. ed.
1993. x + 222 pp. ISBN 0-946134-28-6. Price: £19.00 incl. p&p.

Andrew Barratt: *The Early Fiction of Maksim Gorky: Six Essays in Interpretation*
1993. xii + 158 pp. ISBN 0-946134-31-6. Price: £18.00 incl. p&p.

Scotland and the Slavs: Selected Papers from the Glasgow–90 East–West Forum, ed. by Peter Henry, Jim MacDonald, Halina Moss.
1993. xi + 176 pp. ISBN 0-946134-33-2. Price £18.00 incl. p&p.

Karel Horálek, *An Introduction to the Study of the Slavonic Languages*, trans. and amended by Peter Herrity.
1992. 2 vols. – xiv + 310 pp. (ISBN 0-946134-26-X) / x + 292 pp. (ISBN 0-946134-34-0). Price £55.00 per set incl. p&p.

The Wider Europe: Essays on Slavonic Languages and Cultures in Honour of Professor Peter Henry on the Occasion of His Retirement, ed. by J.A. Dunn with N.S. Parsons, D.P.A. Pirie, M.H. Tejerizo and S.L. White.
1992. xii + 198 pp. ISBN 0-946134-29-4. Price £18.00 incl. p&p.

G.M. Terry: *Maxim Gorky in English: A Bibliography*, 2nd revised and enlarged ed. (Astra Soviet & East European Bibliographies, № 14).
1992. 44 pp. ISBN 0-946134-32-4. Price £5.00 incl. p&p.

The Short Story in Russia: 1900-1917, ed. by N.J.L. Luker.
1991. xvi + 184 pp. ISBN 0-946134-18-9. Price £19.00 incl. p&p.

Russian and Yugoslav Culture in the Age of Modernism, ed. by C. Marsh and W. Rosslyn
1991. xvi + 168 pp. ISBN 0-946134-18-9. Price £17.50 incl. p&p.

G.M. Terry: *East European Languages and Literatures, V: A Subject and Name Index to Articles in English-Language Journals, Festschriften, Conference Proceedings and Collected Papers, 1988-1990*. (Astra Soviet & East European Bibliographies, № 11).
1991. xxii + 152 pp. ISBN 0-946134-25-1. Price £18.00 incl. p&p.

G.M. Terry: *Mikhail Bulgakov in English: A Bibliography 1891-1991*. (Astra Soviet & East European Bibliographies, № 12).
1991. 32 pp. ISBN 0-946134-24-3. Price £3.75 incl. p&p.

D.A. Norris: *The Novels of Miloš Crnjanski: An Approach Through Time.*
1990. x + 181 pp. ISBN 0-946134-22-7. Price £16.50 incl. p&p.

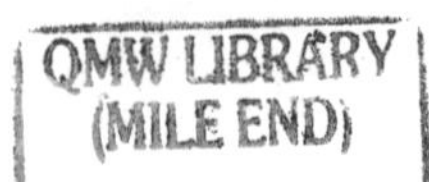

ASTRA PRESS PUBLICATIONS

Nicholas Luker: *In Defence of a Reputation: Essays on the Early Prose of Mikhail Artsybashev.*
1990. x + 154 pp. ISBN 0-946134-21-9. Price £16.50 incl. p&p.

G.M. Terry: *Yugoslav History: A Bibliographic Index to English-Language Articles.* (Astra Soviet & East European Bibliographies, № 10).
1990. 2nd rev. & enl. edn. xxxiii + 168 pp. ISBN 0-946134-23-5. Price £17.50 incl. p&p.

The Bell of Freedom: Essays Presented to Monica Partridge on the Occasion of Her 75th Birthday, ed. by Peter Herrity with the assistance of M.V. Jones and G.M. Terry.
1990. xxii + 176 pp. ISBN 0-946134-17-0. Price £17.00 incl. p&p.

The Speech of Unknown Eyes: Akhmatova's Readers on Her Poetry, ed. by Wendy Rosslyn.
1990. xxvi + 344 pp. Vol.1: 0-946134-19-7. Vol.2: 0-946134-20-0. The set: 0-946134-16-2. Price £30.00 incl. p&p for the set.

G.M. Terry: *Anna Akhmatova in English: A Bibliography 1889-1966-1989.* (Astra Soviet & East European Bibliographies, № 9).
1989. 24 pp. ISBN 0-946134-14-6. Price £3.25 incl. p&p.

Words and Images: Essays in Honour of Professor (Emeritus) Dennis Ward, ed. by M. Falchikov, C. Pike and R. Russell.
1989. xix + 197 pp. ISBN 0-946134-15-4. Perfect-sewn bound. Price £19.50 incl. p&p.

G.M. Terry: *East European Languages and Literatures, IV: A Subject and Name Index to Articles in English-Language Journals, Festschriften, Conference Proceedings and Collected Papers, 1985-1987.* (Astra Soviet & East European Bibliographies, № 8).
1988. xviii + 130 pp. ISBN 0-946134-13-8. Perfect-sewn bound. Price £15.00 incl. p&p.

Nora Lavrin: *D.H. Lawrence: Nottingham Connections.*
1986. viii + 187 pp. ISBN 0-946134-08-1. Perfect-sewn bound. Price £12.00 incl. p&p.

Alexander Herzen and European Culture: Proceedings of an International Symposium, Nottingham and London, 6-12th September 1982., ed. by Monica Partridge.
1985. xii + 305 pp. ISBN 0-946134-03-3. Perfect-sewn bound. Price £14.75 incl. p&p.

Forthcoming Publication

Literature, Lives and Legality in Catherine's Russia, ed. by A.G. Cross & G.S. Smith.
Winter 1993/94. Approx. 200 pp. ISBN 0-946134-37-5.